ハリー・ポッターと賢者の石

J・K・ローリング

松岡佑子 訳

静山社

ハリー・ポッターと賢者の石　目次

第1章　生き残った男の子　7

第2章　消えたガラス　27

第3章　知らない人からの手紙　41

第4章　鍵の番人　58

第5章　ダイアゴン横丁　76

第6章　9と3／4番線からの旅　109

第7章　組分け帽子　138

第8章　魔法薬の先生　159

第9章　真夜中の決闘　172

第10章　ハロウィーン　195

第11章　クィディッチ　214

第12章　みぞの鏡　230

第13章　ニコラス・フラメル　254

第14章　ノルウェー・ドラゴンのノーバート　269

第15章　禁じられた森　287

第16章　仕掛けられた罠　309

第17章　二つの顔をもつ男　341

主な登場人物

ハリー・ポッター
主人公。十一歳。ホグワーツ魔法魔術学校の一年生。緑の目に黒い髪、額には稲妻形の傷。幼いころに両親を亡くし、人間（マグル）界で育ったので、自分が魔法使いであることを知らない

アルバス・ダンブルドア
ホグワーツ魔法魔術学校の校長先生

ミネルバ・マクゴナガル
ホグワーツの副校長先生。変身術の先生

ルビウス・ハグリッド
ホグワーツの鍵と領地を守る番人

ロン・ウィーズリー
ハリーのクラスメート。大家族の末息子

ハーマイオニー・グレンジャー
ハリーのクラスメート。マグルの子なのに、魔法学校の優等生

ネビル・ロングボトム
ハリーのクラスメート

ドラコ・マルフォイ
スリザリン寮の生徒。魔法界の名家の出身

セブルス・スネイプ
魔法薬学の先生。なぜかハリーを憎んでいる

クィレル教授
「闇の魔術に対する防衛術」の先生

ダーズリー一家（バーノンおじさん、ペチュニアおばさん、ダドリー）
ハリーの親戚で育ての親とその息子。まともじゃないことを毛嫌いする

ヴォルデモート（例のあの人）
最強の闇の魔法使い。多くの魔法使いや魔女を殺した

物語が好きな娘、ジェシカに
同じく物語が好きだった母、アンに
この本を最初に知った妹、ダイに

Original Title: HARRY POTTER AND THE PHILOSOPHER'S STONE

First published in Great Britain in 1997
by Bloomsbury Publishing Plc, 50 Bedford Square, London WC1B 3DP

Text © J.K. Rowling 1997

Wizarding World is a trade mark of Warner Bros. Entertainment Inc.
Wizarding World Publishing and Teatrical Rights © J.K. Rowling

Wizarding World characters, names and related indicia are TM and © Warner Bros.
Entertainment Inc. All rights reserved

All characters and events in this publication, other than those
clearly in the public domain, are fictitious and any resemblance
to real persons, living or dead, is purely coincidental.

No part of this publication may be reproduced, stored in
a retrieval system, or transmitted, in any form, or by any means,
without the prior permission in writing of the publisher,
nor be otherwise circulated in any form of binding or cover
other than that in which it is published and without a similar condition
including this condition being imposed on the subsequent purchaser.

Japanese edition first published in 1999
Copyright © Say-zan-sha Publications Ltd, Tokyo

This book is published in Japan by arrangement with
the author through The Blair Partnership

第1章　生き残った男の子

プリベット通り四番地の住人ダーズリー夫妻は、「おかげさまで、私どもはどこから見てもまともな人間です」というのが自慢だった。不思議とか神秘とかそんな非常識はまるっきり認めない人種で、まか不思議な出来事が彼らの周辺で起こるなんて、とうてい考えられなかった。

ダーズリー氏は、穴あけドリルを製造しているグラニングズ社の社長だ。ずんぐりと肉づきのよい体型のせいで、首がほとんどない。そのかわり巨大な口ひげが目立っていた。奥さんのほうはやせて、金髪で、なんと首の長さが普通の人の二倍はある。垣根越しにご近所の様子を詮索するのが趣味だったので、鶴のような首は実に便利だった。ダーズリー夫妻にはダドリーという男の子がいた。どこを探したってこんなに出来のいい子はいやしない、というのが二人の親ばかの意見だった。

ダーズリー夫妻には、たった一つ秘密があった。何より怖いのは、そんな絵に描いたように満ち足りたダーズリー家にも、誰かにその秘密をかぎつけられることだった。

――あのポッター一家のことが誰かに知られてしまったら、一巻の終わりだ。

ポッター夫人はダーズリー夫人の実の妹だが、二人はここ数年、一度も会ってはいなかった。それどころか、ダーズリー夫人は妹などいないというふりをしていた。何しろ、妹もそのろくでなしの夫も、ダーズリー家の家風とはまるっきり正反対だったからだ。

――ポッター一家がふいにこのあたりに現れたら、ご近所の人たちがなんと言うか、考えただけでも

身の毛がよだつ。

ポッター家にも小さな男の子がいることを、ダーズリー夫妻は知ってはいたが、ただの一度も会ったことがない。

――そんな子と、うちのダドリーが関わり合いになるなんて……。

それもポッター一家を遠ざけている理由の一つだった。

さて、ある火曜日の朝のことだ。ダーズリー一家が目を覚ますと、外はどんよりとした灰色の空だった。物語はここから始まる。まか不思議なことがまもなくイギリス中で起ころうとしているなんて、そんな気配は曇り空のどこにもなかった。ダーズリー氏は鼻歌まじりで、仕事用の思いっきりありふれた柄のネクタイを選んだ。奥さんのほうは大声で泣きわめいているダドリー坊やをやっとこさベビーチェアに座らせ、嬉々としてご近所のうわさ話を始めた。

窓の外を、大きなふくろうが羽ばたいて通り過ぎたが、二人とも気がつかなかった。八時半、ダーズリー氏は鞄を持ち、奥さんのほおにちょこっとキスして、それからダドリー坊にもバイバイのキスをしようとしたが、しそこなった。坊やがかんしゃくを起こして、コーンフレークを皿ごと壁に投げつけている最中だったからだ。「わんぱく坊主め」ダーズリー氏は満足げに笑いながら家を出て、自家用車に乗り込み、四番地の路地をバックで出ていった。広い通りに出る前の角の所で、ダーズリー氏は初めて、何かおかしいぞと思った。

――なんと猫が地図を見ている――ダーズリー氏は一瞬、目を疑った。もう一度よく見ようと急いで振り返ると、確かにプリベット通りの角にトラ猫が一匹立ち止まっていた。しかし、地図のほうは見えなかった。ばかな、いったい何を考えているんだ。きっと光のいたずらだったにちがいない。ダーズ

ハリー・ポッターと賢者の石

8

リー氏は瞬きをして、もう一度猫をよく見なおした。猫は見つめ返した。角を曲がり、広い通りに出たとき、バックミラーに映っている猫が見えた。なんと、今度は「プリベット通り」と書かれた標識を読んでいる――いや、「見て」いるだけだ。猫が地図やら標識やらを読めるはずがない。ダーズリー氏は体をブルッと振って気をとりなおし、猫のことを頭から振り払った。街に向かって車を走らせているうちに、彼の頭は、その日に取りたいと思っている穴あけドリルの大口注文のことでいっぱいになった。

ところが、街はずれまで来たとき、ドリルなど頭から吹っ飛ぶようなことが起こったのだ。いつもの朝の渋滞にまきこまれ、車の中でじっとしていると、奇妙な服を着た人たちがうろうろしているのが、いやでも目についた。マントを着ている。

――おかしな服を着た連中にはがまんがならん――近ごろの若いやつらの格好ときたら！　マントも最近のばかげた流行なんだろう。

ハンドルを指でいらいらとたたいていると、ふと、すぐそばに立っているおかしな連中が目にとまった。何やら興奮してささやき合っている。けしからんことに、とうてい若いとはいえないやつがひと組まじっている。

――あの男なんか自分より年をとっているのに、エメラルド色のマントを着ている。どういう神経だ！

まてよ。ダーズリー氏は、はたと思いついた。

――くだらん芝居をしているにちがいない――きっと、連中は寄付集めをしているんだ……そうだ、それだ！

やっと車が流れはじめた。数分後、車はグラニングズ社の駐車場に着き、ダーズリー氏の頭は穴あけ

第1章　生き残った男の子
9

ドリルに戻っていた。

ダーズリー氏のオフィスは十階で、いつも窓に背を向けて座っていた。そうでなかったら、今朝は穴あけドリルに集中できなかったかもしれない。真っ昼間からふくろうが空を飛び交うのを、ダーズリー氏は見ないですんだが、道行く多くの人はそれを目撃した。ふくろうが次から次へと飛んで行くのを指さしては、いったいあれはなんだと口をあんぐりあけて見つめていたのだ。ふくろうなんて、たいがいの人は夜にだって見たことがない。一方ダーズリー氏は、昼までしごくまともに、ふくろうとは無縁で過ごした。五人の社員をどなりつけ、何本か重要な電話をかけ、また少しガミガミどなった。おかげで昼までは上機嫌だった。それから、少し手足を伸ばそうかと、道路のむかい側にあるパン屋まで歩いて買い物に行くことにした。

マントを着た連中のことはすっかり忘れていたのに、パン屋の手前でまたマント集団に出会ってしまった。そばを通り過ぎるとき、ダーズリー氏は、けしからんとばかりににらみつけた。しかし、なぜかこの連中は、ダーズリー氏を不安な気持ちにさせた。このマント集団も、何やら興奮してささやき合っていた。しかも、寄付集めの空き缶が一つも見当たらない。パン屋からの帰り道、大きなドーナツを入れた紙袋を握り、また連中のそばを通り過ぎようとしたその時、こんな言葉が耳に飛び込んできた。

「ポッターさんたちが、そう、わたしゃそう聞きましたよ……」

「……そうそう、息子のハリーがね……」

ダーズリー氏はハッと立ち止まった。恐怖が湧き上がってきた。いったんはヒソヒソ声のするほうを振り返って、何か言おうかと思ったが、まてよ、と考えなおした。

ダーズリー氏は猛スピードで道を横切り、オフィスに駆け戻るや否や、秘書に「誰も取り継ぐな」と命令し、ドアをピシャッと閉めて電話をひっつかみ、家の番号を回しはじめた。しかし、ダイヤルし終

ハリー・ポッターと賢者の石

10

わらないうちに気が変わった。受話器を置き、口ひげをなでながら、ダーズリー氏は考えた。

――まさか。自分はなんて愚かなんだ。ポッターなんてめずらしい名前じゃない。ハリーという名の男の子がいるポッター家なんて、山ほどあるにちがいない。考えてみりゃ、甥の名前がハリーだったかどうかさえ確かじゃない。一度も会ったこともないし、ハービーという名だったかもしれない。いやハロルドかも。こんなことで妻に心配をかけてもしょうがない。妹の話がちらっとでも出ると、あれはいつも取り乱す。無理もない。もし**自分の妹**があんなふうだったら……それにしても、いったいあのマントを着た連中は……。

昼からは、どうも穴あけドリルに集中できなかった。五時に会社を出たときも、何かが気になり、外に出たとたん誰かと正面衝突してしまった。

「すみません」

ダーズリー氏はうめき声を出した。相手は小さな老人で、よろけて転びそうになっていた。数秒後、ダーズリー氏は老人がスミレ色のマントを着ているのに気づいた。地面にばったりと這いつくばりそうになったのに、まったく気にしていない様子だ。それどころか、顔が上下に割れるかと思うほど大きくニッコリして、道行く人が振り返るほどのキーキー声でこう言った。

「旦那、すみませんなんてとんでもない。今日は何があったって気にしませんよ。ばんざい！『例のあの人』がとうとういなくなったんですよ！あなたのようなマグルも、こんな幸せなめでたい日はお祝いすべきです」

小さな老人はダーズリー氏のおへそのあたりをいきなりギュッと抱きしめると、立ち去っていった。ダーズリー氏はその場に根が生えたように突っ立っていた。まったく見ず知らずの人に抱きつかれた。マグルとかなんとか呼ばれたような気もする。くらくらしてきた。急いで車に乗り込むと、ダーズリー

第1章　生き残った男の子

11

氏は家に向かって走りだした。どうか自分の幻想でありますように……幻想などけっして認めないダーズリー氏にしてみれば、こんな願いを持つのは生まれて初めてだった。

やっとの思いで四番地に戻ると、真っ先に目に入ったのは――ああ、なんたることだ――今朝見かけた、あの、トラ猫だった。今度は庭の石垣の上に座り込んでいる。まちがいなくあの猫だ。目のまわりの模様がおんなじだ。

「シッシッ!」

ダーズリー氏は大声を出した。

猫は動かない。じろりとダーズリー氏を見ただけだ。まともな猫がこんな態度をとるものだろうか、と彼は首をかしげた。それから気を取りなおし、家に入っていった。妻には何も言うまいという決心は変わっていなかった。奥さんは、すばらしくまともな一日を過ごしていた。夕食を食べながら、隣のミセスなんとかがらのことでさんざん困っているとか、ダドリー坊やが「イヤッ!」という新しい言葉を覚えたとかを夫に話して聞かせた。ダーズリー氏はなるべくふだんどおりに振る舞おうとした。

ダドリー坊やが寝たあと、居間に移ったところで、ちょうどテレビの最後のニュースが始まった。

「さて最後のニュースです。全国のバードウォッチャーによれば、今日はイギリス中のふくろうがおかしな行動を見せたとのことです。通常、ふくろうは夜に狩をするので、昼間に姿を見かけることはめったにありませんが、今日は夜明けとともに、何百というふくろうが四方八方に飛び交う光景が見られました。なぜふくろうが急に夜昼逆になったのか、専門家たちは首をかしげています」

そこでアナウンサーはニヤリと苦笑いした。

「ミステリーですね。ではお天気です。ジム・マックガフィンさんどうぞ。ジム、今夜もふくろうが降ってきますか?」

ハリー・ポッターと賢者の石

12

「テッド、そのあたりはわかりませんが、今日おかしな行動をとったのはふくろうばかりではありません

んよ。視聴者のみなさんが、遠くはケント、ヨークシャー、ダンディー州からお電話をくださいました。

きのう、私は雨の予報を出したのに、かわりに流れ星がどしゃ降りだったそうです。たぶん早々と『ガ

イ・フォークスの焚き火祭り』でもやったんじゃないでしょうか。みなさん、祭りの花火は来週です

よ！ いずれにせよ、今夜はまちがいなく雨でしょう」

安楽椅子の中でダーズリー氏は体が凍りついたような気がした。イギリス中で流れ星だって？ 真っ

昼間からふくろうが飛んだ？ マントを着た奇妙な連中がそこいら中にいた？ それに、あのヒソヒソ

話。ポッター一家がどうしたとか……。

奥さんが紅茶を二つ持って居間に入ってきた。まずい。妻に何か言わなければなるまい。ダーズリー

氏は落ち着かない咳払いをした。

「あー、ペチュニアや。ところで最近、おまえの妹から便りはなかったろうね」

案の定、奥さんはびくっとして怒った顔をした。二人ともふだん、奥さんに妹はいないということに

しているのだから当然だ。

「ありませんよ。どうして？」

とげとげしい返事だ。

「おかしなニュースを見たんでね」

ダーズリー氏はもごもご言った。

「ふくろうとか……流れ星だとか……それに、今日、街に変な格好をした連中がたくさんいたんでな」

「それで？」

「いや、ちょっと思っただけだがね……もしかしたら……何か関わりがあるかと……その、なんだ……

第1章　生き残った男の子

13

あれの仲間と」

奥さんは口をすぼめて紅茶をすすった。ダーズリー氏は「ポッター」という名前を耳にした、と思いきって打ち明けるべきかどうか迷ったが、やはりやめることにした。そのかわり、できるだけさりげなく聞いた。

「あそこの息子だが……確かうちのダドリーと同じくらいの年じゃなかったかね?」

「そうかも」

「なんという名前だったか……。確かハワードだったね」

「ハリーよ。私に言わせりゃ、下品でありふれた名前ですよ」

「ああ、そうだった。おまえの言うとおりだよ」

ダーズリー氏はすっかり落ち込んでしまった。二人で二階の寝室に上がっていくときも、彼はまったくこの話題には触れなかった。

奥さんがトイレに行ったすきに、こっそり寝室の窓に近寄り、家の前をのぞいてみた。あの猫はまだそこにいた。何かを待っているように、プリベット通りの奥のほうをじっと見つめている。

──これも自分の幻想なのか? もしそうなら……もし自分たちがあんな夫婦と関係があるなんてことが明るみに出たら……ああ、そんなことには耐えられない。

ベッドに入ると、奥さんはすぐに寝入ってしまったが、ダーズリー氏はあれこれ考えて寝つけなかった。

──しかし、**万々**が一ポッターたちが関わっていたにせよ、あの連中が自分たちの近くにやってくるはずがない。あの二人やあの連中のことをわしらがどう思っているか、ポッター夫妻は知っているはず

ハリー・ポッターと賢者の石

14

だ……何が起こっているかは知らんが、わしやペチュニアが関わり合いになることなどありえない——

そう思うと少しホッとして、ダーズリー氏はあくびをして寝返りを打った。

——わしらにかぎって、絶対に関わり合うことはない……。

——なんという大まちがい——。

ダーズリー氏がとろとろと浅い眠りに落ちたころ、塀の上の猫は眠る気配さえ見せていなかった。銅像のようにじっと座ったまま、瞬きもせずプリベット通りの奥の曲がり角を見つめていた。隣の道路で車のドアをバタンと閉める音がしても、二羽のふくろうが頭上を飛び交っても、毛一本動かさない。真夜中近くになって、初めて猫は動いた。

猫が見つめていたあたりの曲がり角に、一人の男が現れた。あんまり突然、あんまりスーッと現れたので、地面から湧いて出たかと思えるぐらいだった。猫はしっぽをピクッとさせて、目を細めた。

プリベット通りでは、絶対にこんな人を見かけるはずがない。ひょろりと背が高く、髪やひげの白さから見て相当の年寄りだ。髪もひげもあまりに長いので、ベルトにはさみ込んでいる。ゆったりと長いローブの上に、地面を引きずるほどの長い紫のマントをはおり、かかとの高い、留め金飾りのついたブーツをはいている。明るいブルーの眼が、半月形のめがねの奥でキラキラ輝き、高い鼻が途中で少なくとも二回は折れたように曲がっている。この人の名はアルバス・ダンブルドア。

名前も、ブーツも、何から何までプリベット通りらしくない。しかし、ダンブルドアはまったく気にしていないようだった。マントの中をガサゴソとせわしげに何か探していたが、誰かの視線に気づいたらしく、ふっと顔を上げ、通りのむこうからこちらの様子をじっとうかがっている猫を見つけた。そこ

第1章　生き残った男の子

15

に猫がいるのがなぜかおもしろいらしく、クスクスと笑うと、「やっぱりそうか」とつぶやいた。

探していたものが内ポケットから出てきた。銀のライターのようだ。ふたをパチンと開け、高くかざ

して、カチッと鳴らした。

一番近くの街灯が、ポッと小さな音を立てて消えた。

もう一度カチッといわせた。

次の街灯がゆらめいて闇の中に消えていった。「灯消しライター」を十二回カチカチ鳴らすと、十二

個の街灯は次々と消え、残る灯りは、遠くの、針の先でつついたような二つの点だけになった。猫の目

だ。まだこっちを見つめている。いま誰かが窓の外をのぞいても、好奇心で目を光らせたダーズリー夫

人でさえ、何が起こっているのか、この暗闇ではまったく見えなかっただろう。ダンブルドアは「灯消

しライター」をマントの中にスルリとしまい、四番地のほうへと歩いた。そして塀の上の猫の隣に腰か

けた。ひと息おくと、顔は向けずに、猫に向かって話しかけた。

「マクゴナガル先生、こんな所で奇遇じゃのう」

トラ猫のほうに顔を向け、ほほえみかけると、猫はすでに消えていた。かわりに、厳格そうな女の人

が、あの猫の目の周りにあったしま模様とそっくりの四角いめがねをかけて座っていた。やはりマント

を、しかもエメラルド色のを着ている。黒い髪をひっつめて、小さな髷にしている。

「どうして私だとおわかりになりましたの?」

女の人は、見破られて動揺していた。

「まあまあ、先生。あんなにコチコチな座り方をする猫なんていやしませんぞ」

「一日中れんが塀の上に座っていればコチコチにもなります」

「一日中?　お祝いしておればよかったじゃろうに。ここに来る途中、お祭りやらパーティやら、ずい

「ぶんたくさん見ましたぞ」

マクゴナガル先生は怒ったようにフンと鼻を鳴らした。

「ええ、確かにみんな浮かれていますね」

マクゴナガル先生はいらいらした口調だ。

「みんなもう少し慎重になるべきだとはお思いになりませんか？　まったく……マグルたちでさえ、何かあったと感づきましたよ。何しろニュースになりましたから」

マクゴナガル先生は灯りの消えたダーズリー家の窓をあごでしゃくった。

「この耳で聞きましたよ。ふくろうの大群……流星群……そうなると、マグルの連中もまったくのおばかさんじゃありませんからね。何か感づかないはずはありません。ケント州の流星群だなんて──ディーダラス・ディグルのしわざですわ。あの男はいつだって軽はずみなんだから」

「みんなを責めるわけにはいかんじゃろう」

ダンブルドアはやさしく言った。

「この十一年間、お祝いごとなぞほとんどなかったのじゃから」

「それはわかっています」

マクゴナガル先生は腹立たしげに言った。

「だからといって、分別を失ってよいわけはありません。みんな、なんて不注意なんでしょう。真っ昼間から街に出るなんて。しかもマグルの服に着替えもせずに、あんな格好のままでうわさ話をし合うなんて」

ダンブルドアが何か言ってくれるのを期待しているかのように、マクゴナガル先生はちらりと横目でダンブルドアを見たが、何も反応がないので、話を続けた。

第1章　生き残った男の子

17

「よりによって、『例のあの人』がついに消え失せたちょうどその日に、今度はマグルが私たちに気づいてしまったらとんでもないことですわ。ダンブルドア先生、『あの人』は本当に消えてしまったのでしょうね?」

「確かにそうらしいのう。我々は大いに感謝しなければ。レモンキャンディはいかがかな?」

「レモンキャンディじゃよ。マグルの食べる甘い物じゃが、わしゃ、これが好きでな」

「けっこうです」

「なんですって?」

レモンキャンディなど食べている場合ではないとばかりに、マクゴナガル先生は冷ややかに答えた。

「いま申し上げましたように、たとえ『例のあの人』が消えたにせよ……」

「まあまあ、先生、あなたのように見識のおありになる方が、彼を名指しで呼べないわけはないでしょう? 『例のあの人』なんてまったくもってナンセンス。この十一年間、ちゃんと名前で呼ぶようみんなを説得し続けてきたのじゃが。『ヴォルデモート』とね」

マクゴナガル先生はぎくりとしたが、ダンブルドアはくっついたレモンキャンディをはがすのに夢中で気づかないようだった。

「『例のあの人』なんて呼び続けたら、混乱するばかりじゃよ。ヴォルデモートの名前を言うのが恐ろしいなんて、理由がないじゃろうが」

「そりゃ、先生にとってはないかもしれませんが」

マクゴナガル先生は驚きと尊敬の入りまじった言い方をした。

「だって、先生はみんなとはちがいます。『例のあ』……いいでしょう、ヴォルデモートが恐れていたのはあなた一人だけだったということは、みんな知っていますよ」

ハリー・ポッターと賢者の石

18

「おだてないでおくれ」

ダンブルドアは静かに言った。

「ヴォルデモートには、わしにはけっして持つことができない力があった」

「それは、あなたがあまりに——そう……気高くて、そういう力を使おうとなさらなかったからです

わ」

「あたりが暗くて幸いじゃよ。こんなに赤くなったのはマダム・ポンフリーがわしの新しい耳あてをほ

めてくれたとき以来じゃ」

マクゴナガル先生は鋭いまなざしでダンブルドアを見た。

「ふくろうが飛ぶのは、うわさが飛ぶのに比べたらなんでもありませんよ。みんながどんなうわさをし

ているか、ご存じですか? なぜ彼が消えたのだろうとか、何が彼にとどめを刺したのだろうかとか」

マクゴナガル先生はいよいよ核心に触れたようだ。一日中冷たい、固い塀の上で待っていた本当のわ

けはこれだ。猫に変身していたときも、自分の姿に戻ったときにも見せたことがない、射るようなまな

ざしで、ダンブルドアを見すえている。ほかの人がなんと言おうが、ダンブルドアの口から聞かないか

ぎり、絶対信じないという目つきだ。ダンブルドアは何も答えず、レモンキャンディをもう一個取り出

そうとしていた。

「みんなが**なんと**うわさしているかですが……」

マクゴナガル先生はもうひと押ししてきた。

「昨夜、ヴォルデモートがゴドリックの谷に現れた。ポッター一家がねらいだった。うわさではリリー

とジェームズが……ポッター夫妻が……あの二人が……**死んだ**……とか」

ダンブルドアはうなだれた。マクゴナガル先生は息をのんだ。

第1章　生き残った男の子

19

「リリーとジェームズが……信じられない……信じたくなかった……ああ、アルバス……」

ダンブルドアは手を伸ばしてマクゴナガル先生の肩をそっとたたいた。

「わかる……よーくわかるよ……」

沈痛な声だった。

マクゴナガル先生は声を震わせながら話し続けた。

「それだけじゃありませんわ。うわさでは、一人息子のハリーを殺そうとしたとか。でも——失敗した。その小さな男の子を殺すことはできなかった。なぜなのか、どうなったのかはわからないが、ハリー・ポッターを殺しそこねたとき、ヴォルデモートの力が打ち砕かれた——だから彼は消えたのだと、そういううわさです」

ダンブルドアはむっつりとうなずいた。

「それじゃ……やはり**本当なんですか？**」

マクゴナガル先生は口ごもった。

「あれほどのことをやっておきながら……あんなにたくさん人を殺したのに……小さな子供を殺しそこねたって言うんですか？　驚異ですわ……よりによって、彼にとどめを刺したのは子供……それにしても、一体全体ハリーはどうやって生き延びたんでしょう？」

「想像するしかないじゃろう。本当のことはわからずじまいかもしれん」

マクゴナガル先生はレースのハンカチを取り出し、めがねの下から眼に押し当てた。ダンブルドアは大きく鼻をすると、ポケットから金時計を取り出して時間を見た。とてもおかしな時計だ。針は十二本もあるのに、数字が書いていない。そのかわり、小さな惑星がいくつも時計の縁を回っていた。ダンブルドアにはこれでわかるらしい。時計をポケットにしまうと、こう言った。

ハリー・ポッターと賢者の石

20

「ハグリッドは遅いのう。ところで、あの男じゃろう？　わしがここに来ると教えたのは」

「そうです。一体全体なぜこんな所においでになったのか、たぶん話してはくださらないのでしょうね？」

「ハリー・ポッターを、おばさん夫婦の所へ連れてくるためじゃよ。親戚はそれしかいないのでな」

「まさか──まちがっても、ここに住んでいる連中のことじゃないでしょうね」

マクゴナガル先生ははじかれたように立ち上がり、四番地を指さしながら叫んだ。

「ダンブルドア、だめですよ。今日一日ここの住人を見ていましたが、ここの夫婦ほど私たちとかけはなれた連中はまたといませんよ。それにここの息子ときたら──母親がこの通りを歩いているとき、お菓子が欲しいと泣きわめきながら母親を蹴り続けていましたよ。ハリー・ポッターがここに住むなんて！」

「ここがあの子にとって一番いいのじゃ」

ダンブルドアはきっぱりと言った。

「おじさんとおばさんが、あの子が大きくなったらすべてを話してくれるじゃろう。わしが手紙を書いておいたから」

「手紙ですって？」

マクゴナガル先生は力なくそうくり返すと、また塀に座りなおした。

「ねえ、ダンブルドア。手紙でいっさいを説明できるとお考えですか？　連中は絶対あの子のことを理解しやしません！　あの子は有名人です──伝説の人です──今日のこの日が、いつかハリー・ポッター記念日になるかもしれない──ハリーに関する本が書かれるでしょう──私たちの世界でハリーの名を知らない子供は一人もいなくなるでしょう！」

第1章　生き残った男の子

21

「そのとおり」

ダンブルドアは半月めがねの上から真面目な目つきをのぞかせた。

「そうなればどんな少年でも舞い上がってしまうじゃろう。歩いたりしゃべったりする前から有名だなんて！　自分が覚えてもいないことのために有名だなんて！　あの子に受け入れる準備ができるまで、そうしたことからいっさい離れて育つほうがずっといいということがわからんかね？」

マクゴナガル先生は口を開きかけたが、思いなおして、のどまで出かかった言葉をのみ込んだ。

「そう、そうですね。おっしゃるとおりですわ。でもダンブルドア、どうやってあの子をここに連れてくるんですか？」

ダンブルドアがハリーをマントの下に隠しているとでも思ったのか、マクゴナガル先生はちらりとマントに目をやった。

「ハグリッドが連れてくるよ」

「こんな大事なことをハグリッドに任せて——あの……賢明なことでしょうか？」

「わしは自分の命でさえハグリッドに任せられるよ」

「何もあれの心根がまっすぐじゃないなんて申しませんが」

マクゴナガル先生はしぶしぶ認めた。

「でもご存じのように、うっかりしているでしょう。どうもあれときたら——おや、何かしら？」

低いゴロゴロという音があたりの静けさを破った。二人が通りの端から端まで、車のヘッドライトが見えはしないかと探している間に、音は確実に大きくなってきた。二人が同時に空を見上げたときには、音は爆音になっていた。——大きなオートバイが空からドーンと降ってきて、二人の目の前に着陸した。

巨大なオートバイだったが、それにまたがっている男に比べればちっぽけなものだ。男の背丈は普通

の二倍、横幅は五倍はある。許しがたいほど大きすぎて、それになんて荒々しい――ぼうぼうとした黒い髪とひげが、長くもじゃもじゃとからまり、ほとんど顔中を覆っている。手はごみバケツのふたほど大きく、革ブーツをはいた足は赤ちゃんイルカぐらいある。筋肉隆々の巨大な腕に、何か毛布にくるまったものを抱えていた。

「ハグリッドや」

ダンブルドアはホッとしたような声で呼びかけた。

「やっと来たのう。いったいどこからオートバイを手に入れたのかね?」

「借りたんでさ。ダンブルドア先生さま」

大男はそうっと注意深くバイクから降りた。

「ブラック家の息子のシリウスが貸してくれたんで。先生、この子を連れてきました」

「問題はなかったろうね?」

「はい、先生。家はあらかた壊されっちまってたですが、マグルたちが群れ寄ってくる前に、無事に連れ出しました。ブリストルの上空を飛んどったときに、この子は眠っちまいました」

ダンブルドアとマクゴナガル先生は、毛布の包みの中をのぞき込んだ。かすかに、男の赤ん坊が見えた。ぐっすり眠っている。漆黒のふさふさした前髪、そして額には不思議な形の傷が見えた。稲妻のような形だ。

「この傷があの……」マクゴナガル先生がささやいた。

「そうじゃ。一生残るじゃろう」

「ダンブルドア、なんとかしてやれないんですか?」

「たとえできたとしても、わしは何もせんよ。傷はけっこう役に立つものじゃ。わしにも一つ左ひざの

第1章　生き残った男の子

23

上にあるがね、完全なロンドンの地下鉄地図になっておる……さてと、ハグリッドや、その子をこっちへ——早くすませたほうがよかろう」

ダンブルドアはハリーを腕に抱き、ダーズリー家のほうに行こうとした。

「あの……先生、お別れのキスをさせてもらええでしょうか?」

ハグリッドが頼んだ。

大きな毛むくじゃらの顔をハリーに近づけ、ハグリッドはチクチク痛そうなキスをした。そして突然、傷ついた犬のような声でワオーンと泣きだした。

「シーッ! マグルたちが目を覚ましてしまいますよ」

マクゴナガル先生が注意した。

「す、す、すまねえ」

しゃくりあげながらハグリッドは大きな水玉模様のハンカチを取り出し、その中に顔をうずめた。

「と、とってもがまんできねえ……リリーとジェームズは死んじまうし、かわいそうなちっちゃなハリーはマグルたちと暮らさなきゃなんねえ……」

「そう、ほんとに悲しいことよ。でもハグリッド、自分を抑えなさい。さもないとみんなに見つかってしまいますよ」

マクゴナガル先生は小声でそう言いながら、ハグリッドの腕をやさしくポンポンとたたいた。

ダンブルドアは庭の低い生け垣をまたいで、玄関へと歩いていった。そっとハリーを戸口に置くと、マントから手紙を取り出し、ハリーをくるんだ毛布にはさみ込み、二人の所に戻ってきた。三人は、まるまる一分間そこにたたずんで、小さな毛布の包みを見つめていた。ハグリッドは肩を震わせ、マクゴナガル先生は目をしばたたかせ、ダンブルドアの目からはいつものキラキラした輝きが消えていた。

ハリー・ポッターと賢者の石

24

「さてと……」

ダンブルドアがやっと口を開いた。

「これですんだ。もうここにいる必要はない。帰ってお祝いに参加しようかの」

「へい」

ハグリッドの声はくぐもっている。

「バイクは片づけておきますだ。マクゴナガル先生、ダンブルドア先生さま、おやすみなせえまし」

ハグリッドは流れ落ちる涙を上着のそででぬぐい、オートバイにサッとまたがり、エンジンをかけた。バイクは唸りを上げて空に舞い上がり、夜の闇へと消えていった。

「後ほどお会いしましょうぞ。マクゴナガル先生」

ダンブルドアはマクゴナガル先生のほうに向かってうなずいた。マクゴナガル先生は答えるかわりに鼻をかんだ。

ダンブルドアはくるりと背を向け、通りのむこうに向かって歩きだした。曲がり角で立ち止まり、また銀の「灯消しライター」を取り出し、一回だけカチッといわせた。十二個の街灯がいっせいにともり、プリベット通りは急にオレンジ色に照らしだされた。トラ猫が道のむこう側の角をしなやかに曲がっていくのが見える。そして四番地の戸口の所には毛布の包みだけがぽつんと見えた。

「幸運を祈るよ、ハリー」

ダンブルドアはそうつぶやくと、靴のかかとでくるくるっと回転し、ヒュッというマントの音とともに消えた。

こぎれいに刈り込まれたプリベット通りの生け垣を、静かな風が波立たせた。墨を流したような夜空

第1章　生き残った男の子

25

の下で、通りはどこまでも静かで整然としていた。まか不思議な出来事が、ここで起こるとは誰も思ってもみなかったことだろう。赤ん坊は眠ったまま、毛布の中で寝返りを打った。片方の小さな手が、脇に置かれた手紙を握った。自分が特別だなんて知らずに、有名だなんて知らずに、ハリー・ポッターは眠り続けている。数時間もすれば、ダーズリー夫人が戸を開け、ミルクの空き瓶を外に出そうとしたとたん、悲鳴を上げるだろう。その声でハリーは目を覚ますだろう。それから数週間は、いとこのダドリーにこづかれ、つねられることになるだろう……そんなことは何も知らずに、赤ん坊は眠り続けている……ハリーにはわかるはずもないが、こうして眠っているこの瞬間に、国中のあちこちでこっそりと集まった人々が、杯を挙げ、ヒソヒソ声で、こう言っているのだ。

「生き残った男の子、ハリー・ポッターに乾杯！」

ハリー・ポッターと賢者の石

第2章　消えたガラス

ダーズリー夫妻が目を覚まし、戸口の石段に赤ん坊がいるのを見つけてから、十年近くがたった。プリベット通りは少しも変わっていない。太陽が、昔と同じこぎれいな庭のむこうから昇り、ダーズリー家の玄関の真鍮（しんちゅう）の「4」の数字を照らした。その光が、這（は）うように居間に射し込んでゆく。ダーズリー氏があの運命的なふくろうのニュースを聞いた夜から、居間はまったく変わっていなかった。ただ暖炉の上の写真だけが、長い時間のたったことを知らせている。十年前は、ぽんぽんづりのついた色とりどりの帽子をかぶり、ピンクのビーチボールのような顔をした赤ん坊の写真がたくさん飾られている。写真には金髪の大きな男の子が写っている。初めて自転車に乗った姿、お祭りの回転木馬の上、パパと一緒にコンピュータ・ゲーム、ママに抱きしめられてキスされる姿。この部屋のどこにも、この家にもう一人少年が住んでいる気配はない。

しかし、ハリー・ポッターはそこにいた。いまはまだ眠っているが、もう、そう長くは寝ていられないだろう。ペチュニアおばさんが目を覚ました。おばさんのかん高い声で、一日の騒音が始まるのだ。

「さあ、起きて！　早く！」

ハリーは驚いて目を覚ました。おばさんが部屋の戸をドンドンたたいている。

「起きるんだよ！」と金切り声がした。

おばさんがキッチンのほうに歩いていく音、それからフライパンをこんろにかける音がした。仰向けになったままで、ハリーはいままで見ていた夢を思い出そうとしていた。いい夢だったのに……。空飛

第2章　消えたガラス

27

ぶオートバイが出てきたっけ。ハリーは前にも同じ夢を見たような不思議な心地がした。

「まだ起きないのかい?」おばさんが戸のむこうに戻ってきて、きつい声を出した。

「もうすぐだよ」

「さあ、支度をおし。ベーコンの具合を見ておくれ。焦がしたら承知しないよ。今日はダドリーちゃんのお誕生日なんだから、何もかも完璧にしなくちゃ」

ハリーはうめいた。

「何か言ったかい?」

おばさんが戸の外からかみつくように言った。

「なんにも言わないよ。なんにも……」

ダドリーの誕生日——どうして忘れていたんだろう。ハリーはのろのろと起き上がり、靴下を探した。ベッドの下で見つけた靴下の片方にはりついていたクモを引きはがしてから、ハリーは靴下をはいた。クモにはもう慣れっこだ。何しろ階段下の物置はクモだらけだったし、そこがハリーの部屋だったのだから。

服を着ると、ハリーは廊下に出てキッチンに向かった。食卓はダドリーの誕生日のプレゼントの山に埋もれてほとんど見えなかった。欲しがっていた新しいコンピュータもあるようだし、二台目のテレビやレース用自転車ももちろんあった。ダドリーがなぜレース用自転車を欲しがるのか、ハリーには まったくの謎だった。太って運動嫌いなのに——誰かにパンチを食らわせる運動だけは別だけど……。ダドリーはハリーをお気に入りのサンドバッグにしていたが、よく空振りした。一見そうは見えなくても、ハリーはとてもすばしっこかったのだ。

暗い物置に住んでいるせいか、ハリーは年の割には小柄でやせていた。その上、着るものはハリーの

ハリー・ポッターと賢者の石

28

四倍も大きいダドリーのお古ばかりだったので、ますますやせて小さく見えた。

ハリーは、ひざこぞうが目立つような細い脚で、細面の顔に真っ黒な髪、輝く緑色の目をしていた。丸いめがねをかけていたが、ダドリーの顔面パンチがしょっちゅう飛んでくるので、セロハンテープであちこちはりつけてあった。自分の顔でたった一つ気に入っていたのは、額にうっすらと見える稲妻形の傷だ。物心ついたときから傷があった。ハリーの記憶では、ペチュニアおばさんに真っ先に聞いた質問は「どうして傷があるの」だった。

「おまえの両親が自動車事故で死んだときの傷だよ。質問は許さない」

これがおばさんの答えだった。**質問は許さない**──ダーズリー家で平穏無事に暮らすための第一の規則だった。

「髪をとかせ！」

朝の挨拶がわりにおじさんは一喝した。

だいたい週に一度、おじさんは新聞越しにハリーを上目づかいに見ながら、髪を短く切れと大声を出すのだった。同級生の男の子を全部束にしてもかなわないほど、ひんぱんにハリーは散髪させられたが、まったくむだだった。切っても切ってもすぐ元どおりに伸びるのだ。しかもありとあらゆる方向に。

ハリーが卵を焼いていると、ダドリーが母親に連れられてキッチンに入ってきた。父親そっくりだ。大きなピンクの顔で、首はほとんどなく、薄い水色の小さな目をして、たっぷりとしたブロンドの髪が、縦にも横にも大きい顔の上にのっかっている。おばさんはダドリーのことをよく、天使のようだわ、と言ったが、ハリーは、豚がかつらをつけたみたいだ、と思っていた。

ハリーは食卓の上にベーコンと卵の皿を並べた。プレゼントのせいでほとんどすきまがないので、そ

ハリーがベーコンを裏返していると、バーノンおじさんがキッチンに入ってきた。

う簡単には置けない。ダドリーのほうは、プレゼントの数を数えていたが、突然顔色を変えてパパとママを見上げた。

「三十六だ。去年より二つ少ないや」

「坊や、マージおばさんの分を数えなかったでしょう。パパとママからの大きな包みの下にありますよ」

「わかったよ。でも三十七だ」

ダドリーの顔に血がのぼってきた。ハリーはダドリーのかんしゃく玉が大爆発寸前なのを感じて、いつテーブルがひっくり返されてもいいように大急ぎでベーコンに食らいついた。

おばさんもあきらかに危険に気づいたらしく、あわてて言った。

「今日お出かけしたとき、あと二つ買ってあげましょう。どう？　かわいこちゃん。あと二個もよ。それでいい？」

ダドリーはちょっと考え込んだ。かなり難しい計算らしかったが、やがて、のろのろと言った。

「そうすると、ぼく、三十……三十……」

「三十九よ、かわいい坊や」

「そうか、そんならいいや」

ダドリーはドッカと座り込み、一番手近にあった包みをわしづかみにした。

バーノンおじさんはクスクス笑った。

「やんちゃ君はパパと同じで、絶対損したくないってわけだ。なんてすごい子だ！　ダドリーや」

パパはダドリーの髪をくしゃくしゃっとなでた。

電話が鳴り、おばさんがキッチンを出ていった。おじさんもハリーも、ダドリーが包みを解くのを眺

ハリー・ポッターと賢者の石

30

めていた。レース用自転車、ビデオカメラ、ラジコン飛行機、新しいコンピュータ・ゲーム十六本、ビデオレコーダー……おばさんが戻ってきたときは、金の腕時計の包みをビリビリ破っているところだった。

おばさんは怒ったような困ったような顔で現れた。

「バーノン、大変だわ。フィッグさんが脚を骨折しちゃって、この子を預かれないって」

おばさんはハリーのほうをあごでしゃくった。

ダドリーはショックで口をあんぐり開けたが、ハリーの心は踊った。毎年、誕生日になると、ダドリーは友達と二人で、おじさんとおばさんに連れられ、アドベンチャーパークやハンバーガーショップ、映画などに出かけることになっていた。ハリーはいつも置いてけぼりで、ふた筋むこうに住んでいる変わり者のフィッグばあさんに預けられていた。ハリーはそこが大嫌いだった。家中キャベツのにおいがするし、おまけにばあさんがいままで飼った猫の写真を全部、無理やり見せるからだ。

「どうします?」

ペチュニアおばさんは、ハリーが仕組んだと言わんばかりに恐ろしい顔でハリーをにらんだ。ハリーは骨折したばあさんに同情すべきだと思ったが、これから一年間はティブルスやらスノーイー、ミスター・ポーズ、タフティーなどの猫の写真を見ないですむと思うと、同情しろというほうが無理だった。

「マージに電話したらどうかね」とおじさんが提案した。

「バカなこと言わないで。マージはこの子を嫌ってるのよ」

ダーズリー夫妻はよくこんなふうに、ハリーの目の前で、本人をまるで無視して話をした。いやむしろ、ハリーを言葉の通じない犬かなんていう名前だったか、おまえの友達の――イボンヌ、どうかね」

「それなら、ほれ、なんていう名前だったか、おまえの友達の――イボンヌ、どうかね」

「バケーションでマジョルカ島よ」

第2章　消えたガラス

31

「僕をここに置いていったら」

そうなることを期待しながらハリーが口をはさんだ（いつもとちがうテレビ番組を自分で選んで見ることができるかもしれないし、ひょっとするとダドリーのコンピュータをいじったりできるかもしれない）。

おばさんはレモンを丸ごと飲み込んだような顔をした。

「それで、帰ってきたら家がバラバラになってるってわけ?」

「僕、家を爆破したりしないよ」

誰もハリーの言うことを聞いていなかった。

「動物園まで連れて行ったらどうかしら……それで、車の中に残しておいたら……」

おばさんが気のりのしない様子で言った。

「しかし新車だ。ハリーを一人で中に残しておくわけにはいかん……」

ダドリーはわんわん泣きだした。うそ泣きだ。ここ何年も本当に泣いたことなんてないが、顔をゆがめてめそめそすれば、母親が欲しいものはなんでもくれることを知っているのだ。

「ダッドちゃん、ダドリーちゃん、泣かないで。ママがついているわ。おまえの特別な日を、あいつなんかにだいなしにさせたりしやしないから!」

おばさんはダドリーを抱きしめた。

「ぼく……いやだ……あいつが……く、く、くるなんて!」

しゃくりあげるふりをしながらダドリーがわめいた。

「いつだって、あいつが、めちゃめちゃにするんだ!」

抱きしめている母親の腕のすきまから、ダドリーはハリーに向かって意地悪くニヤリと笑った。ちょ

うどその時、玄関のベルが鳴った。

「ああ、なんてことでしょう。みんなが来てしまったわ！」

おばさんは大あわてだった。——やがてダドリーの一の子分、ピアーズ・ポルキスが母親に連れられて部屋に入ってきた。ねずみ顔のガリガリにやせた子だ。ダドリーが誰かを殴るときに、腕を後ろにねじ上げる役をするのはたいていこの子だ。ダドリーはたちまちそ泣きをやめた。

三十分後、ハリーはダーズリー一家の車の後部座席にピアーズ、ダドリーと一緒に座り、生まれて初めて動物園に向かっていた。信じられないような幸運だった。おじさんもおばさんも、結局ハリーをどうしていいか、ほかに思いつかなかったのだ。ただし、出発前にバーノンおじさんは、ハリーをそばに呼んだ。

「言っておくがな……」

おじさんは大きな赤ら顔をハリーの目の前につきつけた。

「小僧、変なことをしてみろ。ちょっとでもだ、そしたらクリスマスまでずっと物置に閉じ込めてやる」

「僕、何もしないよ。ほんとだよ……」

しかし、おじさんは信じていなかった。ハリーの言うことをいままで誰も信じてくれなかった。

困ったことに、ハリーのまわりでよく不思議なことが起きたし、自分がやったんじゃないとダーズリー夫妻にいくら訴えてもむだだった。

ある時、床屋から帰ってきたハリーが、散髪する前と同じように髪が伸びているのを見て業を煮やしたペチュニアおばさんが、キッチンバサミでクリクリに刈り上げたことがあった。「醜い傷を隠すため」と前髪だけは残してくれたが、あとはほとんど丸坊主になった。ダドリーはハリーを見てばか笑いした

し、ハリーは翌日の学校のことを思うと眠れなかった。ただでさえ、だぶだぶの服を着てセロハンテープだらけのめがねをかけたハリーは物笑いの種だった。しかし、翌朝起きてみると、髪は刈り上げる前とまったく変わらなかった。おかげでハリーは一週間、物置に閉じ込められた。どうしてこんなに早く髪が伸びたのかわからないと、ハリーがいくら言ってもだめだった。

またある時は、おばさんがダドリーのお古の吐き気がするようなセーター（茶色でオレンジ色の毛玉が浮き上がっていた）を無理にハリーに着せようとしたが、ハリーの頭からかぶせようと、おばさんがやっきになればなるほど、服はどんどん小さくなった。とうとう、指人形ならいざ知らず、ハリーにはとうてい着られないほどに縮んでしまった。おばさんが、きっと洗濯で縮んだのだと決めつけたので、このときはハリーはおしおきを受けずにすんでホッとした。

反対にひどい目にあったのが、学校の屋根事件だった。いつものようにダドリー軍団に追いかけられたハリーは、気がついたら食堂の屋根の煙突の上に腰かけていた。これには誰よりもハリー自身が驚いた。ダーズリー家には女校長先生から、ハリーが学校の建物によじ登ったと、たいそうご立腹の手紙がきた。しかし、ハリーがやったことといえば――物置に閉じ込められたとき、外にいるバーノンおじさんにも大声でそう言ったのだが――食堂の外にあった大きな容器の陰に飛び込もうとしただけだったのだ。ハリーはジャンプした拍子に風にさらわれたにちがいないと思った。

しかし、今日は絶対おかしなことがあってはならない。学校でも、物置でも、キャベツ臭いフィッグばあさんの居間でもない所で一日を過ごせるのだから、ダドリーやピアーズと一緒だって文句は言えない。

運転をしながら、おじさんはおばさんを相手にブツブツ不平を言った。ハリーのこと、市議会のこと、ハリーのこと、銀行のこと、ハリーのこと、会社の人間のこと、おじさんはおばさんを相手にブツブツ不平を言った。何しろ不平を言うのが好きなのだ。会社の人間のこと、ハリーのこと、市議会のこと、ハリーのこと、銀行のこと、ハリーのこと、

34

ざっとこんなところがお気に入りのネタだった。今朝は、オートバイがやり玉に上がった。

「……ムチャクチャな音を出して走りおって。チンピラどもが」

オートバイに追い抜かれたときにおじさんが言った。

「僕、オートバイの夢を見た」ハリーは急に思い出した。「空を飛んでたよ」

バーノンおじさんはとたんに前の車にぶつかりそうになった。運転席からぐるっと振り向きざま、口ひげをはやした巨大な赤かぶのような顔で、おじさんはハリーをどなりつけた。

「**オートバイは空を飛ばん！**」

ダドリーとピアーズがクスクス笑った。

「飛ばないことはわかってる。ただの夢だよ」

ハリーはなんにも言わなきゃよかったと思った。ダーズリー夫妻はハリーが質問するのも嫌ったが、もっと嫌ったのは、夢だろうが漫画だろうが、何かがまともではない行動をする話だった。ハリーがそんな話をすると、まるで危険なことを考えているとでも思っているようだった。

その日はお天気もよく、土曜日で、動物園は家族連れで混み合っていた。ダーズリー夫妻は入口でダドリーとピアーズに大きなチョコレートアイスクリームを買い与えた。ハリーを急いでアイス・スタンドから遠ざけようとしたが、間に合わず、愛想のよい売り子のおばさんが、坊やは何がいいのと聞いたので、しかたなしにハリーにも安いレモンアイスを買い与えた。これだってけっこういける、とアイスをなめながら、ハリーはみんなと一緒にゴリラの檻を眺めた。ゴリラが頭をかいている姿がダドリーそっくりだ。あれで金髪だったらな……。

こんなにすばらしい朝を過ごしたのは、ハリーにとって久しぶりだった。昼近くになると、ダドリーもピアーズも動物に飽きてきたので、かわりにお気に入りのハリー殴りを始めるかもしれないと思い、

第2章　消えたガラス

35

ハリーは慎重に二人から少し離れて歩くようにした。園内のレストランでお昼を食べたが、ダドリーはチョコレートパフェが小さいとかんしゃくを起こし、おじさんがもう一つ買ってやるはめになり、ハリーはパフェのお下がりを食べることを許された。

あとになって思えば、こんないいことばかりが続くはずがなかった。

昼食のあとで、爬虫類館（はちゅうるいかん）を見た。館内はヒヤッとして暗く、壁に沿ってガラスケースが並び、中には照明がついていた。ガラスのむこうにはいろいろなトカゲや蛇がいて、材木や石の上をするすると這い回っていた。ダドリーとピアーズは巨大なコブラと、人間でもしめ殺しそうな太いニシキヘビを見たがった。ダドリーはすぐに館内で一番大きな蛇を見つけた。バーノンおじさんの車をふた巻きにして砕いてくずかごに放り込みそうな大蛇だ――ただし、いまはそういうムードではないらしい。それどころかぐっすり眠っている。

ダドリーは、ガラスに鼻を押しつけて、つやつやと光る茶色のとぐろを見つめていた。

「動かしてよ」

ダドリーは父親にせがんだ。おじさんはガラスをトントンとたたいたが、蛇は身じろぎもしない。

「もう一回やって」

ダドリーが命令した。おじさんは拳でドンドンとガラスをたたいたが、蛇は眠り続けている。

「つまんないや」

ダドリーはブーブー言いながら行ってしまった。

ハリーはガラスの前に来て、じっと蛇を見つめた。蛇のほうこそ退屈のあまり死んでしまっても不思議はない。一日中、ガラスをたたいてチョッカイを出すバカな人間ども以外に友達もいない……物置で寝起きするほうがまだましだ。ドアをドンドンやられるのはペチュニアおばさんが朝起こしに来るとき

だけだし、少なくともハリーは家の中を歩き回れる。

突然、蛇はギラリと光る目を開け、ゆっくり、とてもゆっくりとかま首をもたげ、ハリーの目線と同じ高さまで持ち上げた。

蛇がウィンクした。

ハリーは目を見張った。あわてて誰か見ていないかと、周りを見まわした。

大丈夫だ。ハリーは蛇に視線を戻し、ウィンクを返した。

蛇はかま首をバーノンおじさんとダドリーのほうに伸ばし、目を天井に向けた。その様子は、明らかにハリーにこう言っていた。

「いつもこうさ」

「わかるよ」

蛇に聞こえるかどうかわからなかったが、ガラス越しにハリーはそうつぶやいた。

「ほんとにいらいらするだろうね」

蛇は激しくうなずいた。

「ところで、どこから来たの?」

蛇はガラスケースの横にある掲示板を尾でツンツンとつついた。ハリーがのぞいてみると、

ボア・コンストリクター　原産地＝ブラジル

と書いてある。

「いい所なの?」

第2章　消えたガラス

蛇はもう一度、尾で掲示板をつついた。

この蛇は動物園で生まれました

「そうなの……じゃ、ブラジルに行ったことがないんだね？」

蛇がうなずいたとたん、ハリーの後ろで耳をつんざくような大声がして、ハリーも蛇も飛び上がりそうになった。

「ダドリー！　ダーズリーおじさん！　早く来て蛇を見て。　信じられないようなことやってるよ！」

ダドリーがドタドタと、それなりに全速力でやってきた。

「どけよ、おいっ」

ダドリーがハリーの肋骨にパンチを食らわせた。不意を食らってハリーはコンクリートの床にひっくり返った。次の瞬間の出来事は、あっという間だったので、どんなふうに起こったのか誰にもわからなかった。最初、ダドリーとピアーズがガラスに寄りかかった。次の瞬間、二人は恐怖の叫びを上げて飛びのいた。

ハリーは起き上がり、息をのんだ。蛇のケースのガラスが消えていた。大蛇はすばやくとぐろをほどき、ずるずると外に這い出した。館内にいた客たちは叫び声を上げ、出口に向かって駆けだした。

蛇がするするとハリーのそばを通り過ぎるとき、誓ってもいい、ハリーは確かに、低い、シュー

シューという声を聞いたのだ。

「ブラジルへ、俺は行く——シュシュシュ、ありがとよ。アミーゴ」

ハリー・ポッターと賢者の石

38

爬虫類館の飼育係はショック状態だった。

「でも、ガラスは、ガラスはいったいどこに?」と言い続けていた。

園長は自らペチュニアおばさんに濃くて甘い紅茶をいれ、ペコペコと謝った。ピアーズとダドリーは
わけのわからないことを口走るばかりだった。ハリーが見ていたかぎりでは、蛇は通りがかりざまに二
人のかかとにかみつくふりをしただけなのに、バーノンおじさんの車に全員が戻ったときには、ダド
リーは「蛇に足を食いちぎられそうになった」と言い、ピアーズは「うそじゃない、蛇がしめ殺そうと
した」と言った。しかしハリーにとって最悪だったのは、だんだん落ち着いてきたピアーズが言った言
葉だった。

「ハリーは蛇と話してた。ハリー、そうだろ?」

バーノンおじさんはまずピアーズを無事に家から送り出すまでどうなるのをがまんし、それからハリー
の処分に取りかかった。怒りのあまり、おじさんは声も出なかった。やっとのことで、

「行け——物置——出るな——食事抜き」

と言うと、椅子に倒れこんでしまった。おばさんは急いでおじさんに飲ませるブランデーの大瓶を取
りにいった。

ハリーが暗い物置に入ってからだいぶ時間がたった。時計が欲しいと思った。どのぐらい時間がたっ
たのかわからないし、ダーズリー一家が眠ってしまったかどうかもわからない。みんなが寝静まるまで
はキッチンでこっそり盗み食いをすることもできない。

ダーズリー一家と暮らしてほぼ十年が……思い出すかぎりみじめな十年が過ぎた。赤ん坊のときから、

第2章　消えたガラス

39

両親が自動車事故で死んでから、ずっとだ。両親が死んだとき、自分が車の中にいたかどうかさえ思い出せない。ときどき、物置の中で長い時間を過ごしながら、一生懸命思い出をたぐっていると、不思議な光景が見えてくることがあった。目のくらむような緑の閃光と焼けつくような額の痛みだ。緑の光がどこから出ているのかは想像がつかなかったが、ハリーはきっと、これが自動車事故なんだ、と思った。両親のこととはまったく思い出せなかった。おじさんもおばさんも一度も話してくれないし、もちろん質問は禁じられていた。この家のどこにも両親の写真はなかった。

小さかったころ、ハリーは誰か見知らぬ親戚が自分を迎えにやってくることを何度も何度も夢見た。しかし、そんなことは一度も起こらなかった。ダーズリー一家しか家族はなかった。それなのに、ときどき街で、見知らぬ人がハリーのことを知っているのではないかと思うことがあった（そう思いたかったのかもしれない）。見知らぬばかりか、実に奇妙な人たちだった。一度は、おばさんやダドリーと一緒に買い物に出たとき、店の中で紫色のシルクハットをかぶった小さな男の人がハリーにおじぎをした。おばさんは、知っている人なのかと激しくハリーを問いつめ、何も買わずに二人を連れて店を飛び出した。一度はバスの中で、緑ずくめのとっぴな格好をしたおばあさんがハリーに向かってうれしそうに手を振った。つい先日も、ひどく長い紫のマントを着たハゲ頭の男が、街中でハリーとしっかり握手までして、そのまま一言も言わずに立ち去った。一番奇妙なのは、ハリーがもう一度よく見ようとしたとたん、こうした人たちが消えてしまうことだった。

学校でもハリーはひとりぼっちだった。だぶだぶの服に壊れためがねをかけたおかしなハリー・ポッターが、ダドリー軍団に憎まれていることをみんな知っていたし、誰一人、ダドリー軍団に逆らおうとはしなかったのだ。

ハリー・ポッターと賢者の石

40

第3章　知らない人からの手紙

大蛇の逃亡事件のおかげで、ハリーはいままでで一番長いおしおきを受けた。やっとお許しが出て、物置から出してもらったときには、もう夏休みが始まっていた。ダドリーは、と言えば、買ってもらったばかりのビデオカメラをとっくに壊し、ラジコン飛行機も墜落させ、おまけに、レース用自転車に初めて乗ったその日に、プリベット通りを松葉杖で横切っていたフィッグばあさんにぶつかって、転倒させてしまうという事件まで引き起こしていた。

休みが始まっていたのはうれしかったが、ハリーは毎日のように遊びにやってくるダドリーの悪友から逃れることはできなかった。ピアーズ、デニス、マルコム、ゴードン、みんなそろいもそろってデカくてウスノロばかりだったが、なかでもとびきりデカで、ウスノロなのがダドリーだったので、軍団のリーダーはダドリーだった。あとの四人はダドリーのお気に入りのスポーツ「ハリー狩」に参加できるだけで大満足だった。

そういうわけで、ハリーは、なるべく家の外でぶらぶらして過ごすことにした。夏休みさえ終われば――それだけがわずかな希望の光だった。九月になれば七年制の中等学校に入る。そうすれば、生まれて初めてダドリーから離れられる。ダドリーはバーノンおじさんの母校、「名門」私立スメルティングズ男子校に行くことになっていた。ピアーズ・ポルキスもそこに入学する。ハリーは地元の、普通の、公立ストーンウォール校へ行くことになっていた。ダドリーにはこれがゆかいでたまらない。

「ストーンウォールじゃ、最初の登校日に新入生の頭をトイレに突っ込むらしいぜ。二階に行って練習

「遠慮しとくよ。トイレだって君の頭みたいに気味の悪いものを流したことはないよ。突っ込まれたほうこそいい迷惑だ——トイレのほうが吐き気がするだろうさ」

そう言うが早いか、ハリーはすばやく駆けだした。ダドリーの言ったことの意味をまだ考えていた。

七月に入り、ペチュニアおばさんは、ダドリーを連れてロンドンまでスメルティングズ校の制服を買いに出かけた。ハリーはフィッグばあさんに預けられはしたが、いつもよりましだった。飼い猫の一匹につまずいて脚を骨折してからというもの、フィッグばあさんは前ほど猫好きではなくなったらしい。ハリーはテレビを見ることを許されたばかりか、チョコレートケーキをひと切れもらった。何年もしないこんであったような味がした。

その夜、ダドリーはピカピカの制服を着て居間を行進してみせた。スメルティングズ男子校では、みんな茶色のモーニングにオレンジ色のニッカーボッカーをはき、平ったい麦わらのカンカン帽をかぶる。てっぺんにこぶ状の握りのある杖を持つことになっていて、これはもっぱら先生が見ていないすきをねらって、生徒が互いに殴り合うために使われる。卒業後の人生に役立つ訓練らしい。

真新しいニッカーボッカー姿のダドリーを見て、バーノンおじさんは、人生で最も誇らしい瞬間だと声をつまらせた。ペチュニアおばさんは、こんなに大きくなって、こんなにハンサムな子が、私のちっちゃなダドリー坊やだなんて信じられないと、うれし泣きした。ハリーはとても何か言うどころではなく、笑いをこらえるのに必死で、あばら骨が二本は折れたかと思うほど苦しかった。

翌朝、朝食を食べにハリーがキッチンに入ると、ひどい悪臭が漂っていた。洗い場に置かれた大きな金盥からにおってくる。

近づいてのぞくと、灰色の液体に汚らしいボロ布がプカプカ浮いていた。

ハリー・ポッターと賢者の石

「これ、何？」

してはいけないのにハリーは質問した。そういうとき、ペチュニアおばさんは必ず唇をギュッと結ぶ。

「おまえの新しい制服だよ」

「そう。こんなにびしょびしょじゃないといけないなんて知らなかった」

ハリーはあらためて盥に目をやりながら言った。

「おだまり！　ダドリーのお古をわざわざおまえのために灰色に染めてやってるんじゃないか。仕上がればちゃーんとした制服になるよ」

とっていそうは思えなかった。でもハリーは何も言わないほうがいいと思った。食卓に着いて、ストーンウォール入学一日目の自分の姿を想像した……たぶん年とった象の皮を着たみたいに見えるだろうな……でもそれは考えないことにした。

ダドリーとバーノンおじさんが入ってきて、においに顔をしかめた。バーノンおじさんはいつものように朝刊を広げ、ダドリーは、片時も手放さないスメルティングズ校の杖で食卓をバンとたたいた。

その時、郵便受けが開き、郵便が玄関マットの上に落ちる音がした。

「ダドリーや。郵便を取っておいで」と新聞の陰からバーノンおじさんの声。

「ハリーに取らせろよ」

「ハリー、取ってこい」

「ダドリーに取らせてよ」

「ダドリー、スメルティングズ杖でつついてやれ」

ハリーはスメルティングズ杖をかわし、郵便を取りに行った。マットの上に三通落ちている。ワイト島でバケーションを過ごしているバーノンおじさんの姉、マージからの絵葉書。請求書らしい茶封筒。ホワイト

第3章　知らない人からの手紙

43

それに……ハリー宛の手紙。

ハリーは手紙を拾い上げてまじまじと見つめた。心臓は巨大なゴムひものようにビュンビュンと高鳴った。これまでの人生で、ただの一度もハリーに手紙をくれた人はいない。くれるはずの人もいない。友達も親戚もいない……。図書館に登録もしていないので、「すぐ返却せよ」などというぶっきらぼうな手紙でさえもらったことはない。それなのに手紙が来た。正真正銘ハリー宛だ。

サレー州　リトル・ウィンジング
プリベット通り四番地
ハリー・ポッター様　階段下の物置内

何やら分厚い、重い、黄色みがかった羊皮紙の封筒に入っている。宛名はエメラルド色のインクで書かれている。切手は貼られていない。

震える手で封筒を裏返してみると、紋章入りの紫色のろうで封印がしてあった。真ん中に大きく「H」と書かれ、その周りをライオン、鷲（わし）、穴熊、蛇が取り囲んでいる。

「小僧、早くせんか！」

キッチンからバーノンおじさんのどなり声がする。

「何をやっとるんだ。手紙爆弾の検査でもしとるのか？」

自分のジョークでおじさんはクックックと笑った。

ハリーは手紙を見つめたままキッチンに戻った。バーノンおじさんに請求書と絵葉書を渡し、椅子に座ってゆっくりと黄色の封筒を開きはじめた。

バーノンおじさんは請求書の封筒をビリビリと開け、不機嫌にフンと鼻を鳴らし、次に絵葉書の裏を返して読んだ。

「マージが病気だよ。くさりかけた貝を食ったらしい……」

とペチュニアおばさんに伝えたその時、ダドリーが突然叫んだ。

「パパ！ ねえ！ ハリーが何か持ってるよ」

ハリーは、封筒と同じ厚手の羊皮紙に書かれた手紙をまさに広げようとしていた。が、バーノンおじさんがそれをひったくった。

「それ、**僕のだよ！**」

ハリーは奪い返そうとした。

「おまえに手紙なんぞ書くやつがいるか！」

とバーノンおじさんはせせら笑い、片手でパラッと手紙を開いてちらりと目をやった。とたんに、おじさんの顔が交差点の信号よりすばやく赤から青に変わった。それだけではない。数秒後には、くさりかけたおかゆのような白っぽい灰色になった。

「ぺ、ぺ、ペチュニア！」

おじさんがあえぎながら言った。

ダドリーが手紙を奪って読もうとしたが、おじさんは手が届かないように高々と掲げていた。ペチュニアおばさんはいぶかしげに手紙を取り、最初の一行を読んだとたんに、一瞬、気を失うかのように見えた。

「バーノン、どうしましょう……あなた！」

二人は顔を見合わせ、ハリーやダドリーがそこにいることなど忘れたかのようだった。ダドリーは無

第3章　知らない人からの手紙

45

視されることに慣れていない。スメルティングズ杖で、父親の頭をコツンとたたいた。

「ぼく、読みたいよ」

ダドリーがわめいた。

「僕に読ませて。それ、**僕のだよ**」

ハリーは怒った。

「あっちへ行け！　二人ともだ」

バーノンおじさんは、手紙を封筒に押し込みながら、かすれた声でそう言った。

「**僕の手紙を返して！**」

ハリーはその場を動かなかった。

「**ぼくが見るんだ！**」

ダドリーも迫った。

「**行けといったら行け！**」

そうどなるやいなや、バーノンおじさんは、二人の襟首をつかんで部屋の外に放り出し、ピシャリとキッチンのドアを閉めてしまった。どちらが鍵穴に耳をつけられるか、ハリーとダドリーの無言の激しい争奪戦はダドリーの勝ちに終わった。ハリーは争いでずり落ちためがねを片耳からぶら下げたまま床に這いつくばり、ドアと床の間からもれてくる声を聞こうとした。

「バーノン。住所をごらんなさい……どうしてあの子の寝ている場所がわかったのかしら。まさかこの家を見張っているんじゃないでしょうね？」

「見張っている……スパイだ……あとをつけられているのかもしれん」

バーノンおじさんの興奮したつぶやき声が聞こえた。

「あなた、どうしましょう。返事を書く？　お断りです……そう書いてよ」

ハリーの目に、キッチンを往ったり来たりするおじさんのピカピカに磨いた黒い靴が見えた。

「いや」

しばらくしておじさんはやっと口を開いた。

「いいや、ほうっておこう。返事がなけりゃ……そうだ、それが一番だ……何もせん……」

「でも……」

「ペチュニア！　我が家にはああいう連中はお断りだ。ハリーを拾ってやったとき、誓ったろう？　あ

あいう危険なナンセンスは絶対たたき出してやるって」

その夜、仕事から帰ったおじさんは、いままでただの一度もしなかったことをした。ハリーの物置に

やってきたのだ。

「僕の手紙はどこ？」

バーノンおじさんの大きな図体が狭いドアから入ってきたとき、ハリーは真っ先に聞いた。

「誰からの手紙なの？」

「知らない人からだ。まちがえておまえに宛てたんだ。焼いてしまったよ」

おじさんはぶっきらぼうに答えた。

「絶対にまちがいなんかじゃない。封筒に物置って書いてあったよ」

ハリーは怒った。

「だまらっしゃい！」

おじさんの大声で、天井からクモが数匹落ちてきた。おじさんは二、三回深呼吸して、無理に笑顔を

第3章　知らない人からの手紙

47

取りつくろったが、相当苦しい笑顔だった。

「エー、ところで、ハリーや……この物置だがね。おばさんとも話したんだが……おまえもここに住む
にはちょいと大きくなりすぎたことだし……ダドリーの二つ目の部屋に移ったらいいと思うんだがね」

「どうして?」

「質問しちゃいかん! さっさと荷物をまとめて、すぐ二階へ行くんだ」

おじさんはまだbecome。

ダーズリー家には寝室が四部屋ある。バーノンおじさんとペチュニアおばさんの部屋、来客用(おじ
さんの姉のマージが泊まることが多い)、ダドリーの寝る部屋、そこに入りきらないおもちゃやその他
いろいろな物が、ダドリーの二つ目の部屋に置かれている。物置から全財産を二階の寝室に移すのに、
ハリーはたった一回階段を上がればよかった。ベッドに腰かけて周りを見回すと、ガラクタばかりが置
いてあった。買ってからまだ一か月しかたっていないのに、ビデオカメラは小型戦車の上に転がされて
いた。ダドリーは、たった一回その戦車に乗ったときに、隣の犬をひいてしまった。隅に置かれたダド
リーの一台目のテレビは、お気に入りの番組が中止になったと言って蹴りつけ、大穴をあけてしまった。そ
の銃は、ダドリーが尻に敷いて銃身をひどく曲げてしまい、いまは棚の上にほったらかしになっている。
大きな鳥かごにはオウムが入っていたこともあったが、ダドリーが学校で本物の空気銃と交換した。そ
の銃は、ダドリーが尻に敷いて銃身をひどく曲げてしまい、いまは棚の上にほったらかしになっている。
ほかの棚は本でいっぱいだが、これだけは手を触れた様子がない。

下からダドリーが母親に向かってわめいているのが聞こえた。

「あいつをあの部屋に入れるのは**いやだ**……あの部屋は**ぼくが使う**んだ……あいつを追い出してよ
……」

ハリーはフッとため息をつき、ベッドに体を横たえた。きのうまでだったら、二階に住めるならほか

ハリー・ポッターと賢者の石

48

には何もいらないと思っていた。今日のハリーは、手紙なしでこの部屋にいるより、手紙さえあれば物置にいてもいいと思った。

次の朝、みんなだまって朝食を食べた。ダドリーはショック状態だった。わめいたり、父親をスメルティングズ杖でたたいたり、わざと気分が悪くなってみせたり、母親を蹴飛ばしたり、飼っていた亀をスメルティングズ杖で温室の屋根をぶち破ったりしたのに、それでも部屋は取り戻せなかったからだ。ハリーはきのうのいまごろのことを考え、玄関で手紙を開けてしまえばよかったと後悔していた。おじさんとおばさんは、暗い表情で始終顔を見合わせていた。

朝の郵便が届いた。バーノンおじさんは、努めてハリーにやさしくしようとしているらしく、ダドリーに郵便を取りに行かせた。スメルティングズ杖でそこら中をたたきまくりながら、ダドリーは玄関に行った。やがて、ダドリーの大声がした。

「また来たよ！　**プリベット通り四番地、一番小さい寝室、ハリー・ポッター様──**」

バーノンおじさんは首をしめられたような叫び声を上げて椅子から飛び上がり、廊下を駆けだした。続いてハリー──バーノンおじさんはダドリーを組み伏せて手紙を奪い取ったが、ハリーが後ろからおじさんの首をつかんだので、三つ巴となった。取っ組み合いの大混戦がしばらく続き、みんないやというほどスメルティングズ杖を食らって、やがて息も絶え絶えに立ち上がったのはバーノンおじさんだった。ハリーへの手紙をわしづかみにしている。

「物置に……じゃない、自分の部屋に行け」おじさんはゼイゼイしながら命令した。

「ダドリー、おまえも行け……とにかく行け」

ハリーは移ってきたばかりの自分の部屋の中をぐるぐる歩き回った。物置から引っ越したことを誰か

第3章　知らない人からの手紙

49

が知っている。最初の手紙を受け取らなかったことを知っている。だったら差出人は必ずもう一度出す

のでは？　今度こそ失敗しないようにするぞ。ハリーには名案があった。

壊れた時計を直しておいたので、目覚ましは翌朝六時に鳴った。ハリーは目覚ましを急いで止め、こっそり服を着た。ダーズリー一家を起こさないように、電気もつけず、ひっそりと階段を下りた。プリベット通りの角の所で郵便配達を待てばよい。四番地宛の手紙を受け取るんだ。忍び足で暗い廊下を渡り、玄関へと向かうハリーの心臓は早鐘のように鳴った……。

「ウワーワワァァァァァ！」

ハリーは空中に飛び上がった──玄関マットの上で、何か大きくてグニャッとしたものを踏んだ──なんだ？　生き物だ！

二階の電気がついた。ハリーは度肝を抜かれた。大きくてグニャッとしたものは、なんと、バーノンおじさんの顔だった。おじさんは、まさにハリーのやろうとしたことを阻止するために、寝袋にくるまって玄関のドアの前で横になっていたのだ。それから三十分、おじさんは延々とハリーをどなりつけ、最後に紅茶をいれてこいと命令した。ハリーはすごすごとキッチンに向かい、そこから玄関に戻ってきたちょうどその時、バーノンおじさんのひざの上に郵便が投げ込まれた。緑色で宛名が書かれた手紙が三通見えた。

「僕の……」

と言い終わらないうちに、おじさんはハリーの目の前で手紙をビリビリと破り捨てた。

バーノンおじさんはその日、会社を休み、家の郵便受けを釘づけにした。口いっぱいに釘をくわえたまま、おじさんはペチュニアおばさんに理由を説明した。

ハリー・ポッターと賢者の石

50

「いいか、**配達**させなけりゃ連中もあきらめるさ」

「でもあなた、そんなことでうまくいくかしら」

「ああ、連中の考えることときたらおまえ、まともじゃない。わしらとは人種がちがう」

バーノンおじさんは、いましがたおばさんが持ってきたフルーツケーキで釘を打とうとしていた。

金曜には、十二通もの手紙が届いた。郵便受けに入らないので、ドアの下から押し込まれたり、横のすきまに差し込まれたり、一階のトイレの小窓からねじ込まれたものも数通あった。

バーノンおじさんはまた会社を休んだ。手紙を全部焼き捨て、釘と金槌（かなづち）を取り出すと、玄関と裏口のドアのすきまというすきまに板を打ちつけ、誰一人外に出られないようにした。釘を打ちながら、

「チューリップ畑を忍び足」のせかせかした曲を鼻歌で歌い、ちょっとした物音にも飛び上がった。

土曜日。もう手がつけられなくなった。二十四通のハリー宛の手紙が家の中に忍び込んできた。牛乳配達が、いったい何事だろうという顔つきで、卵を二ダース、居間の窓からペチュニアおばさんに手渡したが、その卵の一個一個に丸めた手紙が隠してあったのだ。バーノンおじさんは、誰かに文句を言わなければ気がすまず、郵便局と牛乳店に怒りの電話をかけた。ペチュニアおばさんはミキサーで手紙を粉々にした。

「おまえなんかにこんなにめちゃくちゃ話したがっているのはいったい誰なんだ？」

ダドリーも驚いてハリーに聞いた。

日曜の朝、バーノンおじさんはつかれたやや青い顔で、しかしうれしそうに朝食の席に着いた。

第3章　知らない人からの手紙

51

「日曜は郵便は休みだ」

新聞にママレードを塗りたくりながら、おじさんは嬉々としてみんなに言った。

「今日はいまいましい手紙なんぞ——」

そう言い終わらないうちに、何かがキッチンの煙突を伝ってヒューッと落ちてきて、おじさんの後頭部にコツンとぶつかった。次の瞬間、三十枚も四十枚もの手紙が、暖炉から雨あられと降ってきた。ダーズリーたちはみんな身をかわしたが、ハリーは飛びついて手紙をつかまえようとした。

「出ていけ。出ていけ！」

バーノンおじさんはハリーの腰のあたりをつかまえて廊下に放り出した。ペチュニアおばさんとダドリーは顔を腕でかばいながら部屋から逃げ出した。バーノンおじさんがドアをピシャリと閉めたあとも、手紙が部屋の中に洪水のようにあふれ出て壁やら床やらで跳ね返る音が聞こえてきた。

「これで決まりだ」

バーノンおじさんは平静に話そうとしてはいたが、同時に口ひげをしごたま引き抜いていた。

「みんな、出発の準備をして、五分後にここに集合だ。家を離れることにする。着替えだけ持ってきなさい。問答無用だ！」

口ひげを半分も引き抜いてしまったおじさんの形相はすさまじく、誰も問答する気になれなかった。十分後、板をガンガンに打ちつけたドアをこじ開け、一行は車に乗り込み、高速道路を目指して突っ走っていた。ダドリーは後ろの席でグスグス泣いていた。テレビやビデオやコンピュータをスポーツバッグに詰め込もうとしてみんなを待たせたので、父親からガツンと頭に一発食らったのだ。

一行を乗せて車は走った。どこまでも走った——ペチュニアおばさんでさえ、どこに行くのかと質問もできない。バーノンおじさんはときどき急カーブを切り、進行方向と反対の方向に車を走らせたりした。

「振り払うんだ……振り切るんだ」

そのたびにおじさんはブツブツ言った。

一行は一日中飲まず食わずで走りに走った。暗くなるころにはダドリーが泣きわめいていた。腹ペコで、お気に入りのテレビ番組は五本も見逃したし、こんなに長時間、コンピュータ・ゲームでエイリアンを一人もやっつけなかったなんて、ダドリーの人生最悪の一日だった。

バーノンおじさんは、どこか大きな町はずれの、陰気くさいホテルの前でやっと車を止めた。ダドリーとハリーはツイン・ベッドの部屋に泊まった。湿っぽい、かび臭いシーツだった。ダドリーは高いびきだったが、ハリーは眠れないままに、窓辺に腰かけ、下を通り過ぎる車のライトを眺めながら物思いに沈んでいた……。

翌朝、かび臭いコーンフレークと、缶詰の冷たいトマトをのせたトーストの朝食をとった。ちょうど食べ終わったとき、ホテルの女主人がやってきた。

「ごめんなさいまっし。ハリー・ポッターという人はいなさるかね? いましがた、フロントにこれとおんなじもんがざっと百ほど届いたがね」

女主人は、みんなが宛名を読めるように手紙をかざして見せた。緑のインクだ。

コークワース州
レールビューホテル十七号室
ハリー・ポッター様

第3章　知らない人からの手紙

53

ハリーは手紙をつかもうとしたが、バーノンおじさんがその手を払いのけた。女主人は目を丸くした。

「わしが引き取る」

バーノンおじさんはすばやく立ちあがり、女主人について食堂を出ていった。

「ねえ、家に帰ったほうがいいんじゃないかしら?」

ペチュニアおばさんが恐る恐るそう言ったのはそれから数時間後だったが、車を走らせるバーノンおじさんにはまるで聞こえていない。いったいおじさんが何を探そうとしているのか、誰にも皆目わからなかった。ある時は森の奥深くまで入り、降りてあたりを見回し、頭を振り、また車に戻り、また走り――ある時は耕された畑のど真ん中で、またある時は吊り橋の真ん中で、そしてまたある時は立体駐車場の屋上で、おじさんは同じことをくり返した。

「パパ、気が変になったんじゃない?」

夕方近くになって、ダドリーがぐったりして母親に問いかけた。バーノンおじさんは海岸近くで車を止め、みんなを車に閉じ込めて鍵をかけ、姿を消した。

雨が降ってきた。大粒の雨が車の屋根を打った。

「今日は月曜だ」

ダドリーは母親に向かって哀れっぽい声を出した。

「今夜は『グレート・ハンベルト』があるんだ。テレビのある所に泊まりたいよう」

月曜だ。ハリーは何か思い出しかけていた。もし月曜なら――曜日に関してはダドリーの言うことは信用できる……テレビのおかげで――もし本当にそうなら、明日は火曜日、そしてハリーの十一歳の誕生日だ。誕生日が楽しかったことは一度もない――去年のダーズリー一家からのプレゼントは、コート

ハリー・ポッターと賢者の石

54

をかけるハンガーとおじさんのお古の靴下だった。それでも、十一歳の誕生日は一生に一度しか来ない。

バーノンおじさんはにんまりしながら戻ってきた。長い、細い包みを抱えている。何を買ったのかと

おばさんが聞いても、答えなかった。

「申し分のない場所を見つけたぞ。来るんだ。みんな降りろ！」

外はとても寒かった。バーノンおじさんは、海のかなたに見える、何やら大きな岩を指さしている。

その岩のてっぺんに、とほうもなくみすぼらしい小屋がちょこんとのっている——テレビがないことだ

けは保証できる。

「今夜は嵐が来るぞ！」

バーノンおじさんは上機嫌で手をたたきながら言った。

「このご親切な方が、船を貸してくださることになった」

歯のすっかり抜けた老人がよぼよぼと近づいてきて、何やら気味の悪い笑みを浮かべながら、鉛色の

波打ち際に木の葉のように浮かぶボロ船を指さした。

「食料は手に入れた。一同、乗船！」

バーノンおじさんが号令をかけた。

船の中は凍えそうな寒さだった。氷のような波しぶきと雨が首筋を伝わり、刺すような風が顔を打っ

た。何時間もたったかと思われるころ、船は岩にたどり着き、バーノンおじさんは先頭を切ってすべっ

たり転んだりしながらオンボロ小屋へと向かった。

小屋の中はひどかった。海草のにおいがツンと鼻を刺し、板壁のすきまからヒューヒューと風が吹き

込んでいた。おまけに火の気のない暖炉は湿っていた。部屋は二つしかなかった。

バーノンおじさんの用意した食料は、ポテトチップ一人ひと袋、バナナ四本しかなかった。暖炉に火

第3章　知らない人からの手紙

を入れようと、おじさんはポテトチップの空き袋に火をつけたが、くすぶってチリチリと縮んだだけだった。

「いまならあの手紙が役立つかもしれんな。え?」

おじさんは楽しそうに言った。

おじさんは上機嫌だった。こんな嵐の中、まさかここまで郵便を届けにくるやつはいまい、と思っているにちがいない。ハリーもおじさんと同意見だったが、上機嫌にはなれなかった。

夜になると、予報どおり嵐が吹き荒れた。波は高く、しぶきがピシャピシャと小屋の壁を打った。風は猛り、汚れた窓をガタガタいわせた。ペチュニアおばさんは奥の部屋からかび臭い毛布を二、三枚見つけてきて、ダドリーのために虫食いだらけのソファの上にベッドをこしらえた。おじさんとおばさんは、奥の部屋のデコボコしたベッドにおさまった。ハリーは床のやわらかそうな所を探して、一番薄い、一番ボロの毛布にくるまって体を丸くした。

夜がふけるにつれて、嵐はますます激しさを増した。ハリーは眠れなかった。ガタガタ震えながら、なんとか楽な姿勢になろうと何度も寝返りを打った。空腹でお腹が鳴った。ダドリーの大いびきも、真夜中近くに始まった雷のゴロゴロという低い音にかき消されていった。ソファからはみ出してぶらぶらしているダドリーの太った手首に、蛍光文字盤つきの腕時計があった。あと十分でハリーは十一歳になる。

横になったまま、ハリーは自分の誕生日が刻一刻と近づくのを見ていた。おじさんやおばさんは覚えているのだろうか。手紙をくれた人はいまどこにいるのだろう。

——あと五分。ハリーは外で何かが軋（きし）むのを聞いた。屋根が落ちてきませんように。いや、落ちたほうが暖かいかもしれない。あと四分。プリベット通りの家は手紙であふれているかもしれない。帰った

ら一つぐらいは何とか抜き取ることができるかもしれない。

——あと三分。あんなに強く岩を打つのは荒海なのか？　それに——あと二分——あの奇妙なガリガ

リという音はなんなのだろう？　岩が崩れて海に落ちる音か？

——十一歳まで、あと一分。三十秒……二十……十……九……いやがらせにダドリーを起こしてやろ

うか。……三……二……一……。

ドーン！

小屋中が震えた。　ハリーはびくっと飛び起きてドアを見つめた。　誰か外にいる。　ドアをノックしてい

る。

第3章　知らない人からの手紙

57

第4章　鍵の番人

ドーン。

もう一度、誰かがノックした。ダドリーが飛び起きて、寝ぼけた声を上げた。

「なに？　大砲？　どこ？」

むこうの部屋でガラガラガッシャンと音がしたかと思うと、バーノンおじさんがライフル銃を手に、すっとんできた――あの細長い包みがなんだったのか、いまわかった。

「誰だ。そこにいるのは。言っとくが、こっちには銃があるぞ！」おじさんは叫んだ。

一瞬の空白があった。そして――。

バターン！

蝶番も吹っ飛び、ものすごい力で開けられた扉が、轟音を上げて床に倒れた。

戸口には大男が突っ立っていた。ぼうぼうと長い髪、もじゃもじゃの荒々しいひげに隠れて、顔はほとんど見えない。でも、毛むくじゃらの中から、真っ黒なコガネムシのような目がキラキラ輝いているのが見える。

大男は窮屈そうに部屋に入ってきた。身をかがめても、髪が天井をこすった。男は腰を折ってドアを拾い上げると、いとも簡単に元の枠にバチンと戻した。外の嵐の音がやや薄らいで聞こえた。大男は振り返ってぐるりとみんなを見渡した。

「茶でもいれてくれんかね？　いやはや、ここまで来るのは骨だったぞ……」

ハリー・ポッターと賢者の石

58

男は大股でソファに近づき、恐怖で凍りついているダドリーに言った。

「少しあけてくれや、太っちょ」

ダドリーは金切り声を上げて逃げ出し、母親の陰に隠れた。おばさんは震えながらおじさんの陰にうずくまっていた。

「オーッ、ハリーだ！」と大男が言った。

ハリーは恐ろしげな、荒々しい黒い影のような男の顔を見上げ、コガネムシのような目がくしゃくしゃになって笑いかけているのを見つけた。

「最後におまえさんを見たときにゃ、まだほんの赤ん坊だったなあ。父さんそっくりになった。でも目は母さんの目だなあ」と大男は言った。

バーノンおじさんは奇妙なかすれ声を出した。

「いますぐお引き取りを願いたい。家宅侵入罪ですぞ。」

「だまれ、ダーズリー。くさった大スモモめ」

と言うやいなや、大男はソファの背ごしに手を伸ばしておじさんの手から銃をひったくり、まるでゴム細工でもひねるかのようにやすやすと丸めてひと結びにし、部屋の隅に放り投げてしまった。

バーノンおじさんはまたまた奇妙な声を上げた。今度は踏みつけられたネズミのような声だった。

「何はともあれ……ハリーや」

大男はダーズリーに背を向けてハリーに話しかけた。

「お誕生日おめでとう。おまえさんにちょいとあげたいもんがある……どっかで俺が尻に敷いちまったかもしれんが、まあ味は変わらんだろ」

黒いコートの内ポケットから、ややひしゃげた箱が出てきた。ハリーは震える指で箱を開けた。中は

大きなとろりとしたチョコレートケーキで、上には緑色の砂糖で、「ハリー　お誕生日おめでとう」と書いてあった。

ハリーは大男を見上げた。ありがとうと言うつもりだったのに、言葉が途中で迷子になって、かわりに「あなたは誰?」と言ってしまった。

大男はクスクス笑いながら答えた。

「うんうん、まだ自己紹介をしとらんかった。俺はルビウス・ハグリッド。ホグワーツの鍵と領地を守る番人だ」

男は巨大な手を差し出し、ハリーの腕をブンブン振って握手した。

「さあて、お茶にしようじゃないか。え?」

男はもみ手しながら言った。

「紅茶よりちょいと強い液体だってかまわんぞ。まあ、あればの話だがな」

大男は、チリチリに縮んだポテトチップの空き袋が転がっているだけの、火の気のない暖炉に目をやると、フンと鼻を鳴らしながら、暖炉に覆いかぶさるようにして何やら始めた。次の瞬間、大男が身を引くと、暖炉にはごうごうと火が起こっていた。

火は湿った小屋をチラチラゆらめく明かりで満たし、ハリーは温かい湯にとっぷりとつかったような温もりが体中を包むのを感じた。

大男はソファにドッカと座った。ソファが重みで沈み込んだ。男はコートのポケットから次々にいろいろなものを取り出しはじめた。銅のやかん、ひしゃげたソーセージひと袋、火かき棒、ティーポット、縁の欠けたマグカップ数個、琥珀色の液体が入った瓶。その液体を一杯ひっかけてから、大男はお茶の準備を始めた。やがて、ソーセージがジュージュー焼ける音とにおいで小屋中がいっぱいになった。誰

も声を出すものはいなかった。太くてやわらかそうな、少し焦げ目のついたソーセージが六本、焼き串

からはずされたとき、ダドリーがそわそわしはじめたので、おじさんは一喝した。

「ダドリー、この男のくれるものに、いっさいさわってはいかん」

大男はクックッと低く笑いながら言った。

「おまえのデブチン息子はこれ以上太らんでいい。ダーズリーとっつあん、余計な心配だ」

男はソーセージをハリーに渡した。お腹がすいていたので、ハリーはこんなにおいしいものは食べた

ことがないと思った。それでも、目だけは大男に釘づけ（くぎ）になっていた。誰も説明してくれないので、と

うとうハリーは口を開いた。

「あの……、いいえ」

ホグワーツのことはもちろん知っとろうな?」

「ハグリッドって呼んでおくれ。みんなそう呼ぶんだ。さっき言ったように、ホグワーツの番人だ——

大男はお茶をガブリと飲んで、手の甲で口をぬぐった。

「あの、僕、まだあなたが誰だかわからないんですけど」

ハグリッドはショックを受けたような顔をした。

「ごめんなさい」ハリーはあわてて言った。

「**ごめんなさいだと?**」

ハグリッドは吠（ほ）えるような大声を出すと、ダーズリーたちをにらみつけた。ダーズリー親子は薄暗い

所で、小さくなっていた。

「ごめんなさいはこいつらのセリフだ。おまえさんが手紙を受け取ってないのは知っとったが、まさか

ホグワーツのことも知らんとは、思ってもみんかったぞ。なんてこった! おまえの両親がいったいど

第4章　鍵の番人

61

こであんなにいろんなことを学んだのか、不思議に思わなんだのか？」

「いろんなことって？」ハリーが尋ねた。

「いろんなことって、だと？」

ハグリッドの雷のような声が響く。

「ちょっとまった！」

ハグリッドは仁王立ちになった。怒りでハグリッドの体が小屋いっぱいに膨れ上がったかのようだった。ダーズリー親子はすくみあがって壁にはりついていた。

ハグリッドは、ダーズリーたちに詰め寄って、かみつくように言った。

「この子が……この子ともあろうものが……何も知らんというのか……まったく**なんにも？**」

ハリーは、ちょっと言いすぎじゃないかと思った。学校にも行ったし、成績だってそう悪くなかったんだから。

「僕、**少しなら知ってるよ**。算数とか、そんなのだったら」

ハグリッドは首を横に振った。

「**我々**の世界のことだよ。つまり、**おまえさんの世界だ。俺**の世界。**おまえさんの両親の世界**のことだ」

「なんの世界？」

ハグリッドはいまや爆発寸前の形相だ。

「**ダーズリー！**」

ドッカーンときた。

バーノンおじさんは真っ青な顔で、何やら「ムニャムニャ」と意味のないことを言うばかりだった。

ハリー・ポッターと賢者の石

62

ハグリッドはハリーを燃えるような目で見つめた。

「じゃが、おまえさんの父さん母さんのことは知っとるだろうな。ご両親は**有名なんだ。**おまえさんも有名なんだよ」

「えっ？ 僕の……父さんと母さんが有名だったなんて、ほんとに？」

「知らんのか……おまえは、知らんのか……」

ハグリッドは髪をかきむしり、当惑したまなざしでハリーを見つめた。

「おまえさんは、自分が**何者なのか**知らんのだな？」

しばらくしてハグリッドはそう言った。

バーノンおじさんが急に声を取り戻して、命令口調で言った。

「やめろ！ 客人。いますぐやめろ！ その子にこれ以上何も言ってはいかん！」

ハグリッドはすさまじい形相でおじさんをにらみつけた。そのものすごさときたら、たとえいまのダーズリー氏より勇敢な人がいたってしっぽを巻いただろう。ハグリッドの言葉は、一言一言怒りでわなわなと震えていた。

「きさまは何も話してやらなかったんだな？ ダンブルドアがこの子のために残した手紙の中身を、一度も？ 俺はあの場にいたんだ！ ダンブルドアが手紙を置くのを見ていたんだぞ！ それなのに、きさまはずーっとこの子に隠していたんだな？」

「いったい何を隠してたの？」ハリーは急き込んで聞いた。

「**やめろ。絶対言うな！**」

おじさんはあわてふためいて叫び、ペチュニアおばさんは、恐怖で引きつった声を上げた。

「二人とも勝手にわめいていろ。ハリー——おまえは魔法使いだ」

第4章　鍵の番人

63

小屋の中が、シーンとした。聞こえるのはただ、波の音とヒューヒューという風の音……。

「僕が、**何だって?**」ハリーは息をのんだ。

「魔法使いだよ、いま言ったとおり」

ハグリッドはまたソファにドシンと座った。ソファがギシギシとうめき声を上げて、前より深く沈み込んだ。

「しかも、訓練さえ受けりゃ、そんじょそこらの魔法使いよりすごくなる。なんせ、ああいう父さんと母さんの子だ。おまえは魔法使いに決まっちょる。そうじゃねえか? さて、手紙を読む時がきたようだ」

ハリーはついに黄色味がかった封筒に手を伸ばした。エメラルド色で宛名が書いてある。

海の上
岩の上の小屋 床
ハリー・ポッター様

中から手紙を取り出し、読んだ。

ホグワーツ魔法魔術学校
校長 アルバス・ダンブルドア
(マーリン勲章勲一等、大魔法使い、魔法戦士隊長、最上級独立魔法使い、国際魔法使い連盟会員)

ハリー・ポッターと賢者の石

64

親愛なるポッター殿

このたびホグワーツ魔法魔術学校にめでたく入学を許可されましたこと、心よりお喜び申し上げます。教科書並びに必要な教材のリストを同封いたします。

新学期は九月一日に始まります。七月三十一日必着でふくろう便にてのお返事をお待ちしております。

敬具

副校長　ミネルバ・マクゴナガル

ハリーの頭で、まるで花火のように次々と疑問がはじけた。何から先に聞いてよいのかわからない。

しばらくしてやっと、つっかえながら聞いた。

「これどういう意味ですか？　ふくろう便を待つって」

「おっとどっこい。忘れるとこだった」

ハグリッドは「しまった」というふうにおでこを手でパチンとたたいたが、その力の強いこと、馬車馬でも吹っ飛んでしまいそうだ。そして、コートのポケットから今度はふくろうを引っ張り出した……少しもみくちゃになってはいたが、生きている本物だ……それから、長い羽根ペンと……羊皮紙の巻紙を取り出した。ハグリッドが歯の間から舌を少しのぞかせながら走り書きするのを、ハリーは逆さまから読んだ。

第4章　鍵の番人

65

ダンブルドア先生

ハリーに手紙を渡しました。

明日は入学に必要なものを買いに連れてゆきます。

ひどい天気です。お元気で。

ハグリッドより

ハグリッドは手紙をくるくると丸めてふくろうのくちばしにくわえさせ、戸を開けて嵐の中に放った。そして、まるで電話でもかけたかのようにあたりまえの顔で、ソファに戻った。

ハリーはポカンと口を開けていることに気づいてあわてて閉じた。

「どこまで話したかな?」とハグリッドが言ったとき、おじさんが灰色の顔に怒りの表情をあらわにし、暖炉の火の明るみにぐいと進み出た。

「ハリーは行かせんぞ」

「おまえのようなコチコチのマグルに、この子を引き止められるもんなら、拝見しようじゃないか」とハグリッドは唸った。

「マグ――なんて言ったの?」気になってハリーは聞いた。

「マグルだよ。連中のような魔法族ではない者を俺たちはそう呼ぶ。よりによって、俺の見た中でも最悪の、極めつきの大マグルの家で育てられるなんて、おまえさんも不運だったなあ」

「ハリーを引き取ったとき、くだらんごちゃごちゃはおしまいにするとわしらは誓った。この子の中からそんなものはたたき出してやると誓ったんだ! 魔法使いなんて、まったく!」

「知ってたの? おじさん、僕があの、ま、魔法使いだってこと、**知ってたの?**」

突然ペチュニアおばさんがかん高い声を上げた。

「知ってたかですって？　**ああ、知ってたわ！**　知ってましたとも！　あのしゃくな妹がそうだったんだから、おまえだってそうに決まってる。妹にもちょうどこれと同じような手紙が来て、さっさと行ってしまった——その**学校**とやらへね。休みで帰ってくるときにゃ、ポケットはカエルの卵でいっぱいだし、ティーカップをネズミに変えちまうし。私だけは、妹の本当の姿を見てたんだよ——奇人だった。ところがどうだい、父も母も、やれリリー、それリリーって、わが家に魔女がいるのが自慢だった」

おばさんはここで大きく息を吸い込むと、何年もがまんしていたものを吐き出すように一気にまくしたてた。

「そのうち学校であのポッターに出会って、二人ともどっかへ行って結婚した。そしておまえが生まれたんだ。ええ、ええ、知ってましたとも。おまえも同じだろうってね。同じようにへんてこりんで、同じように——**まともじゃない**ってね。それから妹は、自業自得で吹っ飛んじまった。おかげでわたしたちゃ、おまえを押しつけられたってわけさ！」

ハリーは真っ青で声も出ない。やっと口がきけるようになったとき、叫ぶように言った。

「吹っ飛んだ？　自動車事故で死んだって言ったじゃない！」

「**自動車事故！**」

ハグリッドはソファからいきなり立ち上がり、怒りの唸り声を上げた。ダーズリー親子はあわててた隅っこの暗がりに逃げ戻った。

「自動車事故なんぞで、リリーやジェームズ・ポッターが死ぬわけがなかろう。魔法界の子供は一人残らずハリーの名前を知っとるっちゅうに、なんたる屈辱！　なんたる恥！　ハリー・ポッターが自分のことを知らんとは！」

第4章　鍵の番人

67

「でも、どうしてなの？　いったい何があったの？」ハリーは急き込んで尋ねた。

ハグリッドの顔から怒りが消え、急に気づかわしげな表情になった。

「こんなことになろうとは」

ハグリッドの声は低く、物憂げだった。

「ダンブルドアが、おまえさんを捕まえるのに苦労するかもしれん、と言いなさったが、まさか、おまえさんがこれほど知らんとはなあ。ハリーや、おまえに話して聞かせるのは、俺には荷が重すぎるかもしれん……だが、誰かがやらにゃ……なんも知らずにホグワーツに行くわけにはいくまいて」

ハグリッドはダーズリー親子をじろっと見た。

「さあ、俺が知っとることをおまえさんに話すのが一番いいじゃろう……ただし、すべてを話すことはできん。まだ謎に包まれたままのところがあるんでな……」

ハグリッドは腰を下ろし、しばらくはじっと火を見つめていたが、やがて語りだした。

「事の起こりは、ある人からだと言える。名前は……こりゃいかん。おまえはその名を知らん。我々の世界じゃみんな知っとるのに……」

「誰なの？」

「さて……できれば名前を口にしたくないもんだ。誰も言いたがらんのだが」

「どうしてなの？」

「どうもこうも、ハリーや。みんな、いまだに恐れとるんだよ。いやはや、こりゃ困った。ええかな、ある魔法使いがおってな、悪の道に走っちまったわけだ……悪も悪、とことん悪、悪よりも悪とな。その名は……」ハグリッドは一瞬息を詰めたが、言葉にならなかった。

「名前を書いてみたら？」ハリーがうながした。

ハリー・ポッターと賢者の石

68

「うんにゃ、名前の綴りがわからん。言うぞ、それっ！　**ヴォルデモート**」

ハグリッドは身震いした。

「二度と口にさせんでくれ。そういうこった。もう二十年も前になるが、この魔法使いは仲間を集めはじめた。何人かは仲間に入った……恐れて入った者もいたし、そいつがどんどん力をつけていたんで、おこぼれに預かろうとした者もいた。暗黒の日々じゃよ、ハリー。誰を信じていいかわからない連中とはとても友達になろうなんて考えられん……恐ろしいことがいろいろ起こった。我々の世界をそいつが支配するようになった。もちろん、立ち向かう者もいた……だが、みんな殺された。恐ろしや……残された数少ない安全な場所がホグワーツだけだった。その時はな。そういうこった。ダンブルドアだけは、『例のあの人』も一目置いていた。学校にだけはさすがに手出しができんかった。

おまえの父さん、母さんはな、俺の知っとる中で一番すぐれた魔法使いと魔女だったよ。在学中は、二人ともホグワーツの首席だった！　『あの人』が、なんでもっと前に二人を味方に引き入れようとせんかったのか、謎じゃて……だが二人はダンブルドアと親しいし、闇の世界とは関わるはずがないと知っとったんだろうな。

あやつは二人を説得できると思ったのかもしれんし……邪魔者として片づけようと思ったのかもしれん。わかっているのは、十年前のハロウィーンに、おまえさんたち三人が住んでいた村にあやつが現れたってことだ。おまえさんは一歳になったばかりだったよ。やつがおまえさんたちの家にやってきた。そして……そして……」

ハグリッドは突然、水玉模様の汚いハンカチを取り出し、ボアーッと霧笛のような音を響かせて鼻をかんだ。

「すまん。だが、ほんとに悲しかった……おまえの父さん母さんのようないい人はどこを探したってい

やせん……そういうこった。

『あの人』は二人を殺した。そしてだ、そしてこれがまったくの謎なんだが……やつはおまえさんも殺そうとした。きれいさっぱりやってしまおうというつもりだったんだろうな。もしかしたら、殺すこと自体が楽しみになっていたのかもしれん。ところができんかった。おまえの額の傷痕がどうしてできたか不思議に思ったことはありゃせんか？　並の切り傷じゃない。強力な悪の呪いにかけられたときにできる傷だ。おまえの父さん母さんを殺し、家までめちゃめちゃにしたが、おまえにだけは効かんかった。ハリーや、だからおまえさんは有名なんだよ。あやつが目をつけた者で生き残ったのは一人もいない……おまえさん以外はな。当時最も力のあった魔法使いや魔女が、何人も殺された……マッキノン家、ボーン家、プルウェット家……なのに、まだほんの赤ん坊のおまえさんだけが生き残った」

ハリーの心に言い知れぬ痛みが走った。ハグリッドが語り終わったとき、鮮烈に……そして、これまで一度も思い出さなかったことまで、初めて思い出した。冷たい、残忍な高笑いを。

ハグリッドは沈んだ目でハリーを見ながら話を続けた。

「ダンブルドアの言いつけで、この俺が、おまえさんを壊れた家から連れ出した。この連中の所へおまえさんを連れてきた……」

「バカバカしい」

バーノンおじさんの声がした。ハリーは飛び上がった。ダーズリー親子がいることをすっかり忘れていた。おじさんはどうやら勇気を取り戻したらしい。拳を握りしめ、ハグリッドをはたとにらみつけた。

「いいか、よく聞け、小僧」おじさんが唸った。

「確かにおまえは少々おかしい。だが、恐らく、みっちりたたきなおせば治るだろう──おまえの両親

ハリー・ポッターと賢者の石

70

の話だが、まちがいなく、妙ちくりんな変人だ。連中のようなのはいないほうが、世の中が少しはましになるとわしは思う。——あいつらは身から出たさび、魔法使いなんて変な仲間と交わるからだ——思ったとおりだ。常々ろくな死に方はせんと思っておったわ——」

その時、ハグリッドがソファからガバッと立ち上がり、コートから取り出した使い古しのピンクの傘を、刀のようにバーノンおじさんに突きつけながら言った。

「それ以上、一言でも言ってみろ、ダーズリー。ただじゃすまんぞ」

ひげもじゃの大男に傘で串刺しにされる危険を感じ、バーノンおじさんの勇気はまたもやくじけ、壁にはりついてだまってしまった。

「それでいいんだ」

ハグリッドは息を荒らげてそう言うと、ソファに座りなおした。ソファはついに床まで沈み込んでしまった。

ハリーはまだまだ聞きたいことが山のようにあった。

「でもヴォル……あ、ごめんなさい……『あの人』はどうなったの?」

「それがわからんのだ。ハリー。消えたんだ。消滅だ。おまえさんを殺そうとしたその夜にな。だからおまえはいっそう有名なんだよ。なぁ……あやつはますます強くなっていた……なのに、なんで消えなきゃならん?

あやつが死んだと言う者もいる。俺に言わせりゃ、くそくらえだ。やつに人間らしさのかけらでも残っているんなら死ぬこともあろうさ。まだどこかにいて、時の来るのを待っていると言う者もいるな。俺はそうは思わん。やつに従っていた連中は我々のほうに戻ってきた。夢から覚めたように戻ってきた者もいる。やつが戻ってくるんなら、そんなことはできまい。

第4章　鍵の番人

71

やつはまだどこかにいるが、力を失ってしまった、そう考えている者が大多数だ。もう何もできんぐらい弱っているとな。ハリーや、おまえさんの何かが、あやつを降参させたからだよ。あの晩、あやつが考えてもみんかった何かが起きたんだ——**俺には何かはわからんが**。誰にもわからんが——しかし、おまえさんの何かがやつに参ったと言わせたのだけは確かだ」

ハグリッドはやさしさと敬意に輝くまなざしでハリーを見た。ハリーは喜ぶ気にも、誇る気にもなれなかった。むしろ、とんでもないまちがいだという思いのほうが強かった。魔法使いだって? この僕が? そんなことがありえるだろうか。ダドリーに殴られ、バーノンおじさんとペチュニアおばさんにいじめられてきたのに。もし本当に魔法使いなら、物置に閉じ込められそうになるたび、どうして連中をイボイボヒキガエルに変えられなかったんだろう? 昔、世界一強い魔法使いをやっつけたなら、どうしてダドリーなんかが、おもしろがって僕をサッカーボールのように蹴っていじめることができるんだろう?

「ハグリッド」ハリーは静かに言った。「きっとまちがいだよ。僕が魔法使いだなんてありえないよ」

驚いたことに、ハグリッドはクスクス笑った。

「魔法使いじゃないって? えっ? おまえが怖かったとき、怒ったとき、何も起こらなかったか?」

ハリーは暖炉の火を見つめた。そう言えば……おじさんやおばさんに怒らせたおかしな出来事は、ハリーが困ったとき、腹を立てたときに起こった……ダドリー軍団にカンカンに追いかけられたとき、どうやったのかわからないが、連中の手の届かない所に逃げられたし……ちんちくりんな髪に刈り上げられて学校に行くのがとてもいやだったとき、髪は、あっという間に元どおりに伸びたし……最後にダドリーに殴られたとき、自分でもそうとは気づかず、仕返しをしたんじゃないか? 大蛇にダドリーを襲わせたじゃないか。

ハリーはハグリッドに向かってほほえんだ。ハグリッドも、そうだろうという顔でニッコリした。

「なぁ？ ハリー・ポッターが魔法使いじゃないなんて、そんなことはないぞ——見ておれ。おまえさんはホグワーツですぐく有名になるぞ」

だが、おじさんはおとなしく引き下がりはしなかった。

「行かせん、と言ったはずだぞ」食いしばった歯の間から声がもれた。

「こいつはストーンウォール校に行くんだ。やがてはそれを感謝するだろう。わしは手紙を読んだぞ。準備するのはバカバカしいものばかりだ——呪文の本だの魔法の杖だの、それに——」

「この子が行きたいと言うなら、おまえのようなコチコチのマグルに止められるものか」

ハグリッドが唸った。

「リリーとジェームズの息子、ハリー・ポッターがホグワーツに行くのを止めるだと。たわけが。ハリーの名前は生まれた時から入学名簿にのっとる。世界一の魔法の名門校に入るんだ。七年たてば、見ちがえるようになろう。これまでとちがって、同じ仲間の子供たちとともに過ごすんだ。しかも、ホグワーツの歴代の校長の中で最も偉大なアルバス・ダンブルドア校長のもとでな」

「いかれたまぬけじじいが小僧に魔法を教えるのに、わしは金なんか払わんぞ！」

バーノンおじさんが叫んだ。

ついに言葉が過ぎたようだ。ハグリッドは傘をつかんで、頭の上でぐるぐる回した。

「絶対に」

雷のような声だった。

「俺の……前で……アルバス……ダンブルドアを……侮辱するな！」

ハグリッドはヒューッと傘を振り下ろし、ダドリーにその先端を向けた。一瞬、紫色の光が走り、爆

第4章　鍵の番人

73

竹のような音がしたかと思うと、次の瞬間、ダドリーは太ったお尻を両手で押さえ、痛みでわめきながら床の上を飛びはねていた。ダドリーが後ろ向きになったとき、ハリーは見た——ズボンの穴から突き出しているのは、くるりと丸まった豚のしっぽだった。

バーノンおじさんは叫び声を上げ、ペチュニアおばさんとダドリーを隣の部屋に引っ張っていった。最後にもう一度こわごわハグリッドを見ると、おじさんはドアをバタンと閉めた。

ハグリッドは傘を見下ろし、ひげをなでた。

「かんしゃくを起こすんじゃなかった」ハグリッドは悔やんでいた。

「だが、いずれにしてもうまくいかんかった。豚にしてやろうと思ったんだが、もともとあんまりにも豚にそっくりなんで、変える所がなかった」

ぼさぼさ眉毛の下からハリーを横目で見ながら、ハグリッドが言った。

「ホグワーツではいまのことを誰にも言わんでくれるとありがたいんだが。俺は……その……厳密に言えば、魔法を使っちゃならんことになっとるんで。おまえさんを追いかけて、手紙を渡したりいろいろするのに、少しは使ってもいいとお許しが出た……この役目をすすんで引き受けたのも、一つにはそれがあったからだが……」

「どうして魔法を使っちゃいけないの?」とハリーが聞いた。

「ふむ、まあ——俺もホグワーツ出身で、ただ、実は退学処分になったんだ。三年生のときにな。杖を真っ二つに折られた。だが、ダンブルドアが、俺を森の番人としてホグワーツにいられるようにしてくださった。偉大なお方だ。ダンブルドアは」

「どうして退学になったの?」

ハリー・ポッターと賢者の石

74

「もう夜も遅い。あしたは忙しいぞ」

ハグリッドは大きな声で言った。

「町へ行って、教科書やら何やら買わんとな」

ハグリッドは分厚い黒のコートを脱いで、ハリーに放ってよこした。

「それをかけて寝るとええ。ちいとばかりもごもご動いても気にするなよ。どっかのポケットにヤマネが二、三匹入っとるはずだ」

第4章　鍵の番人

75

第5章　ダイアゴン横丁

翌朝、ハリーは早々と目を覚ました。朝の光だと気づいても、ハリーは目を固く閉じたままでいた。

「夢だったんだ」

ハリーはきっぱりと自分に言い聞かせた。

「ハグリッドっていう大男がやってきて、僕が魔法使いの学校に入るって言ったけど、あれは夢だったんだ。目を開けたら、きっといつもの物置の中にいるんだ」

その時、戸をたたく大きな音がした。

「ほら、ペチュニアおばさんが戸をたたいている」

ハリーの心は沈んだ。それでもまだ目を開けなかった。いい夢だったのに……。

トン、トン、トン。

「わかったよ。起きるよ」ハリーはもごもごと言った。

起き上がると、ハグリッドの分厚いコートがハリーの体からすべり落ちた。小屋の中はこぼれるような陽（ひ）の光だった。嵐は過ぎた。ハグリッドはペチャンコになったソファで眠っている。ふくろうが足の爪で窓ガラスをたたいていた。くちばしに新聞をくわえている。

ハリーは急いで立ち上がった。うれしくて、胸の中で風船が大きくふくらんだ。まっすぐ窓辺まで行って、窓を開け放った。ふくろうが窓からスイーッと入ってきて、新聞をハグリッドの上にポトリと落とした。ハグリッドはそれでも起きない。ふくろうはひらひらと床に舞い降り、ハグリッドのコート

ハリー・ポッターと賢者の石

76

を激しくつっつきはじめた。

「だめだよ」

ハリーがふくろうを追い払おうとすると、ふくろうは鋭いくちばしをハリーに向かってカチカチいわせ、獰猛にコートを襲い続けた。

「ハグリッド、ふくろうが……」

「ハグリッド、ふくろうが……」

ハリーは大声で呼んだ。

「金を払ってやれ」

ハグリッドはソファに顔をうずめたままもごもご言った。

「えっ?」

「新聞配達料だよ。ポケットの中を見てくれ」

ハグリッドのコートは、ポケットをつないで作ったみたいにポケットだらけだ……鍵束、ナメクジ駆除剤、ひもの玉、ハッカキャンディ、ティーバッグ……そしてやっと、ハリーは奇妙なコインをひとつかみ引っ張り出した。

「五クヌートやってくれ」

ハグリッドの眠そうな声がした。

「クヌート?」

「小さい銅貨だよ」

ハリーは小さい銅貨を五枚数えた。ふくろうは足を差し出した。小さい革の袋がくくりつけてある。お金を入れると、ふくろうは開けっ放しになっていた窓から飛び去った。

ハグリッドは大声であくびをして起き上がり、もう一度伸びをした。

第5章　ダイアゴン横丁

77

「出かけようか、ハリー。今日は忙しいぞ。ロンドンまで行って、おまえさんの入学用品をそろえんとな」

ハリーは、魔法使いのコインをいじりながらしげしげと見つめていた。そしてその瞬間、あることに気がついた。とたんに、幸福の風船が胸の中でパチンとはじけたような気持ちがした。

「あのね……ハグリッド」

「ん?」

ハグリッドはどでかいブーツをはきながら聞き返した。

「僕、お金がないんだ……それに、きのうバーノンおじさんから聞いたでしょう。僕が魔法の勉強をしに行くのにはお金は出さないって」

「そんなことは心配いらん」

ハグリッドは立ち上がって頭をボソボソかきながら言った。

「父さん母さんがおまえさんになんにも残していかんかったと思うのか?」

「でも、家が壊されて……」

「まさか! 家の中に金なんぞ置いておくものか。さあ、まずは魔法使いの銀行、グリンゴッツへ行くぞ。ソーセージをお食べ。さめてもなかなかいける。……それに、おまえさんのバースデーケーキをひと口、なんてのも悪くないな」

「魔法使いの世界には**銀行まで**あるの?」

「一つだけだがな。グリンゴッツだ。小鬼が経営しとる」

「こ・お・に?」

ハリーは持っていた食べかけソーセージを落としてしまった。

「そうだ……だから、銀行強盗なんて狂気の沙汰だ、ほんに。小鬼ともめ事を起こすべからずだよ、ハ

ハリー・ポッターと賢者の石

78

リー。何かを安全にしまっておくには、グリンゴッツが世界一安全な場所だ――。たぶんホグワーツ以外ではな。実は、ほかにもグリンゴッツに行かにゃならん用事があってな。ダンブルドアに頼まれて、ホグワーツの仕事だ」

ハグリッドは誇らしげに反り返った。

「ダンブルドア先生は大切な用事をいっつも俺に任せてくださる。おまえさんを迎えに来たり、グリンゴッツから何か持ってきたり……俺を信用していなさる。な?」

「忘れ物はないかな。そんじゃ、出かけるとするか」

ハリーはハグリッドについて岩の上に出た。空は晴れわたり、海は陽の光に輝いていた。バーノンおじさんが借りた船は、まだそこにあったが、嵐で船底は水浸しだった。

「どうやってここに来たの?」

もう一艘船があるかと見回しながらハリーが聞いた。

「飛んで来た」

「飛んで?」

「そうだ……だが、帰り道はこの船だな。おまえさんを連れ出したから、もう魔法は使えないことになっとる」

二人は船に乗り込んだ。ハリーはこの大男がどんなふうに飛ぶんだろうと想像しながら、ハグリッドをまじまじと見つめていた。

「しかし、漕ぐっちゅうのもしゃくだな」

ハグリッドはハリーにちらっと目配せした。

「まあ、なんだな、ちょっくら……エー、急ぐことにするが、ホグワーツではバラさんでくれるか?」

第5章　ダイアゴン横丁

79

「もちろんだよ」

ハリーは魔法が見たくてうずうずしていた。ハグリッドはまたしてもピンクの傘を取り出して、船べりを傘で二度たたいた。すると、船はすべるように岸に向かった。

「グリンゴッツを襲うのはどうして狂気の沙汰なの?」

「呪いとか……呪縛だな」

ハグリッドは新聞を広げながら答えた。

「うわさでは、重要な金庫はドラゴンが守っとるちゅうことだ。それに、道に迷うさ——グリンゴッツはロンドンの地下数百キロの所にある。な? 地下鉄より深い。なんとか欲しいものを手に入れたにしても、迷って出てこられなけりゃ、餓死するわな」

ハグリッドが「日刊予言者新聞」を読む間、ハリーはだまっていま聞いたことを考えていた。新聞を読む間は邪魔されたくないものだということを、バーノンおじさんから学んではいたが、だまっているのはつらかった。生まれてこのかた、こんなにたくさん質問したかったことはない。

「魔法省がまた問題を起こした」

ハグリッドがページをめくりながらつぶやいた。

「魔法省なんてあるの?」

ハリーは思わず質問してしまった。

「あるとも。当然、ダンブルドアを大臣にと請われたんだがな、ホグワーツを離れなさるわけがねぇ。そこでコーネリウス・ファッジなんてのが大臣になってな。あんなにドジなやつもめずらしい。毎朝ふくろう便を何羽も出してダンブルドアにしつこくおうかがいをたてとるよ」

「でも、魔法省って、いったい何するの?」

80

「そうさな、一番の仕事は魔法使いや魔女があちこちにいるんだってことを、マグルに秘密にしておく

ことだ」

「どうして」

「どうして？」

「どうしてかだって？　そりゃあおまえ、みんなすぐに魔法で物事を解決したがるようになろうが。う

んにゃ、我々は関わり合いにならんのが一番ええ」

その時、船は港の岸壁にコツンとあたった。ハグリッドは新聞をたたみ、二人は石段を上って道に出

た。

小さな町を駅に向かって歩く途中、道行く人がハグリッドをじろじろ見た。無理もない。ハグリッド

ときたら、並の人の二倍も大きいというだけでなく、パーキングメーターのようなどくあたりまえなも

のを指さしては、大声で、「あれを見たか、ハリー。マグルの連中が考えることときたら、え？」など

と言うのだから。

ハリーはハグリッドに遅れまいと小走りで、息をはずませながら尋ねた。

「ねえ、ハグリッド。グリンゴッツに**ドラゴン**がいるって言ったね」

「ああ、そう言われとる。俺はドラゴンが欲しい。いやまったく」

「**欲しい？**」

「ガキのころからずーっと欲しかった。――ほい、着いたぞ」

駅に着いた。あと五分でロンドン行きの電車が出る。ハグリッドは「マグルの金」はわからんと、ハ

リーに紙幣を渡し、二人分の切符を買わせた。

電車の中で、ハグリッドはますます人目をひいた。二人分の席を占領して、カナリア色のサーカスの

テントのようなものを編みはじめたのだ。

「ハリー、手紙を持っとるか？」
編目を数えながらハグリッドが聞いた。
ハリーは羊皮紙の封筒をポケットから取り出した。
「よし、よし。そこに必要なもののリストがある」
ハリーは、昨夜は気づかなかった二枚目の紙を広げて読んだ。

ホグワーツ魔法魔術学校

制服
一年生は次の物が必要です。
一、普段着のローブ　三着　（黒）
二、普段着の三角帽　昼用　一個　（黒）
三、安全手袋　一組　（ドラゴンの革またはそれに類するもの）
四、冬用マント　一着　（黒、銀ボタン）
衣類にはすべて名札をつけておくこと。

教科書
全生徒は次の本を各一冊準備すること。

『基本呪文集（一学年用）』　ミランダ・ゴズホーク著

『魔法史』　バチルダ・バグショット著

『魔法論』　アドルバート・ワフリング著

『変身術入門』　エメリック・スイッチ著

『薬草とキノコ一〇〇〇種』　フィリダ・スポア著

『魔法薬調合法』　アージニウス・ジガー著

『幻の動物とその生息地』　ニュート・スキャマンダー著

『闇の力―護身術入門』　クエンティン・トリンブル著

その他学用品

杖（つえ）　一本

大鍋　一つ　（錫製（すずせい）、標準二型）

ガラス製またはクリスタル製の薬瓶　一組

望遠鏡　一台

真鍮製（しんちゅうせい）はかり　一組

ふくろう、または猫、またはヒキガエルを持ってきてもよい。

一年生は個人用の箒（ほうき）の持参を許されていないことを、保護者はご確認ください。

第5章　ダイアゴン横丁

「こんなのが全部ロンドンで買えるの?」

思ったことがつい声に出てしまった。

「どこで買うか知ってればな」とハグリッドが答えた。

ハリーにとって初めてのロンドンだった。ハグリッドは、どこに行くのかだけはわかっているらしかったが、普通の方法でそこに行くのには、まるで慣れていないようだった。地下鉄の改札口が小さすぎてつっかえたり、席が狭いの、電車がのろいのと大声で文句を言ったりした。

「マグルの連中は魔法なしでよくやっていけるもんだ」

故障して動かないエスカレーターを上りながらも、ハグリッドはブックサ言った。外に出ると、そこは店が建ち並ぶにぎやかな通りだった。

ハグリッドは大きな体でゆうゆうと人ごみをかき分け、ハリーは後ろにくっついて行きさえすればよかった。本屋の前を通り、楽器店、ハンバーガーショップ、映画館を通り過ぎたが、どこにも魔法の杖を売っていそうな店はなかった。ごく普通の人でにぎわう、ごく普通の街だ。この足の下、何キロもの地下に、魔法使いの金貨の山が本当に埋められているのだろうか。呪文の本や魔法の箒を売る店が本当にあるのだろうか。みんなダーズリー親子がでっち上げた悪い冗談では? でもダーズリーたちにはユーモアのかけらもない。だから冗談なんかじゃない。ハグリッドの話は始めから終わりまで信じられないようなことばかりだったが、なぜかハリーはハグリッドなら信用できた。

「ここだ」

ハグリッドが立ち止まった。

ハリー・ポッターと賢者の石

84

『漏れ鍋』——有名な所だ

ちっぽけな薄汚れたパブだった。ハグリッドに言われなかったら、きっと見落としてしまっただろう。足早に道を歩いていく人たちも、パブの隣にある本屋から反対隣にあるレコード店へと目を移し、真ん中の『漏れ鍋』にはまったく目もくれない。——変だな、ハグリッドと自分だけにしか見えないんじゃないか、とハリーは思ったが、そう口にする前に、ハグリッドがハリーを中へとうながした。

有名な所にしては、暗くてみすぼらしい。隅のほうにおばあさんが数人腰かけて、小さなグラスでシェリー酒を飲んでいる。一人は長いパイプをくゆらしている。小柄な、シルクハットをかぶった男がバーテンのじいさんと話している。じいさんはハゲていて、歯の抜けたクルミのような顔をしている。二人が店に入ると、低いガヤガヤ声が止まった。みんなハグリッドを知っているようだった。手を振ったり、笑いかけたりしている。バーテンはグラスに手を伸ばし、「大将、いつものやつかい?」と聞いた。

「トム、だめなんだ。ホグワーツの仕事中でね」

ハグリッドは大きな手でハリーの肩をパンパンたたきながらそう言った。ハリーはひざがカクンとなった。

「なんと」バーテンはハリーをじっと見た。「こちらが……いやこの方が……?」

『漏れ鍋』は急に水を打ったように静かになった。

「やれうれしや」

バーテンのじいさんはささやくように言った。

「ハリー・ポッター……なんたる光栄……」

バーテンは急いでカウンターから出てきてハリーに駆け寄ると、涙を浮かべてその手を握った。

第5章　ダイアゴン横丁

85

「お帰りなさい、ポッターさん。ほんとうによくこそお帰りで」

ハリーはなんと言っていいかわからなかった。みんながこっちを見ている。パイプのおばあさんは火が消えているのにも気づかず、ふかし続けている。ハグリッドは誇らしげにニッコリしている。

やがてあちらこちらで椅子を動かす音がして、パブにいた全員がハリーに握手を求めてきた。

「ドリス・クロックフォードです。ポッターさん、ついにお会いできました。信じられませんわ」

「なんて光栄な。ポッターさん、光栄です」

「あなたと握手したいと願い続けてきました……舞い上がっています」

「ポッターさん。どんなにうれしいか、うまく言えません。ディグルです。ディーダラス・ディグルと言います」

「僕、あなたに会ったことがあるよ！　お店で一度、僕におじぎしてくれたよね」

ハリーがそう言うと、ディーダラス・ディグルは興奮のあまりシルクハットを取り落とした。

「覚えていてくださった！　みんな聞いたかい？　覚えていてくださったんだ！」

ディーダラス・ディグルはみんなを見回して叫んだ。

ハリーは次から次と握手した。ドリス・クロックフォードなど、何度も握手を求めてきた。青白い顔の若い男がいかにも神経質そうに進み出た。片方の目がピクピクけいれんしている。

「クィレル教授」

ハグリッドが言った。

「ハリー、クィレル先生はホグワーツの先生だよ」

「ポ、ポ、ポッター君」

クィレル先生はハリーの手を握り、つっかえながら言った。

ハリー・ポッターと賢者の石

86

「お会いできて、ど、どんなにう、うれしいか」

「クィレル先生、どんな魔法を教えていらっしゃるんですか?」

「や、や、闇の魔術に対するぼ、ぼ、防衛術です」

教授は、まるでそのことは考えたくないとでもいうようにボソボソ言った。

「きみにそれがひ、必要だというわけではな、ないがね。え! ポ、ポ、ポッター君」

教授は神経質そうに笑った。

「学用品をそ、そろえにきたんだね? わ、私も、吸血鬼の新しいほ、本をか、買いにいく、ひ、必要がある」

教授は自分の言ったことにさえおびえているようだった。

みんなが寄ってくるので、教授がハリーをひとり占めにはできなかった。ガヤガヤ大騒ぎの中で、ハグリッドの声がやっとみんなの耳に届いた。

「もう行かんと……買い物がごまんとあるぞ。ハリー、おいで」

ドリス・クロックフォードがまたまた最後の握手を求めてきた。

ハグリッドはパブを通り抜け、壁に囲まれた小さな中庭にハリーを連れ出した。ごみ箱と雑草が数本生えているだけの庭だ。

ハグリッドはハリーに向かって、うれしそうに笑いかけながら言った。

「ほれ、言ったとおりだろうが? おまえさんは有名だって。クィレル先生まで、おまえに会ったときは震えてたじゃねえか——もっとも、あの人はいっつも震えてるがな」

「あの人、いつもあんなに神経質なの?」

第5章 ダイアゴン横丁

87

「ああ、そうだ。哀れなものよ。秀才なんだが。本を読んで研究しとった間はよかったんだが、一年間実地に経験を積むちゅうことで休暇を取ってな……どうやら黒い森で吸血鬼に出会ったらしい——それ以来だな、人が変わっちまってな。その上、自分の教えてる科目にもビクつくわ……さてと、俺の傘はどこかな？」

鬼婆といやーなことがあったらしい——それ以来だな、人が変わっちまってな。生徒を怖がるわ、自分

吸血鬼？　鬼婆？　ハリーは頭がくらくらした。ハグリッドはといえば、ごみ箱の上の壁のれんがを数えている。

「三つ上がって……横に二つ……」

ブツブツ言っている。

「よしと。ハリー下がってろよ」

ハグリッドは傘の先で壁を三度たたいた。すると、たたかれたれんがが震え、次にくねくねと揺れた。そして真ん中に小さな穴が現れたかと思うとそれがどんどん広がり、次の瞬間、目の前に、ハグリッドでさえ充分に通れるほどのアーチ形の入口ができた。そのむこうには石畳の曲がりくねった通りが、先が見えなくなるまで続いていた。

「ダイアゴン横丁にようこそ」

ハリーが驚いているのを見て、ハグリッドがニッコリ笑った。二人はアーチをくぐり抜けた。ハリーが急いで振り返ったときには、アーチは見る見る縮んで固いれんがが壁に戻るところだった。

そばの店の外に積み上げられた大鍋に、陽の光がキラキラと反射している。上には看板がぶら下がっている。

ハリー・ポッターと賢者の石

88

鍋屋――大小いろいろあります――銅、真鍮、錫、銀――自動かき混ぜ鍋――折りたたみ式

「一つ買わにゃならんが、まずは金を取ってこんとな」とハグリッドが言った。

目玉があと八つぐらい欲しい、とハリーは思った。いろんな物を一度に見ようと、四方八方キョロキョロしながら横丁を歩いた。お店、その外に並んでいるもの、買い物客も見たい。薬問屋の前で、小太りのおばさんが首を振り振りつぶやいていた。

「ドラゴンの肝、三十グラムが十六シックルですって。バカバカしい……」

薄暗い店から、低い、静かなホーホーという鳴き声が聞こえてきた。看板が出ている。

イーロップのふくろう百貨店――森ふくろう、このはずく、めんふくろう、茶ふくろう、白ふくろう

ハリーと同じ年ぐらいの男の子が数人、等のショーウィンドウに鼻をくっつけて眺めている。誰かが何か言っているのが聞こえる。

「見ろよ。ニンバス2000新型だ……超高速だぜ」

マントの店、望遠鏡の店、ハリーが見たこともない不思議な銀の道具を売っている店もある。コウモリの脾臓やウナギの目玉の樽をうずたかく積み上げたショーウィンドウ。いまにも崩れてきそうな呪文の本の山。羽根ペンや羊皮紙、薬瓶、月球儀……。

「グリンゴッツだ」ハグリッドの声がした。

小さな店の立ち並ぶ中、ひときわ高くそびえる真っ白な建物だった。磨き上げられたブロンズの扉の

第5章　ダイアゴン横丁

89

両脇に、真紅と金色の制服を着て立っているのは……。

「ほれ、あれが小鬼だ」

そちらに向かって白い石段を上りながら、ハグリッドがヒソヒソ声で言った。小鬼はハリーより頭一つ小さい。浅黒い賢そうな顔つきに、先のとがったあごひげ、それに、なんと手足の指の長いこと。二人が入口に進むと、小鬼がおじぎした。中には二番目の扉があった。今度は銀色の両開きの扉で、何か言葉が刻まれている。

見知らぬ者よ　入るがよい

欲のむくいを　知るがよい

奪うばかりで　稼がぬものは

やがてはつけを　払うべし

おのれのものに　あらざる宝

わが床下に　求める者よ

盗人よ　気をつけよ

宝のほかに　ひそむものあり

「言ったろうが。ここから盗もうなんて、狂気の沙汰だわい」

とハグリッドが言った。

左右の小鬼が、銀色の扉を入る二人におじぎをした。中は広々とした大理石のホールだった。百人を超える小鬼が、細長いカウンターのむこう側で、脚高の丸椅子に座り、大きな帳簿に書き込み

ハリー・ポッターと賢者の石

をしたり、真鍮のはかりでコインの重さを量ったり、片めがねで宝石を吟味したりしていた。ホールに通じる扉は無数にあって、これまた無数の小鬼が、出入りする人々を案内している。ハグリッドとハリーはカウンターに近づいた。

「おはよう」

ハグリッドが手のすいている小鬼に声をかけた。

「ハリー・ポッターさんの金庫から金を取りに来たんだが」

「鍵はお持ちでいらっしゃいますか?」

「どっかにあるはずだが──」

ハグリッドはポケットをひっくり返し、中身をカウンターに出しはじめた。かびの生えたような犬用ビスケットがひとつかみ、小鬼の経理帳簿にバラバラと散らばり、小鬼は鼻にしわを寄せた。ハリーは右のほうにいる小鬼が、まるで真っ赤に燃える石炭のような大きいルビーを山と積んで、次々にはかりにかけているのを眺めていた。

「あった」

ハグリッドはやっと出てきた小さな黄金の鍵をつまみ上げた。

小鬼は、慎重に鍵を調べてから、「承知いたしました」と言った。

「それと、ダンブルドア教授からの手紙を預ってきとる」

ハグリッドは胸を張って、重々しく言った。

「七一三番金庫にある、『例の物』についてだが」

小鬼は手紙をていねいに読むと、「了解しました」とハグリッドに返した。

「誰かに両方の金庫へ案内させましょう。グリップフック!」

第5章　ダイアゴン横丁

91

二人はグリップフックも小鬼だった。ハグリッドが犬用ビスケットを全部ポケットに詰め込み終えてから、

「七一三番金庫の『例の物』について、ホールから外に続く無数の扉の一つへと向かった。

「それは言えん」

ハグリッドはいわくありげに言った。

「極秘だ。ホグワーツの仕事でな。ダンブルドアは俺を信頼してくださる。おまえさんにしゃべったりしたら、俺がクビになるだけではすまんよ」

グリップフックが扉を開けてくれた。ハリーはずっと大理石が続くと思っていたので驚いた。そこは松明に照らされた細い石造りの通路だった。急な傾斜が下へと続き、床には小さな線路がついている。グリップフックが口笛を吹くと、小さなトロッコがこちらに向かって勢いよく線路を上がってきた。三人は乗り込んだ……ハグリッドもなんとか納まった——発車。

くねくね曲がる迷路をトロッコはビュンビュン走った。ハリーは道を覚えようとした。左、右、右、左、三叉路を直進、右、左、いや、とうてい無理だ。グリップフックが舵取りをしていないのに、トロッコは行き先を知っているかのように勝手にビュンビュン走っていく。

冷たい空気の中を風を切って走るので、ハリーは、目がチクチクしたが、それでも目を大きく見開いたままでいた。一度は、行く手に火が噴き出したような気がして、もしかしたらドラゴンじゃないかと身をよじって見てみたが、遅かった——トロッコはさらに深く潜っていった。地底湖のそばを通ると、巨大な鍾乳石と石筍が天井と床からせり出していた。

「僕、いつもわからなくなるんだけど」

トロッコの音に負けないよう、ハリーはハグリッドに大声で呼びかけた。

「鍾乳石と石筍って、どうちがうの?」

「三文字と二文字のちがいだろ。頼む、いまは何にも聞いてくれるな。吐きそうだ」

確かに、ハグリッドは真っ青だ。小さな扉の前でトロッコはやっと止まり、ハグリッドは降りたものの、ひざの震えが止まるまで通路の壁にもたれかかっていた。

グリップフックが扉の鍵を開けた。緑色の煙がもくもくと噴き出してきた。それが消えたとき、ハリーはあっと息をのんだ。中には金貨の山また山。高く積まれた銀貨の山。そして小さなクヌート銅貨までザックザクだ。

「みーんなおまえさんのだ」ハグリッドはほほえんだ。

全部僕のもの……信じられない。ダーズリー一家はこのことを知らなかったにちがいない。知っていたら、瞬く間にかっさらっていっただろう。僕を養うのにお金がかかってしょうがないとあんなにぐちを言っていたんだもの。ロンドンの地下深くに、こんなにもたくさん、僕の財産がずーっと埋められていたなんて。

ハグリッドはハリーがバッグにお金を詰め込むのを手伝った。

「金貨はガリオンだ。銀貨がシックルで、十七シックルが一ガリオン、一シックルは二十九クヌート銅貨。簡単だろうが。よーしと。これで、二、三学期分は大丈夫だろう。残りはここにちゃーんとしまっといてやるからな」

ハグリッドはグリップフックのほうに向きなおった。

「次は七一三番金庫を頼む。ところでもうちーっとゆっくり行けんか?」

「速度は一定となっております」

第5章　ダイアゴン横丁

93

一行はさらに深く、さらにスピードを増して潜っていった。狭い角をすばやく回り込むたび、空気はますます冷え冷えとしてきた。トロッコは地下渓谷の上をビュンビュン走った。ハリーは暗い谷底に何があるのかと身を乗り出してのぞき込んだが、ハグリッドがうめき声を上げてハリーの襟首をつかみ引き戻した。

七一三番金庫には鍵穴がなかった。

「下がってください」

グリップフックがもったいぶって言い、長い指の一本でそっとなでると、扉は溶けるように消え去った。

「グリンゴッツの小鬼以外の者がこれをやりますと、扉に吸い込まれて、中に閉じ込められてしまいます」とグリップフックが言った。

「中に誰か閉じ込められていないかどうか、ときどき調べるの?」とハリーが聞いた。

「十年に一度ぐらいでございます」グリップフックはニヤリと笑った。

こんなに厳重に警護された金庫だもの、きっと特別なすごいものがあるにちがいない。ハリーは期待して身を乗り出した。少なくともまばゆい宝石か何かが……。中を見た……なんだ、からっぽじゃないか、とはじめは思った。次に目に入ったのは、茶色の紙でくるまれた薄汚れた小さな包みだ。床に転がっている。ハグリッドはそれを拾い上げ、コートの奥深くしまい込んだ。ハリーはそれがいったいなんなのか知りたくてたまらなかったが、聞かないほうがよいことはわかっていた。

「行くぞ。地獄のトロッコへ。帰り道は話しかけんでくれよ。俺は口を閉じているのが一番よさそうだからな」

ハリー・ポッターと賢者の石

もう一度猛烈なトロッコを乗りこなして、陽の光に目をしばたたかせながら二人はグリンゴッツの外に出た。バッグいっぱいのお金を持って、まず最初にどこに行こうかとハリーは迷った。ポンドに直したらいくらになるかなんて、計算しなくとも、ハリーはこれまでの人生で持ったことがないほどたくさんのお金を持っている……ダドリーでさえ持ったことがないほどの額だ。

「制服を買ったほうがいいな」

ハグリッドは「マダム・マルキンの洋装店──普段着から式服まで」の看板をあごでさした。

「なあ、ハリー。『漏れ鍋』でちょっとだけ元気薬をひっかけてきてもいいかな？　グリンゴッツのトロッコにはまいった」

ハグリッドは、まだ青い顔をしていた。ハグリッドといったんそこで別れ、ハリーはどぎまぎしながらマダム・マルキンの店に一人で入っていった。

マダム・マルキンは、藤色ずくめの服を着た、愛想のよい、ずんぐりした魔女だった。

「坊ちゃん。ホグワーツなの？」

ハリーが口を開きかけたとたん、声をかけてきた。

「全部ここでそろいますよ……もう一人お若い方が丈を合わせているところよ」

店の奥のほうで、青白い、あごのとがった男の子が踏台の上に立ち、もう一人の魔女が長いローブをピンでとめていた。マダム・マルキンはハリーをその隣の踏台に立たせ、頭から長いローブを着せかけ、丈を合わせてピンでとめはじめた。

「やあ、君もホグワーツかい？」男の子が声をかけた。

「うん」とハリーが答えた。

「僕の父は隣で教科書を買ってるし、母はどこかその先で杖を見てる」

男の子はけだるそうな、気取った話し方をする。

「これから、二人を引っ張って競技用の箒を見に行くんだ。一年生が自分の箒を持っちゃいけないなんて、わけがわからないね。父を脅して一本買わせて、こっそり持ち込んでやる」

ダドリーにそっくりだ、とハリーは思った。

「君は自分の箒を持ってるのかい?」

男の子はしゃべり続けている。

「ううん」

「クィディッチはやるの?」

「ううん」

クィディッチ?　一体全体なんだろうと思いながらハリーは答えた。

「**僕はやるよ**——父は僕が寮の代表選手に選ばれなかったらそれこそ犯罪だって言うんだ。僕もそう思うね。君はどの寮に入るかもう知ってるの?」

「ううん」

だんだん情けなくなりながら、ハリーは答えた。

「まあ、ほんとのところは、行ってみないとわからないけど。そうだろう?　だけど僕はスリザリンに決まってるよ。僕の家族はみんなそうだったんだから……ハッフルパフなんかに入れられてみろよ。僕なら退学するね。そうだろう?」

「ウーム」

もうちょっとましな答えができたらいいのにとハリーは思った。

「ほら、あの男を見てごらん！」

急に男の子は窓のほうをあごでしゃくった。ハグリッドが店の外に立っていた。ハリーのほうを見てニッコリしながら、手に持った二本の大きなアイスクリームを指さし、これがあるから店の中には入れないよ、という手振りをしていた。

「あれ、ハグリッドだよ」

この子が知らないことを自分が知っている、とハリーはうれしくなった。

「ホグワーツで働いてるんだ」

「ああ、聞いたことがある。一種の召使いだろ？」

「森の番人だよ」

時間がたてばたつほど、ハリーはこの子が嫌いになっていた。

「そう、それだ。言うなれば**野蛮人**だって聞いたよ……学校の領地内のほったて小屋に住んでいて、しょっちゅう酔っ払って、魔法を使おうとして、自分のベッドに火をつけるんだそうだ」

「彼って最高だと思うよ」

ハリーは冷たく言い放った。

「へえ？」

男の子は鼻先でせせら笑った。

「どうして君と一緒なの？　君の両親はどうしたの？」

「死んだよ」

ハリーはそれしか言わなかった。この子に詳しく話す気にはなれない。

「おや、ごめんなさい」

謝っているような口振りではなかった。

「でも、君の両親も僕らと同族なんだろう?」

「魔法使いと魔女だよ。そういう意味で聞いてるんなら」

「ほかの連中は入学させるべきじゃないと思うよ。そう思わないか? 連中は僕らと同じじゃないんだ。僕らのやり方がわかるような育ち方をしてないんだ。手紙をもらうまではホグワーツのことなんて聞いたこともなかった、なんてやつもいるんだ。考えられないようなことだよ。入学は、昔からの魔法使い名門家族に限るべきだと思うよ。きみ、家族の姓はなんて言うの?」

ハリーが答える前に、マダム・マルキンが「さあ、終わりましたよ、坊ちゃん」と言ってくれたのを幸いに、ハリーは踏台からポンと飛び降りた。この子との会話をやめる口実ができて好都合だ。

「じゃ、ホグワーツでまた会おう。たぶんね」と気取った男の子が言った。

店を出て、ハリッドが持ってきたアイスクリームを食べながら(ナッツ入りのチョコレートとラズベリーアイスだ)、ハリーはだまりこくっていた。

「どうした?」ハグリッドが聞いた。

「なんでもないよ」

ハリーはうそをついた。

次は羊皮紙と羽根ペンを買った。書いているうちに色が変わるインクを見つけて、ハリーはちょっと元気が出た。店を出てから、ハリーが聞いた。

「ねえ、ハグリッド。クィディッチってなあに?」

「なんと、ハリー。おまえさんがなんにも知らんということを忘れとった……クィディッチを知らんとは!」

「これ以上落ち込ませないでよ」

ハリーはマダム・マルキンの店で出会った青白い少年の話をした。

「——その子が言うんだ。マグルの家の子はいっさい入学させるべきじゃないって……」

「おまえはマグルの家の子じゃねえ。おまえが何者なのかその子がわかっていたらなあ……その子だって、親が魔法使いなら、おまえさんが見たとおりなんだよ。とにかくだ、そのガキに何がわかる。俺の知ってる最高の魔法使いの中には、長いことマグルの家系が続いて、急にその子だけが魔法の力を持ったという者もおるぞ——おまえの母さんを見ろ！ その姉さんがどんな人間か見てみろ！」

「それで、クィディッチって？」

「俺たちのスポーツだよ。魔法族のスポーツだよ。マグルの世界じゃ、そう、サッカーだな——誰だってクィディッチの試合に夢中だ。箒に乗って空中でゲームをやる。ボールは四つあって……ルールを説明するのはちいと難しいなあ」

「じゃ、スリザリンとハッフルパフって？」

「学校の寮の名前だ。四つあってな。ハッフルパフには劣等生が多いとみんなは言うが、しかし——」

「僕、きっとハッフルパフだ」ハリーは落ち込んだ。

「スリザリンよりはハッフルパフのほうがましだ」ハグリッドの表情が暗くなった。「悪の道に走った魔法使いや魔女は、みんなスリザリン出身だ。『例のあの人』もそうだ」

「ヴォル……あ、ごめん……『あの人』もホグワーツだったの？」

「ずいぶん昔のことだ」

第5章　ダイアゴン横丁

99

次に教科書を買った。「フローリシュ・アンド・ブロッツ書店」の書棚には、天井まで本がぎっしり積み上げられていた。敷石ぐらいの大きな革製本やシルクの表紙で切手くらいの大きさの本もあり、奇妙な記号ばかりの本があるかと思えば、なんにも書いてない本もあった。本など読んだことがないダドリーでさえ、夢中でさわったにちがいないと思う本もいくつかあった。ハグリッドは、ビンディクタス・ビリディアン著『呪いのかけ方、解き方──友人をうっとりさせ、最新の復讐方法で敵を困らせよう〜ハゲ、クラゲ脚、舌もつれ、その他あの手この手〜』を読みふけっているハリーを、引きずるようにして連れ出さなければならなかった。

「僕、どうやってダドリーに呪いをかけたらいいか調べてたんだよ」

「それが悪いちゅうわけではないが、マグルの世界ではよっぽど特別な場合でねえと魔法を使えんことになっちょる。それにな、呪いなんておまえさんにはまだどれも無理だ。そのレベルになるにはもっとたーくさん勉強せんとな」

ハグリッドは「リストに錫の鍋と書いてあるだろが」と言って純金の大鍋も買わせてくれなかった。そのかわり、魔法薬の材料を量るはかりは上等なのをひとそろい買ったし、真鍮製の折りたたみ式望遠鏡も買った。次は薬問屋に入った。悪くなった卵とくさったキャベツの混じったようなひどいにおいがしたが、そんなことは気にならないほどおもしろい所だった。ぬめぬめしたものを詰めた樽が床に立ち並び、壁には薬草や乾燥させた根、鮮やかな色の粉末などが入った瓶が並べられ、天井からは羽根の束、牙やねじ曲がった爪が糸に通してぶら下げられている。カウンター越しにハグリッドが基本的な材料を注文している間、ハリーは、一本二十一ガリオンの銀色の一角獣の角や、小さな、黒いキラキラしたコガネムシの目玉（一さじ五クヌート）をしげしげと眺めていた。

薬問屋から出て、ハグリッドはもう一度ハリーのリストを調べた。

「あとは杖だけだな……おお、そうだ、まだ誕生祝いをあげていなかったな」

ハリーは顔が赤くなるのを感じた。

「そんなことしなくていいのに……」

「しなくていいのはわかっとるよ。そうだ。動物をやろう。ヒキガエルはだめだ。だいぶ前から流行遅れになっちょる。笑われっちまうからな……猫は好かん。くしゃみが出るんでな。ふくろうを買ってやろう。子供はみんなふくろうを欲しがるもんだ。なんちゅうたって役に立つ。郵便とかを運んでくれるし」

イーロップふくろう百貨店は、暗くてカサカサと羽音がし、宝石のように輝く目があちらこちらでパチクリしていた。二十分後、二人は店から出てきた。ハリーは大きな鳥かごを下げている。かごの中では、雪のように白く美しいふくろうが、羽に頭を突っ込んでぐっすり眠っている。ハリーは、まるでクィレル教授のようにつっかえながら何度もお礼を言った。

「礼はいらん」ハグリッドはぶっきらぼうに言った。「ダーズリーのとこではプレゼントをもらうことなんぞなかったんだろうな。おまえさんは最高の杖を持たにゃいかん」

だけだ――杖はここにかぎる。杖のオリバンダーだ。あとはオリバンダーの店だけだ――これこそハリーが本当に欲しかった物だ。

最後の買い物の店は狭くてみすぼらしかった。はがれかかった金色の文字で、扉に「オリバンダーの店――紀元前三八二年創業 高級杖メーカー」と書いてある。ほこりっぽいショーウィンドウには、色あせた紫色のクッションに、杖が一本だけ置かれていた。

中に入るとどこか奥のほうでチリンチリンとベルが鳴った。小さな店内に古ぼけた椅子が一つだけ置かれていて、ハグリッドはそれに腰かけて待った。ハリーは妙なことに、規律の厳しい図書館にいるよ

第5章　ダイアゴン横丁

101

うな気がした。新たに湧いてきたたくさんの質問をぐっとのみ込んで、ハリーは、天井まで整然と積み重ねられた何千という細長い箱の山をながめた。なぜか首筋がゾクゾクした。ほこりと静けさそのものが、密かな魔力を秘めているようだった。

「いらっしゃいませ」

やわらかな声がした。ハリーは飛び上がるほど驚いた。ハグリッドも飛び上がったにちがいない。華奢な椅子がバキバキと大きな音を立て、ハグリッドはあわてて椅子から立ち上がった。

目の前に老人が立っていた。店の薄明かりの中で、大きな薄い色の目が、二つの月のように輝いている。

「こんにちは」ハリーがぎこちなく挨拶した。

「おお、そうじゃ」と老人が言った。

「そうじゃとも、そうじゃとも。まもなくお目にかかれると思っておりましたよ、ハリー・ポッターさん」

ハリーのことをもう知っている。

「お母さんと同じ目をしていなさる。あの子がここに来て、最初の杖を買っていったのがほんのきのうのことのようじゃ。あの杖は二十六センチの長さ。柳の木でできていて、振りやすい。妖精の呪文には

ぴったりの杖じゃった」

オリバンダー老人はさらにハリーに近寄った。ハリーは老人が瞬きしてくれたらいいのにと思った。銀色に光る目が少し気味悪かったのだ。

「お父さんのほうはマホガニーの杖が気に入られてな。二十八センチのよくしなる杖じゃった。より力があって変身術には最高のものじゃ。いや、父上が気に入ったと言うたが——実はもちろん、杖のほう

ハリー・ポッターと賢者の石
102

が持ち主の魔法使いを選ぶのじゃよ」

オリバンダー老人が、ほとんど鼻と鼻がくっつくほどに近寄ってきたので、ハリーには自分の姿が老人の霧のような瞳の中に映っているのが見えた。

「それで、これが例の……」

老人は白く長い指で、ハリーの額の稲妻形の傷痕に触れた。

「悲しいことに、この傷をつけたのも、わしの店で売った杖じゃ」静かな言い方だった。

「三十四センチもあってな。イチイの木でできた強力な杖じゃ。とても強いが、もしまちがった者の手に……そう、あの杖が世の中に出て何をするのか、わしが知っておったらのう……」

老人は頭を振り、そして、ふとハグリッドに気づいたので、ハリーはホッとした。

「ルビウス！ ルビウス・ハグリッドじゃないか！ また会えてうれしいよ……四十一センチの樫の木。よく曲がる。そうじゃったな」

「ああ、じいさま。そのとおりです」

「いい杖じゃった、あれは。じゃが、おまえさんが退学になったとき、真っ二つに折られてしもうたのじゃったな？」

オリバンダー老人は急に険しい口調になった。

「いや……あの、折られっちまいました。はい」

ハグリッドは足をもじもじさせながら答えた。

「でも、折れた杖をずっと持っとります」

ハグリッドは威勢よく言った。

「じゃが、まさか使ってはおるまいの？」オリバンダー老人が厳しく聞いた。

第5章　ダイアゴン横丁

103

「とんでもねぇ」

ハグリッドはあわてて答えたが、そう言いながらピンクの傘の柄をギュッと強く握りしめたのを、ハリーは見逃さなかった。

「ふーむ」

オリバンダー老人は探るような目でハグリッドを見た。

「さて、それでは──ポッターさん。拝見しましょうか」

老人は銀色の目盛りの入った長い巻尺をポケットから取り出した。

「どちらが杖腕ですかな?」

「あ、あの、僕、右利きです」

「腕を伸ばして。そうそう」

老人はハリーの肩から指先、手首からひじ、肩から床、ひざからわきの下、頭の周り、と寸法を採った。測りながら老人は話を続けた。

「ポッターさん。オリバンダーの杖は一本一本、強力な魔力を持った物を芯に使っております。一角獣のたてがみ、不死鳥の尾の羽根、ドラゴンの心臓の琴線。一角獣も、ドラゴンも、不死鳥もそれぞれの個体がちがうのじゃから、オリバンダーの杖には一つとして同じ杖はない。もちろん、ほかの魔法使いの杖を使っても、けっして自分の杖ほどの力は出せないわけじゃ」

ハリーは巻尺が勝手に鼻の穴の間を測っているのにハッと気がついた。オリバンダー老人は棚の間を飛び回って、箱を取り出していた。

「もうよい」とオリバンダーが言うと、巻尺は床の上に落ちて、くしゃくしゃと丸まった。

「では、ポッターさん。これをお試しください。ブナの木にドラゴンの心臓の琴線。二十三センチ、良

ハリー・ポッターと賢者の石

104

質でしなりがよい。手に取って、振ってごらんなさい」

ハリーは杖を取り、なんだか気はずかしく思いながら杖をちょっと振ってみた。オリバンダー老人は

あっという間にハリーの手からその杖をもぎ取ってしまった。

「楓(かえで)に不死鳥の羽根。十八センチ、振り応えがある。どうぞ」

ハリーは試してみた……しかし、振り上げるか上げないうちに、老人がひったくってしまった。

「だめだ。いかん——次は黒檀(こくたん)と一角獣のたてがみ。二十二センチ、バネのよう。さあ、どうぞ試して

ください」

ハリーは、次々と試してみた。いったいオリバンダー老人は何を期待しているのかさっぱりわからな

い。試し終わった杖の山が古い椅子の上にだんだん高く積み上げられてゆく。それなのに、棚から新し

い杖を下ろすたびに、老人はますますうれしそうな顔をした。

「難しい客じゃの。え? 心配なさるな。必ずぴったり合うのをお探ししますでな。……さて、次はど

うするかな……おお、そうじゃ……めったにない組み合わせじゃが、柊(ひいらぎ)と不死鳥の羽根、二十八センチ、

良質でしなやか」

ハリーは杖を手に取った。急に指先が温かくなった。杖を頭の上まで振り上げ、ほこりっぽい店内の

空気を切るようにヒュッと振り下ろした。すると、杖の先から赤と金色の火花が花火のように流れ出し、

光の玉が踊りながら壁に反射した。ハグリッドは「オーッ」と声を上げて手をたたき、オリバンダー老

人は「ブラボー!」と叫んだ。

「すばらしい。いや、よかった。さて、さて……不思議なこともあるものよ……まったくもって

不思議な……」

老人はハリーの杖を箱に戻し、茶色の紙で包みながら、まだブツブツとくり返していた。

第5章　ダイアゴン横丁

105

「不思議じゃ……不思議じゃ……」

「あのう、何がそんなに不思議なんですか?」とハリーが聞いた。

オリバンダー老人は淡い色の目でハリーをじっと見た。

「ポッターさん。わしは自分の売った杖はすべて覚えておる。全部じゃ。あなたの杖に入っている不死鳥の羽根はな、同じ不死鳥が尾羽根をもう一枚だけ提供した……たった一枚だけじゃが。あなたがこの杖を持つ運命にあったとは、不思議なことじゃ。兄弟羽根が……なんと、兄弟杖がその傷を負わせたというのに……」

ハリーは息をのんだ。

「さよう。三十四センチのイチイの木じゃった。こういうことが起こるとは、不思議なものじゃ。杖は持ち主の魔法使いを選ぶ。そういうことじゃ……。ポッターさん、あなたはきっと偉大なことをなさるにちがいない……。『名前を言ってはいけないあの人』もある意味では、偉大なことをしたわけじゃ……恐ろしいことじゃったが、偉大にはちがいない」

ハリーは身震いした。オリバンダー老人があまり好きになれない気がした。杖の代金に七ガリオンを支払い、オリバンダー老人のおじぎに送られて二人は店を出た。

夕暮れ近くの太陽が空に低くかかっていた。ハリーとハグリッドはダイアゴン横丁を、もと来た道へと歩き、壁を抜けて、もう人気(ひとけ)のなくなった「漏れ鍋」に戻った。ハリーはだまりこくっていた。変な形の荷物をどっさり抱え、ひざの上で雪のように白いふくろうが眠っている格好のせいで、地下鉄の乗客があぜんとして自分のことを見つめていることに、ハリーはまったく気づかなかった。パディントン駅で地下鉄を降り、エスカレーターで駅の構内に出た。ハグリッドに肩をたたかれて、ハリーはやっと

自分がどこにいるのかに気づいた。

「電車が出るまで何か食べる時間があるぞ」

ハグリッドが言った。

ハグリッドはハンバーガーを買い、二人でプラスチックの椅子に座って食べた。ハリーは周りを眺めた。

「大丈夫か？　なんだかずいぶん静かだが」とハグリッドが声をかけた。

ハリーはなんと説明すればよいかわからなかった。こんなにすばらしい誕生日は初めてだった……それなのに……ハリーは言葉を探すようにハンバーガーをかみしめた。

「みんなが僕のことを特別だって思ってる」

ハリーはやっと口を開いた。

「『漏れ鍋』のみんな、クィレル先生も、オリバンダーさんも……でも、僕、魔法のことは何も知らない。それなのに、どうして僕に偉大なことを期待できるの？　有名だって言うけれど、何が僕を有名にしたかさえ覚えていないんだよ。ヴォル……あ、ごめん……僕の両親が死んだ夜だけど、僕、何が起こったのかも覚えていない」

ハグリッドはテーブルのむこう側から身を乗り出した。もじゃもじゃのひげと眉毛の奥に、やさしい笑顔があった。

「ハリー、心配するな。すぐに様子がわかってくる。誰でもホグワーツで一から始めるんだ。大丈夫。ありのままでええ。そりゃ大変なのはわかる。おまえさんは選ばれたんだ。大変なことだ。だがな、ホグワーツは、楽しい。俺も楽しかった。──実はいまも楽しい」

第5章　ダイアゴン横丁

107

ハグリッドは、ハリーがダーズリー家に戻る電車に乗り込むのを手伝った。

「ホグワーツ行きの切符だ」

ハグリッドは封筒を手渡した。

「九月一日——キングズ・クロス駅発——全部切符に書いてある。ダーズリーのとこでまずいことがあったら、おまえさんのふくろうに手紙を持たせて寄こしな。ふくろうが俺のいる所を探し出してくれる。……じゃあな。ハリー。またすぐ会おう」

電車が走り出した。ハリーはハグリッドの姿が見えなくなるまで見ていたかった。座席から立ち上がり、窓に鼻を押しつけて見ていたが、瞬きをしたとたん、ハグリッドの姿は消えていた。

第6章 9と3/4番線からの旅

ダーズリー家に戻って過ごした出発までの一か月間は、ハリーにとって楽しいものではなかった。確かに、ダドリーはハリーを怖がって一緒の部屋にいようとはせず、ペチュニアおばさんもバーノンおじさんもハリーを物置に閉じ込めたり、いやなことを無理強いしたり、どなりつけたりもしなかった……それ以上に、ハリーとは一言も口をきかなかった。怖さ半分と怒り半分で、ダーズリー親子はハリーがどこに座っていても、その椅子には誰もいないかのように振る舞った。たいていはそのほうが好都合だったが、それもしばらく続くと少し気がめいってきた。

ハリーは買ってもらったばかりのふくろうと一緒に部屋にとじこもっていた。ふくろうの名はヘドウィグに決めた。『魔法史』で見つけた名だ。教科書はとてもおもしろかった。ハリーはベッドに横になって、夜遅くまで読みふけった。ヘドウィグは開け放した窓から自由に出入りした。しょっちゅう死んだネズミをくわえてきたので、ペチュニアおばさんが掃除機をかけに来なくなったのはかえって幸いだった。毎晩、寝る前に、ハリーは壁に貼った暦の日付を一日ずつバツ印で消し、九月一日まであと何日かを数えた。

八月の最後の日、ハリーはいよいよおじさんとおばさんに、明日、キングズ・クロス駅に行くと話さなければならなくなった。居間に行くと、みんなテレビのクイズ番組を見ているところだった。自分がそこにいることを知らせるのに、ハリーが咳払いすると、ダドリーは悲鳴を上げて部屋から飛び出していった。

「あの——バーノンおじさん」

おじさんは返事のかわりにウームと唸った。

「あの……あしたキングズ・クロスに行って……そこから、あの、ホグワーツに出発なんだけど」

おじさんはまたウームと唸った。

「車で送っていただけますか?」

またまたウーム。ハリーはイエスの意味だと思った。

「ありがとう」

二階に戻ろうとしたとき、やっとおじさんが口をきいた。

「魔法学校に行くにしちゃ、おかしなやり方じゃないか。汽車なんて。空飛ぶじゅうたんはみんなパンクなのか?」

ハリーはだまっていた。

「いったい、その学校とやらはどこにあるんだ?」

「僕、知りません」

ハリーも初めてそのことに気がついた。ポケットからハグリッドのくれた切符を引っ張り出してみた。

「ただ、汽車に乗るようにって。九と四分の三番線から、十一時発」

ハリーは切符を読み上げた。

おじさん、おばさんが目を丸くした。

「何番線だって?」

「九と四分の三」

「バカバカしい。九と四分の三番線なんてあるわけがない」

ハリー・ポッターと賢者の石

「僕の切符にそう書いてあるんだ」

「あほう。連中は大バカのコンコンチキだ。まあ、そのうちわかるだろうよ。よかろう。キングズ・クロスに連れていってやろう。どうせ明日はロンドンに出かけることになっていたし。そうでなけりゃわざわざ出かけんがな」

「どうしてロンドンに行くの?」

なるべくいい雰囲気にしようとしてハリーが尋ねた。

「ダドリーを病院へ連れていって、あのいまいましいしっぽを、スメルティングズに入学する前に取ってもらわにゃ」

バーノンおじさんは唸るように言った。

次の朝、ハリーは五時に目が覚めた。興奮と緊張で目がさえてしまったので、起き出してジーンズをはいた。魔法使いのマントを着て駅に入る気にはなれない——汽車の中で着替えよう。必要なものがそろっているかどうか、ホグワーツの「準備するもの」リストをもう一度チェックし、ヘドウィグがちゃんと鳥かごに入っていることを確かめ、ダーズリー親子が起き出すまで部屋の中を住ったり来たりして待っていた。二時間後、ハリーの大きな重いトランクは車に乗せられ、ペチュニアおばさんに言いふくめられたダドリーはハリーの隣に座り、一行は出発した。

キングズ・クロス駅に着いたのは十時半だった。バーノンおじさんは、ハリーのトランクをカートに放り込んで駅の中まで運んでいった。ハリーはなんだか親切すぎると思った。案の定、おじさんはプラットホームの前でぴたりと止まると、ニターッと意地悪く笑った。

「そーれ、着いたぞ、小僧。九番線と……ほれ、十番線だ。おまえのプラットホームはその中間らしい

第6章　9と¾番線からの旅

111

が、まだできてないようだな、え？」

まさにそのとおりだった。「9」と書いた大きな札が下がったプラットホームの隣には、「10」と書いた大きな札が下がっている。そして、その間には、何もない。

「新学期をせいぜい楽しめよ」

バーノンおじさんはさっきよりもっとにんまりした。そしてさっさと、物も言わずに行ってしまった。ハリーが振り向くと、ダーズリー親子が車で走り去るところだった。三人とも大笑いしている。ハリーはのどがカラカラになった。いったい自分は何をしようとしているのだろう？　ヘドウィグを連れているので、周りからはじろじろ見られるし。誰かに尋ねなければ……。

ハリーは、ちょうど通りかかった駅員を呼び止めて尋ねたが、さすがに九と四分の三番線とは言えなかった。駅員はホグワーツなんて聞いたことがないと言うし、どのへんにあるのかハリーが説明できないとわかると、わざといいかげんなことを言っているんじゃないかと、うさんくさいというような顔をした。ハリーはいよいよ困り果てて、十一時に出る列車はないかと聞いてみたが、駅員はそんなものはないと答えた。とうとう駅員は、時間のむだ使いだとブックサ言いながら行ってしまった。

ハリーはパニックしないように、ぐっとこらえた。列車到着案内板の上にある大きな時計が、ホグワーツ行きの列車があと十分で出てしまうことを告げていた。それなのに、ハリーはどうしていいのかさっぱりわからない。駅のど真ん中で、一人では持ち上げられないようなトランクと、ポケットいっぱいの魔法使いのお金と、大きなふくろうを持ってとほうに暮れるばかりだった。

ハグリッドは何か言い忘れたにちがいない。ダイアゴン横丁に入るには左側の三番目のれんがをコツコツとたたいたではないか。魔法の杖を取り出して、九番と十番の間にある改札口をたたいてみようか。

その時、ハリーの後ろを通り過ぎた一団があった。ハリーの耳にこんな言葉が飛び込んできた。

ハリー・ポッターと賢者の石

112

「……マグルで混み合ってるわね。当然だけど……」

ハリーは急いで後ろを振り返った。ふっくらしたおばさんが、そろいもそろって燃えるような赤毛の四人の男の子に話しかけていた。みんなハリーと同じようなトランクを押しながら歩いている……それに、「ふくろう」が一羽いる。

胸をドキドキさせ、ハリーはカートを押してみんなにくっついて行き、みんなが立ち止まったので、ハリーもみんなの話が聞こえるぐらいの所で止まった。

「さて、何番線だったかしら」とお母さんが聞いた。

「九と四分の三よ！」

小さな女の子がかん高い声を出した。この子も赤毛だ。お母さんの手を握って「ママ、あたしも行きたい……」と言った。

「ジニー、あなたはまだ小さいからね。ちょっとおとなしくしてて。はい、パーシー、先に行って」

一番年上らしい少年がプラットホームの「9」と「10」に向かって進んでいった。ハリーは目を凝らして見ていた。見過ごさないよう、瞬きしないように気をつけた……ところが、少年がちょうど二本のプラットホームの分かれ目にさしかかったとき、ハリーの前に旅行者の群れがわんさとあふれてきて、その最後のリュックサックが消えたころには、少年も消え去っていた。

「フレッド、次はあなたよ」とふっくらおばさんが言った。

「僕フレッドじゃないよ。ジョージだよ。まったく、この人ときたら、これでも僕たちの母親だってよく言えるな。僕がジョージだってわからないの？」

「あら、ごめんなさい、ジョージちゃん」

「冗談だよ。僕フレッドさ」

第6章　9と¾番線からの旅

113

と言うと、男の子は歩きだした。双子の片方が後ろから「急げ」と声をかけた。一瞬のうちにフレッ

ドの姿は消えていた――でも、いったいどうやったんだろう？

今度は三番目の男の子が改札口の壁に向かってきびきびと歩きだした――そのあたりに着いた――と

思ったら、またしても急に影も形もない。

こうなったらほかに手はない。

「すみません」

ハリーはふっくらおばさんに話しかけた。

「あら、こんにちは。坊や、ホグワーツへは初めて？　ロンもそうなのよ」

おばさんは最後に残った男の子を指さした。背が高く、やせて、ひょろっとした子で、そばかすだら

けで、手足が大きく、鼻が高かった。

「はい。でも……あの、僕、わからなくて。どうやって……」

「どうやってプラットホームに行くかってことね？」

おばさんがやさしく言った。ハリーはうなずいた。

「心配しなくていいのよ。九番と十番の間の壁に向かってまっすぐに歩けばいいの。立ち止まったり、

ぶつかるんじゃないかって怖がったりしないこと、これが大切よ。怖かったら少し走るといいわ。さあ、

ロンの前に行って」

「うーん……はい」

ハリーはカートをくるりと回して、壁をにらんだ。頑丈そうだった。

ハリーは歩きはじめた。九番線と十番線に向かう乗客が、ハリーをあっちへ、こっちへと押すので、

ハリーはますます早足になった。改札口に正面衝突しそうだ。そうなったら、やっかいなことになるぞ

……カートにしがみつくようにして、ハリーは突進した——壁がぐんぐん近づいてくる。もう止められない——カートが言うことをきかない——あと三十センチ——ハリーは目を閉じた。

ぶつかる——スーッ……ハリーは目を開けた。

紅色の蒸気機関車が、乗客でごったがえすプラットホームに停車していた。ホームの上には「ホグワーツ行き特急十一時発」と書いてある。振り返ると、改札口のあった所に「9¾」と書いた鉄のアーチが見えた。やったぞ。

機関車の煙がおしゃべりな人ごみの上に漂い、色とりどりの猫が足元をぬうように歩いている。おしゃべりの声と、重いトランクをひきずる音をくぐって、ふくろうがホーホーと不機嫌そうに鳴き交わしている。

手前の数両はもう生徒でいっぱいだった。窓から身を乗り出して家族と話したり、席の取り合いでけんかをしたりしていた。ハリーは空いた席を探して、カートを押しながらホームを歩いた。丸顔の男の子のそばを通り過ぎるとき、男の子の声が聞こえた。

「ばあちゃん。またヒキガエルがいなくなっちゃった」

「まあ、**ネビル**、この子ったら」

おばあさんのため息が聞こえた。

細かい三つ編みのため息を縮らせたドレッドヘアの男の子の周りに小さな人垣ができていた。

「リー、見せて。さあ」

その子が腕に抱えた箱のふたを開けると、得体の知れない長い毛むくじゃらの肢（あし）が中から突き出し、周りの人が悲鳴を上げた。

ハリーは人ごみをかき分け、やっと最後尾の車両近くに空いているコンパートメントの席を見つけた。

ヘドウィグを先に入れ、列車の戸口の階段から重いトランクを押し上げようとしたが、トランクの片側

さえ持ち上がらず、二回も足の上に落として痛い目にあった。

「手伝おうか？」

さっき、先に改札口を通過していった、赤毛の双子のどちらかだった。

「うん。お願い」ハリーが息を切らしながら言った。

「おい、フレッド！　こっち来て手伝えよ」

双子のおかげでハリーのトランクはやっと客室の隅に収まった。

「ありがとう」と言いながら、ハリーは目にかぶさった汗びっしょりの髪をかき上げた。

「それ、なんだい？」

双子の一人が急にハリーの稲妻形の傷痕を指さして言った。

「驚いたな。君は……？」もう一人が言った。

「彼だ。君、ちがうかい？」最初の一人が言った。

「何が？」とハリー。

「ハリー・ポッターさ」双子が同時に言った。

「ああ、そのこと。うん、そうだよ。僕はハリー・ポッターだ」

双子がポカンとハリーに見とれているので、ハリーは顔が赤らむのを感じた。その時、ありがたいこ

とに、開け放たれた汽車の窓から声が流れ込んできた。

「フレッド？　ジョージ？　どこにいるの？」

「ママ、いま行くよ」

もう一度ハリーを見つめると、双子は列車から飛び降りた。

ハリーは窓際に座った。そこからだと、半分隠れて、プラットホームの赤毛一家を眺めることができ

たし、話し声も聞こえた。お母さんがハンカチを取り出したところだった。

「ロン。お鼻に何かついてるわよ」

すっ飛んで逃げようとする末息子を、母親ががっちり捕まえて、鼻の先をこすりはじめた。

「**ママ**――ママったら――やめてよ」

ロンはもがいて逃れた。

「あらあら、ロニー坊や、お鼻に何かちゅいてまちゅか?」と双子の一人がはやしたてた。

「うるさい」とロン。

「パーシーはどこ?」とママが聞いた。

「こっちに歩いてくるよ」

一番年上の少年が大股で歩いてきた。もう黒いホグワーツの制服に着替え、ローブをなびかせている。

ハリーは、少年の胸に「P」の文字が入った赤と金色のバッジが輝いているのに気づいた。Pバッジの監督生はコンパートメン

ト二つが指定席になってるんだ……」

「おお、パーシー、君、**監督生**になったのかい?」

双子の一人がわざと驚いたように言った。

「母さん、あんまり長くはいられないよ。僕、先頭の車両なんだ。Pバッジの監督生はコンパートメン

「そう言ってくれればいいのに。知らなかったじゃないか」

「まてよ、そういえば、一回、そんなことを言ってたな」と双子のもう一人。

「二回かな……」

「一分間に二回だな……」

「夏休み中言っていたような……」

「だまれ」と監督生パーシーが言った。

「どうして、パーシーは新しいローブを着てるんだろう?」双子の一人が言った。

監督生だからよ」母親がうれしそうに言った。

「それじゃ、楽しく過ごしなさいね。着いたらふくろう便をちょうだい」

母親はパーシーのほおにさよならのキスをした。パーシーがいなくなると、母親は双子に向きなおった。

「さて、あなたたち……今年はお行儀よくするんですよ。もしも、またふくろう便が来て、あなたたちが……あなたたちがトイレを吹っ飛ばしたとかなんとか知らせてき……」

「トイレを吹っ飛ばすだって? 僕たちそんなことしたことないよ」

「すっげえアイデアだぜ。ママ、ありがとさん」

「**ばかなこと言わないで**。ロンの面倒見てあげてね」

「心配御無用。はなたれロニー坊やは、僕たちに任せて」

「うるさい」

とロンがまた言った。もう双子と同じぐらい背が高いのに、お母さんにこすられたロンの鼻先はまだピンク色だった。

「ねえ、ママ。誰に会ったと思う? いま列車の中で会った人、だーれだ?」

ハリーは自分が見ていることに気づかれないよう、あわてて身をひいた。

「駅でそばにいた黒い髪の子、覚えてる? あの子はだーれだ?」

「だあれ?」

ハリー・ポッターと賢者の石

118

「ハリー・ポッター！」

ハリーの耳に女の子の声が聞こえた。

「ねえ、ママ。汽車に乗って、見てきてもいい？　ねえ、ママ、お願い……」

「ジニー、もうあの子を見たでしょ？　動物園じゃないんだから、じろじろ見たらかわいそうでしょ。でも、フレッド、ほんとなの？　なぜそうだとわかったの？」

「本人に聞いた。傷痕を見たんだ。ほんとにあったんだよ……稲妻のようなのが」

「かわいそうに……どうりで一人だったんだわ。どうしてかしらって思ったの。どうやってプラットホームに行くのかって聞いたとき、ほんとうにお行儀がよかった」

「そんなことはどうでもいいよ。『例のあの人』がどんなだったか覚えてると思う？」

母親は急に厳しい顔をした。

「フレッド、聞いたりしてはだめよ、絶対にいけません。入学の最初の日にそのことを思い出させるなんて」

「大丈夫だよ。そんなにムキにならないでよ」

笛が鳴った。

「急いで！」

母親にせかされて、三人の男の子は汽車によじ登って乗り込んだ。妹のジニーが泣きだした。

「泣くなよ、ジニー。ふくろう便をドッサリ送ってあげるよ」

「ホグワーツのトイレの便座を送ってやるよ」

「ジョージったら！」

のお別れのキスを受けた。みんな窓から身を乗り出して母親

第6章　9と¾番線からの旅

119

「冗談だよ、ママ」

汽車がすべり出した。母親が子供たちに手を振っているのをハリーは見ていた。妹は半べそその泣き笑い顔で汽車を追いかけて走ってきたが、追いつけない速度になったあとは立ち止まって手を振っていた。

汽車がカーブを曲がって、女の子と母親の姿が見えなくなるまでハリーは見ていた。家々が窓の外を飛ぶように過ぎていった。

ハリーの心は躍った。何が待ちかまえているかはわからない……でも、置いてきたこれまでの暮らしよりは絶対にちがいない。

コンパートメントの戸が開いて、一番年下の赤毛の男の子が入ってきた。

「ここ空いてる？」

ハリーのむかい側の席を指さして尋ねた。

「ほかはどこもいっぱいなんだ」

ハリーがうなずいたので、男の子は席に腰かけ、ちらりとハリーを見たが、何も見なかったようなふりをして、すぐに窓の外に目を移した。ハリーはその子の鼻の頭がまだ汚れたままなのに気づいた。

「おい、ロン」双子が戻ってきた。「なあ、俺たち、真ん中の車両あたりまで行くぜ——リー・ジョーダンがでっかいタランチュラを持ってるんだ」

「わかった」ロンはもごもご言った。

「ハリー」双子のもう一人が言った。「自己紹介したっけ？ 僕たち、フレッドとジョージ・ウィーズリーだ。こいつは弟のロン。じゃ、またあとでな」

「バイバイ」

ハリーとロンが答えた。

双子はコンパートメントの戸を閉めて出ていった。

「君、ほんとにハリー・ポッターなの?」

ロンがポロリと言った。

ハリーはこっくりした。

「ふーん……そう。僕、フレッドとジョージがまたふざけてるんだと思った。じゃ、君、ほんとにあるの……ほら……」

ロンがハリーの額を指さした。

ハリーは前髪をかき上げて稲妻の傷痕を見せた。ロンはじっと見た。

「それじゃ、これが『例のあの人』の……?」

「うん。でもなんにも覚えてないんだ」

「なんにも?」

ロンが熱っぽく聞いた。

「そうだな……緑色の光がいっぱいだったのを覚えてるけど、それだけ」

「うわー」

ロンはじっと座ったまま、しばらくハリーを見つめていたが、ハッと我に返ってあわてて窓の外に目をやった。

「君の家族はみんな魔法使いなの?」

ロンがハリーに興味を持ったと同じぐらい、ハリーもロンに関心を持った。

「あぁ……うん、そうだと思う」

ロンが答えた。

「ママのはとこだけが会計士だけど、僕たちその人のことを話題にしないことにしてるし」

「じゃ、君なんか、もう魔法をいっぱい知ってるんだろうな」

ウィーズリー家が、ダイアゴン横丁であの青白い男の子が話していた、由緒正しい「魔法使いの旧家」の一つであることは明らかだった。

「君はマグルと暮らしてたって聞いたよ。どんな感じなんだい？」とロン。

「ひどいもんさ……みんながそうだってわけじゃないけど。おじさん、おばさん、僕のいとこはそうだった。僕にも魔法使いの兄弟が三人もいればいいのにな」

「五人だよ」

ロンの顔がなぜか曇った。

「ホグワーツに入学するのは僕が六人目なんだ。期待に沿うのは大変だよ。ビルとチャーリーはもう卒業したんだけど……ビルは首席だったし、チャーリーはクィディッチのキャプテンだった。今度はパーシーが監督生だ。フレッドとジョージはいたずらばっかりやってるけど成績はいいんだ。みんな二人はおもしろいやつだって思ってる。僕もみんなと同じように優秀だって期待されてるんだけど、もし僕が期待に応えるようなことをしたって、みんなと同じことをしただけだから、たいしたことじゃないっていうことになっちゃう。それに、五人も上にいるもんだから、なんにも新しい物がもらえないんだ。僕の制服のローブはビルのお古だし、杖はチャーリーのだし、ペットだってパーシーのお下がりのネズミをもらったんだよ」

ロンは上着のポケットに手を突っ込んで太ったネズミを引っ張り出した。ネズミはぐっすり眠っている。

「スキャバーズって名前だけど、役立たずなんだ。寝てばっかりいるし。パーシーは監督生になったか

ら、パパにふくろうを買ってもらった。だけど、僕んちはそれ以上の余裕が……だから、僕にはお下が

りのスキャバーズさ」

ロンは耳もとを赤らめた。しゃべりすぎたと思ったらしく、また窓の外に目を移した。

ふくろうを買う余裕がなくたって、何も恥ずかしいことはない。自分だって一か月前までは文無し

だった。ハリーはロンにその話をした。ダドリーのお古を着せられて、誕生日にはろくなプレゼントを

もらったことがない……などなど。ロンはそれで少し元気になったようだった。

「……それに、ハグリッドが教えてくれるまでは、僕、自分が魔法使いだってこと全然知らなかったし、

両親のことも、**ヴォルデモート**のことも──」

ロンが息をのんだ。

「どうしたの?」

「**君、『例のあの人』の名前を言った!**」

ロンは驚きと称賛の入りまじった声を上げた。

「君の、君の口からその名を……」

「僕、名前を口にすることで、**勇敢なとこ**を見せようっていうつもりじゃないんだ。名前を言っちゃ

けないなんて知らなかっただけなんだ。わかる? 僕、学ばなくちゃいけないことばっかりなんだ──

きっと……」

ハリーは、ずっと気にかかっていたことを初めて口にした。

「きっと、僕、クラスでビリだよ」

「そんなことはないさ。マグル出身の子はたくさんいるし、そういう子でもちゃんとやってるよ」

話しているうちに汽車はロンドンをあとにして、スピードを上げ、牛や羊のいる牧場のそばを走り抜

第6章　9と¾番線からの旅

123

けていった。二人はしばらくだまって、通り過ぎてゆく野原や小道を眺めていた。

十二時半ごろ、通路でガチャガチャと大きな音がして、えくぼのおばさんがニコニコ顔で戸を開けた。

「車内販売よ。何かいりませんか？」

ハリーは朝食がまだだったので、勢いよく立ち上がったが、ロンはまた耳元をポッと赤らめて、サンドイッチを持ってきたからと口ごもった。ハリーは通路に出た。

ダーズリー家では甘い物を買うお金なんか持ったことがなかった。でもいまはポケットの中で金貨や銀貨がジャラジャラ鳴っている。持ちきれないほどのマーズ・バー・チョコレートが買える……でも、チョコ・バーは売っていなかった。そのかわり、バーティー・ボッツの百味ビーンズだの、ドルーブルの風船ガムだの、蛙チョコレート、かぼちゃパイ、大鍋ケーキ、杖形甘草あめ、それにいままでハリーが一度も見たことがないような不思議な物がたくさんあった。一つも買いそこねたくない、とばかりにハリーはどれも少しずつ買って、おばさんに銀貨十一シックルと銅貨七クヌートを払った。

ハリーが両腕いっぱいの買い物を空いている座席にドサッと置くのを、ロンは目を皿のようにして眺めていた。

「お腹すいてるの？」

「ペコペコだよ」

ハリーはかぼちゃパイにかぶりつきながら答えた。

ロンはデコボコの包みを取り出して、開いた。サンドイッチが四切れ入っていた。ひと切れつまみ上げ、パンをめくってロンが言った。

「ママったら僕がコンビーフは嫌いだって言っているのに、いっつも忘れちゃうんだ」

「僕のと換えようよ。これ、食べて……」

ハリーがパイを差し出しながら言った。

「でも、これ、パサパサでおいしくないよ」とロンが言った。

「ママは時間がないんだ。五人も子供がいるんだもの」とロンが言った。そしてあわててつけ加えた。

「いいから、パイ食べてよ」

ハリーはいままで誰かと分け合うようなものを持ったことがなかったし、分け合う人もいなかった。ロンと一緒にパイやらケーキやらを夢中で食べるのはすてきなことだった――サンドイッチはほったらかしのままだった。

「これなんだい?」

ハリーは「蛙チョコレート」の包みを取り上げて聞いた。

「まさか、本物のカエルじゃないよね?」

「まさか。でも、カードを見てごらん。僕、アグリッパがないんだ」

「なんだって?」

「そうか、君、知らないよね……チョコを買うと、中にカードが入ってるんだ。ほら、みんなが集めるやつさ――有名な魔法使いとか魔女とかの写真だよ。僕、五百枚ぐらい持ってるけど、アグリッパとプトレマイオスがまだないんだ」

ハリーは蛙チョコの包みを開けてカードを取り出した。男の顔だ。半月形のめがねをかけ、高い鼻は鉤鼻で、流れるような銀色の髪、あごひげ、口ひげを蓄えている。写真の下に「アルバス・ダンブルドア」と書いてある。

「この人がダンブルドアなんだ!」

ハリーが声を上げた。

「ダンブルドアのことを知らなかったの！　僕にも蛙一つくれる？　アグリッパが当たるかもしれない

——ありがとう……」

ハリーはカードの裏を読んだ。

アルバス・ダンブルドア

現在ホグワーツ校長。近代の魔法使いの中で最も偉大な魔法使いと言われている。とくに、一九四五年、闇の魔法使いグリンデルバルドを破ったこと、ドラゴンの血液の十二種類の利用法の発見、パートナーであるニコラス・フラメルとの錬金術の共同研究などで有名。趣味は、室内楽とボウリング。

ハリーがまたカードの表を返してみると、驚いたことにダンブルドアの顔が消えていた。

「いなくなっちゃったよ！」

「そりゃ、一日中その中にいるはずないよ」とロンが言った。

「また帰ってくるよ。あ、だめだ、また魔女モルガナだ。もう六枚も持ってるよ……君、欲しい？　これから集めるといいよ」

ロンは、蛙チョコの山を開けたそうに、ちらちらと見ている。

「開けていいよ」ハリーはうながした。

「でもね、ほら、なんて言ったっけ、そう、マグルの世界では、ズーッと写真の中にいるよ」

「そう？　じゃ、全然動かないの？　**変なの！**」ロンは驚いたように言った。

ダンブルドアが写真の中にそうっと戻ってきて、ちょっと笑いかけたのを見て、ハリーは目を丸くした。ロンは有名な魔法使いや魔女の写真より、チョコを食べるほうに夢中だったが、ハリーはカードから目が離せなかった。しばらくすると、ダンブルドアやモルガナのほかに、ウッドクロフトのヘンギストやら、アルベリック・グラニオン、キルケ、パラケルスス、マーリンと、カードが集まった。ドルイド教女祭司のクリオドナが鼻の頭をかいているのを見たあとで、やっとハリーはカードから目を離し、

「バーティー・ボッツの百味ビーンズ」の袋を開けた。

「気をつけたほうがいいよ」ロンが注意した。

「百味って、**ほんとに**なんでもありなんだから──そりゃ、普通のもあるよ。チョコ味、ハッカ味、マーマレード味なんか。でも、ほうれんそう味とか、レバー味とか、臓物味なんてのがあるんだ。ジョージが言ってたけど、鼻くそ味にちがいないってのに当たったことがあるって」

ロンは緑色のビーンズをつまんで、よーく見てから、ちょっとだけかじった。

「ウェー、ほらね！　芽キャベツだよ」

二人はしばらく百味ビーンズを楽しんだ。ハリーが食べたのはトースト味、ココナッツ、インゲン豆のトマト煮、イチゴ、カレー、草、コーヒー、イワシ──。大胆にも、ロンが手をつけようともしなかったへんてこりんな灰色のビーンズの端をかじってみたら、こしょう味だった。

車窓に広がる景色がだんだん荒々しくなってきた。整然とした畑はもうない。森や曲がりくねった川、うっそうとした暗緑色の丘が過ぎていく。

コンパートメントをノックして、丸顔の男の子が泣きべそをかいて入ってきた。九と四分の三番線ホームでハリーが見かけた子だった。

「ごめんね。僕のヒキガエルを見かけなかった？」

第6章　9と¾番線からの旅

127

二人が首を横に振ると、男の子はめそめそ泣きだした。

「いなくなっちゃった。僕から逃げてばっかりいるんだ！」

「きっと出てくるよ」ハリーが言った。

「うん。もし見かけたら……」男の子はしょげかえってそう言うと出ていった。

「どうしてそんなこと気にするのかなあ。僕がヒキガエルなんか持ってたら、なるべく早くなくしちゃいたいけどな。もっとも、僕だってスキャバーズを持ってきたんだから人のことは言えないけどね」

ネズミはロンのひざの上でグーグー眠り続けている。

「死んでたって、きっと見分けがつかないよ」ロンはうんざりした口調だ。

「きのう、少しはおもしろくしてやろうと思って、黄色に変えようとしたんだ。でも呪文が効かなかった。やって見せようか──見てて……」

杖を振り上げたとたん、またコンパートメントの戸が開いた。ヒキガエルに逃げられた子が、今度は女の子を連れて現れた。女の子はもう、新調のホグワーツ・ローブに着替えている。

「一角獣のたてがみがはみ出してるけど。まあ、いいか……」

ロンはトランクをガサゴソ引っかき回して、くたびれたような杖を取り出した。あちこちボロボロ欠けていて、端から何やら白いキラキラするものがのぞいている。

「誰かヒキガエルを見なかった？　ネビルのがいなくなったの」

なんとなく威張った話し方をする女の子だ。栗色の髪がふさふさして、前歯がちょっと大きかった。

「見なかったって、さっきそう言ったよ」とロンが答えたが、女の子は聞いてもいない。むしろ杖に気を取られていた。

「あら、魔法をかけるの？　それじゃ、見せてもらうわ」と女の子が座り込み、ロンはたじろいだ。

「あー……いいよ」

ロンは咳払いをした。

「お陽さま、雛菊、溶ろけたバター。デブで間抜けなねずみを黄色に変えよ」

ロンは杖を振った。でも何も起こらない。スキャバーズは相変わらずネズミ色でぐっすり眠っていた。

「その呪文、まちがってない？」と女の子が言った。

「まあ、あんまりうまくいかないかな」と女の子が言った。私も練習のつもりで簡単な呪文を試してみたことがあるけど、みんなうまくいったわ。私の家族に魔法族は誰もいないの。だから、手紙をもらった時、驚いたわ。でももちろんうれしかった。だって、最高の魔法学校だって聞いているもの。……教科書はもちろん、全部暗記したわ。それだけで足りるといいんだけど……私、ハーマイオニー・グレンジャー。あなた方は？」女の子は一気にこれだけを言ってのけた。

ハリーはロンの顔を見てホッとした。ロンも、ハリーと同じく教科書を暗記していないらしく、あぜんとしていた。

「僕、ロン・ウィーズリー」ロンはもごもご言った。

「ハリー・ポッター」

「ほんとに？　私、もちろんあなたのこと全部知ってるわ。――参考書を二、三冊読んだの。あなたのこと、『近代魔法史』『闇の魔術の興亡』『二十世紀の魔法大事件』なんかに出てるわ」

「僕が？」ハリーはぼうぜんとした。

「まあ、知らなかったの？　私があなただったら、できるだけ全部調べるけど。二人とも、どの寮に入るかわかってる？　私、いろんな人に聞いて調べたけど、グリフィンドールに入りたいわ。絶対一番いいみたい。ダンブルドアもそこ出身だって聞いたわ。でもレイブンクローも悪くないかもね……とにか

く、もう行くわ。ネビルのヒキガエルを探さなきゃ。二人とも着替えたほうがいいわよ。もうすぐ着く
はずだから」

「ヒキガエル探しの子」を引き連れて、女の子は出ていった。

「どの寮でもいいけど、あの子のいないとこがいいな」

杖をトランクに投げ入れながら、ロンが言った。

「ヘボ呪文め……ジョージから習ったんだ。ダメ呪文だってあいつは知ってたのにちがいない」

「君の兄さんたちってどこの寮なの?」とハリーが聞いた。

「グリフィンドール」ロンはまた落ち込んだようだった。

「ママもパパもそうだった。もし僕がそうじゃなかったら、なんて言われるか。レイブンクローだった
らそれほど悪くないかもしれないけど、スリザリンなんかに入れられたら、それこそ最悪だ」

「そこって、ヴォル……つまり、『例のあの人』がいた所?」

「ああ」

ロンはそう言うと、がっくりと席に座り込んだ。

「あのね、スキャバーズのひげの端っこのほうが少し黄色っぽくなってきたみたい」

ハリーはロンが寮のことを考えないように話しかけた。

「それで、大きい兄さんたちは卒業してからいったい何をするんだろうと、ハリーは思った。

「チャーリーはルーマニアでドラゴンの研究。ビルはアフリカで何かグリンゴッツの仕事をしてる」と
ロンが答えた。

「グリンゴッツのこと、聞いた? 『日刊予言者新聞』にべたべた出てるよ。でもマグルのほうには配

達されないね……誰かが、特別警戒の金庫を荒らそうとしたらしいよ」

ハリーは目を丸くした。

「ほんと？　それで、どうなったの？」

「なーんも。だから大ニュースなのさ。捕まらなかったんだよ。グリンゴッツに忍び込むなんて、きっと強力な闇の魔法使いだろうって、パパが言うんだ。でも、なんにも盗っていかなかった。そこが変なんだよな。当然、こんなことが起きると、陰に『例のあの人』がいるんじゃないかって、みんな怖がるんだよ」

ハリーはこのニュースを頭の中で反芻していた。「例のあの人」と聞くたびに、恐怖がチクチクとハリーの胸を刺すようになっていた。これも、「これが魔法界に入るってことなんだ」とは思ったが、何も恐れずに「ヴォルデモート」と言っていたころのほうが気楽だった。

「君、クィディッチはどこのチームのファン？」ロンが尋ねた。

「うーん、僕、どこのチームも知らない」ハリーは白状した。

「ひえー！」

ロンは物も言えないほど驚いた。

「まあ、そのうちわかると思うけど、これ、世界一おもしろいスポーツだぜ……」と言うなり、ロンは詳しく説明しだした。ボールは四個、七人の選手のポジションはどこ、兄貴たちと見にいった有名な試合がどうだったか、お金があればこんな箒を買いたい……ロンが、まさにこれからがおもしろいと、専門的な話に入ろうとしていたとき、またコンパートメントの戸が開いた。今度は、「ヒキガエル探し」のネビルでもハーマイオニーでもなかった。

男の子が三人入ってきた。ハリーは真ん中の一人が誰であるかひと目でわかった。あのマダム・マル

第6章　9と¾番線からの旅

131

キン洋装店にいた、青白い子だ。ダイアゴン横丁のときよりずっと強い関心を示してハリーを見ている。

「ほんとかい？　このコンパートメントにハリー・ポッターがいるって、汽車の中じゃその話でもちきりなんだけど。それじゃ、君なのか？」

「そうだよ」とハリーが答えた。

ハリーはあとの二人に目をやった。二人ともがっしりとして、この上なく意地悪そうだった。青白い男の子の両脇に立っていると、ボディガードのようだ。

「ああ、こいつはクラブで、こっちがゴイルさ」

ハリーの視線に気づいた青白い子が、無造作に言った。

「そして、僕がマルフォイだ。ドラコ・マルフォイ」

ロンは、せせら笑いをごまかすかのように軽く咳払いをした。ドラコ・マルフォイが目ざとくそれを見とがめた。

「僕の名前が変だとでも言うのかい？　君が誰だか聞く必要もないね。父上が言ってたよ。ウィーズリー家はみんな赤毛で、そばかすで、育てきれないほどたくさん子供がいるってね」

それからハリーに向かって言った。

「ポッター君。そのうち家柄のいい魔法族とそうでないのとがわかってくるよ。まちがったのとはつき合わないことだね。そのへんは僕が教えてあげよう」

男の子はハリーに手を差し出して握手を求めたが、ハリーは応じなかった。

「まちがったのかどうかを見分けるのは自分でもできると思うよ。どうもご親切さま」ハリーは冷たく言った。

ドラコ・マルフォイは真っ赤にはならなかったが、青白いほおにピンク色がさした。

ハリー・ポッターと賢者の石

132

「ポッター君。僕ならもう少し気をつけるがね」からみつくような言い方だ。「もう少し礼儀を心得な

いと、君の両親と同じ道をたどることになるぞ。君の両親も、何が自分の身のためになるかを知らな

かったようだ。ウィーズリー家やハグリッドみたいな下等な連中と一緒にいると、君も同類になるだろ

うよ」

ハリーも立ち上がった。ロンの顔は髪の毛と同じぐらい赤くなった。

「もういっぺん言ってみろ」ロンが叫んだ。

「へえ、僕たちとやるつもりかい?」マルフォイはせせら笑った。

「いますぐ出ていかないならね」ハリーはきっぱり言った。

クラッブもゴイルも、ハリーやロンよりずっと大きかったので、内心は言葉ほど勇敢ではなかった。

「出ていく気分じゃないな。おまえたちもそうだろう? 僕たち、自分の食べ物は全部食べちゃったし、

ここにはまだあるようだし」

ゴイルがロンのそばにある蛙チョコに手を伸ばした……ロンは飛びかかった、が、ゴイルにさわるか

さわらないうちに、ゴイルが恐ろしい悲鳴を上げた。

ネズミのスキャバーズが指に食らいついている。 鋭い小さな歯がゴイルの指にガップリと食い込んで

いる……ゴイルはスキャバーズが指に食らいつき、わめき、クラッブとマルフォイはあとずさりした。

とうとう振りきられたスキャバーズが窓にたたきつけられるとすぐに、三人とも足早に消え去った。も

しかしたら、菓子にもっとネズミが隠れていると思ったのかもしれないし、誰かの足音が聞こえたのか

もしれない。

ハーマイオニー・グレンジャーがまもなく顔を出した。

「いったい何やってたの?」

床いっぱいに散らばった菓子と、スキャバーズのしっぽをつかんでぶら下げているロンを見ながら、ハーマイオニーが言った。

「こいつ、ノックアウトされちゃったみたい」ロンはハリーにそう言いながら、もう一度よくスキャバーズを見た。

「ちがう……驚いたなあ……また眠っちゃってるよ」

本当に眠っていた。

「マルフォイに会ったことあるの?」

ハリーはダイアゴン横丁での出会いを話した。

「僕、あの家族のことを聞いたことがある」

ロンが暗い顔をした。

「『例のあの人』が消えたとき、真っ先にこっち側に戻ってきた家族の一つなんだ。魔法をかけられてたって言ったんだって。パパは信じないって言ってた。マルフォイの父親なら、闇の陣営に味方するのに特別な口実はいらなかったろうって」

ロンはハーマイオニーのほうを振り向いて、いまさらながら尋ねた。

「何かご用?」

「二人とも急いだほうがいいわ。ローブを着て。私、前のほうに行って運転手に聞いてきたんだけど、もうまもなく着くって。二人とも、けんかしてたんじゃないでしょうね? まだ着いてもいないうちから問題になるわよ!」

「スキャバーズがけんかしてたんだ。僕たちじゃないよ」

ロンはしかめっ面でハーマイオニーをにらみながら言った。

ハリー・ポッターと賢者の石

134

「よろしければ、着替えるから出てってくれないかな?」

「いいわよ——みんなが通路で駆けっこしたりして、あんまり子供っぽい振る舞いをするもんだから、様子を見に来てみただけよ」

ハーマイオニーはツンと小ばかにしたような声を出した。

「ついでだけど、あなたの鼻、泥がついてるわよ。気がついてた?」

ロンはハーマイオニーが出ていくのをにらみつけていた。ハリーが窓からのぞくと、外は暗くなっていた。深い紫色の空の下に山や森が見えた。汽車は確かに徐々に速度を落としているようだ。

二人は上着を脱ぎ、黒い長いローブを着た。ロンのはちょっと短すぎて、下からスニーカーがのぞいている。

車内に響き渡る声が聞こえた。

「あと五分でホグワーツに到着します。荷物は別に学校に届けますので、車内に置いていってください」

ハリーは緊張で胃がひっくり返りそうだったし、ロンのそばかすだらけの顔は青白く見えた。二人は残った菓子を急いでポケットに詰め込み、通路にあふれる人の群れに加わった。

汽車はますます速度を落とし、完全に停車した。押し合いへし合いしながら列車の戸を開けて外に出ると、小さな、暗いプラットホームだった。夜の冷たい空気にハリーは身震いした。やがて生徒たちの頭上にゆらゆらとランプが近づいてきて、ハリーの耳に懐かしい声が聞こえた。

「イッチ(一)年生! イッチ年生はこっち! ハリー、元気か?」

ハグリッドの大きなひげ面が、ずらりとそろった生徒の頭のむこうから笑いかけた。

第6章　9と¾番線からの旅

135

「さあ、ついてこいよ——あとイッチ年生はいないかな？　足元に気をつけろ。いいか！　イッチ年生、ついてこい！」

すべったり、つまずいたりしながら、険しくて狭い小道を、みんなはハグリッドに続いて下りていった。右も左も真っ暗だったので、木がうっそうと生い茂っているのだろうとハリーは思った。みんな黙々と歩いた。ヒキガエルに逃げられてばかりいた少年、ネビルが、一、二回鼻をすすった。

「みんな、ホグワーツがまもなく見えるぞ」

ハグリッドが振り返りながら言った。

「この角を曲がったらだ」

「うぉーっ！」

いっせいに声が湧き起こった。

狭い道が急に開け、大きな黒い湖のほとりに出た。むこう岸に高い山がそびえ、そのてっぺんに壮大な城が見えた。大小さまざまな塔が立ち並び、キラキラと輝く窓が星空に浮かび上がっていた。

「四人ずつボートに乗って！」

ハグリッドは岸辺につながれた小船を指さした。ハリーとロンが乗り、ネビルとハーマイオニーが続いて乗った。

「みんな乗ったか？」

ハグリッドが大声を出した。一人でボートに乗っている。

「よーし、では、**進めぇ！**」

ボート船団はいっせいに動き出し、鏡のような湖面をすべるように進んだ。みんなだまって、そびえ立つ巨大な城を見上げていた。むこう岸の崖に近づくにつれて、城が頭上にのしかかってきた。

「頭、下げぇー！」

先頭の何艘かが崖下に到着した時、ハグリッドがかけ声をかけた。いっせいに頭を下げると、船団は蔦のカーテンをくぐり、その陰に隠れてポッカリと空いている崖の入口へと進んだ。城の真下と思われる暗いトンネルをくぐると、地下の船着き場に到着した。全員が岩と小石の上に降り立った。

「ホイ、おまえさん！　これ、おまえのヒキガエルか？」

みんなが船を降りたあと、ボートを調べていたハグリッドが声を上げた。

「トレバー！」

ネビルは大喜びで手を差し出した。生徒たちはハグリッドのランプのあとに従ってゴツゴツした岩の路を登り、湿ったなめらかな草むらの城影の中にたどり着いた。

みんなは石段を上り、巨大な樫の木の扉の前に集まった。

「みんな、いるか？　おまえさん、ちゃんとヒキガエル持っとるな？」

ハグリッドは大きな握りこぶしを振り上げ、城の扉を三回たたいた。

第7章　組分け帽子

扉がパッと開いて、エメラルド色のローブを着た背の高い黒髪の魔女が現れた。とても厳格な顔つきをしている。この人には逆らってはいけない、とハリーは直感した。

「マクゴナガル教授、イッチ（一）年生のみなさんです」ハグリッドが報告した。

「ご苦労さま、ハグリッド。ここからは私が預かりましょう」

マクゴナガル先生は扉を大きく開けた。玄関ホールはダーズリーの家がまるまる入りそうなほど広かった。石壁が、グリンゴッツと同じような松明の炎に照らされ、天井はどこまで続くかわからないほど高い。壮大な大理石の階段が正面から上へと続いている。

マクゴナガル先生について生徒たちは石畳のホールを横切っていった。入口の右手のほうから、何百人ものざわめきが聞こえた――学校中がもうそこに集まっているにちがいない――しかし、マクゴナガル先生はホールの脇にある小さな空き部屋に一年生を案内した。生徒たちは窮屈な部屋に詰め込まれ、不安そうにきょろきょろしながら互いに寄りそって立っていた。

「ホグワーツ入学おめでとう」マクゴナガル先生が挨拶をした。

「新入生の歓迎会がまもなく始まりますが、大広間の席に着く前に、みなさんが入る寮を決めなくてはなりません。ホグワーツにいる間、寮生が学校でのみなさんの家族のようなものですから、寮の組分けはとても大事な儀式です。教室でも寮生と一緒に勉強し、寝るのも寮、自由時間は寮の談話室で過ごすことになります。

寮は四つあります。グリフィンドール、ハッフルパフ、レイブンクロー、スリザリンです。それぞれ輝かしい歴史があって、偉大な魔女や魔法使いが卒業しました。ホグワーツにいる間、みなさんのよい行いは、自分の属する寮の得点になりますし、反対に規則に違反したときは寮の減点になります。学年末には、最高得点の寮に大変名誉ある寮杯が与えられます。どの寮に入るにしても、みなさん一人一人が寮にとって誇りとなるよう望みます」

「まもなく全校生の前で組分けの儀式が始まります。待っている間、できるだけ身なりを整えておきなさい」

マクゴナガル先生は一瞬、ネビルのマントの結び目が左耳の下のほうにずれているのに目をやり、ロンの鼻の頭が汚れているのに目をとめた。ハリーはそわそわと髪をなでつけた。

「学校側の準備ができてきますから、静かに待っていてください」

先生が部屋を出ていった。ハリーはゴクリと生つばをのみ込んだ。

「いったいどうやって寮を決めるんだろう」

ハリーはロンにたずねた。

「試験のようなものだと思う。すごく痛いってフレッドが言ってたけど、きっと冗談だ」

ハリーはドキドキしてきた。試験？　全校生徒のいる前で？　でも魔法なんてまだ一つも知らないし——一体全体、僕は何をしなくちゃいけないんだろう。ハリーは不安げにあたりを見わたしたが、ほかの生徒も怖がっているようだった。みんなあまり話もしなかったが、ハーマイオニー・グレンジャーだけは、どの呪文が試験に出るんだろうと、いままでに覚えた全部の呪文について早口でつぶやいていた。ハリーはハーマイオニーの声を聞くまいと必死だった。これまでこんなに緊張したことはない。以前、いったいどうやった

第7章　組分け帽子

139

のかはわからないが、ハリーが先生のかつらの色を青くしてしまった、という学校からの手紙をダーズリー家に持って帰ったときでさえ、こんなにびくびくはしなかった。ハリーはドアをじっと見続けた。

いまにもドアが開き、マクゴナガル先生が戻ってきてハリーの暗い運命が決まるかもしれない。

突然不思議なことが起こった。ハリーは驚いて三十センチも宙に飛び上がってしまったし、ハリーの後ろにいた生徒たちは悲鳴を上げた。

「いったい……？」

ハリーは息をのんだ。周りの生徒も息をのんだ。後ろの壁からゴーストが二十人ぐらい現れたのだ。真珠のように白く、少し透き通っている。みんな一年生のほうにはほとんど見向きもせず、互いに話をしながらするすると部屋を横切っていった。何やら議論しているようだ。太った小柄な修道士らしいゴーストが言う。

「もう許して、忘れなされ。彼にもう一度だけチャンスを与えましょうぞ」

「修道士さん、ピーブズには、あいつにとって充分すぎるくらいのチャンスをやったではないですか。我々の面汚しですよ。しかも、ご存じのように、やつは本当のゴーストではない——おや、君たち、ここで何をしているのですかな？」

ひだ襟のついた上着にタイツをはいたゴーストが、急に一年生たちに気づいて声をかけた。誰も答えなかった。

「新入生じゃな。これから組分けされるところか？」

太った修道士がにっこにこしかけた。数人の新入生がだまってうなずいた。

「ハッフルパフで会えるとよいな。わしはそこの卒業生じゃからの」と修道士が言った。

「さあ行きますよ」

ハリー・ポッターと賢者の石

140

厳しい声がした。

「組分け儀式がまもなく始まります」

マクゴナガル先生が戻ってきたのだ。ゴーストは一人ずつ、前方の壁を抜けてふわふわ出ていった。

「さあ、一列になって。ついてきてください」マクゴナガル先生が号令をかけた。

足が鉛になったように妙に重かった。ハリーは黄土色の髪の少年の後ろに並び、ハリーのあとにはロンが続いた。一年生は部屋を出て再び玄関ホールに戻り、そこから二重扉を通って大広間に入った。

そこには、ハリーが夢にも見たことのない、不思議ですばらしい光景が広がっていた。何千というろうそくが空中に浮かび、四つの長テーブルを照らしていた。広間の上座にはもう一つ長テーブルがあって、上級生たちが着席し、キラキラ輝く金色のお皿とゴブレットが置いてあった。テーブルには上級生たちが着席し、キラキラ輝く金色のお皿とゴブレットが置いてあった。マクゴナガル先生は上座のテーブルの所まで一年生を引率し、上級生のほうに顔を向け、先生方に背を向けるかっこうで一列に並ばせた。一年生を見つめる何百という顔が、ろうそくのチラチラする明かりで青白いランタンのように見えた。その中に点々と、ゴーストが銀色のかすみのように光っていた。みんなが見つめる視線から逃れるように、ハリーが天井を見上げると、ビロードのような黒い空に星が点々と光っていた。

「本当の空に見えるように魔法がかけられているのよ。『ホグワーツの歴史』に書いてあったわ」ハーマイオニーが小声でそう言うのが聞こえた。

そこに天井があるなんてとても思えない。大広間はまさに天空に向かって開いているように感じられた。

マクゴナガル先生が一年生の前にだまって四本脚のスツールを置いたので、ハリーは慌てて視線を戻した。椅子の上には魔法使いのかぶるとんがり帽子が置かれた。この帽子ときたら、継ぎはぎのボロボ

ロで、とても汚らしかった。ペチュニアおばさんなら、こんな帽子は家の中に置いておかないだろう。

もしかしたら帽子からウサギを出すのかな。あてずっぽうにハリーはそんなことを考えていたが、広間中のみんなが帽子をじっと見つめているのに気づいて、ハリーも帽子を見た。一瞬、広間は水を打ったように静かになった。すると、帽子がピクピク動いたかと思うとつばのへりの破れ目が、まるで口のように開いて、帽子が歌いだした。

　私はきれいじゃないけれど
　人は見かけによらぬもの
　私をしのぐ賢い帽子
　あるなら私は身を引こう
　山高帽子は真っ黒で
　シルクハットはすらりと高い
　私は彼らの上をいく
　ホグワーツ校の組分け帽子
　君の頭に隠れたものを
　組分け帽子はお見通し
　かぶれば君に教えよう
　君が行くべき寮の名を
　グリフィンドールに行くならば

ハリー・ポッターと賢者の石

142

勇気ある者が住う寮
勇猛果敢な騎士道で
ほかとはちがうグリフィンドール

ハッフルパフに行くならば
君は正しく忠実で
忍耐強く真実で
苦労を苦労と思わない

古き賢きレイブンクロー
君に意欲があるならば
機知と学びの友人を
ここで必ず得るだろう

スリザリンではもしかして
君はまことの友を得る
どんな手段を使っても
目的遂げる狡猾さ

かぶってごらん！　恐れずに！

第7章　組分け帽子

143

おろおろせずに、お任せを！

君を私の手にゆだね、お任せを！

だって私は考える帽子！（私に手なんかないけれど）

歌が終わると広間にいた全員が拍手喝采をした。四つのテーブルにそれぞれおじぎして、帽子は再び静かになった。

「僕たちはただ帽子をかぶればいいんだ！　フレッドのやつ、やっつけてやる。トロールと取っ組み合いさせられるなんて言って」ロンがハリーにささやいた。

ハリーは弱々しくほほえんだ。

──そりゃ、呪文よりも帽子をかぶるほうがずっといい。だけど、誰も見ていないところでかぶるんだったらもっといいのに。

帽子はかなり要求が多いように思えた。いまのところハリーは勇敢でもないし、機知があるわけでもないし、どの要求にも当てはまらないような気がした。帽子が、「少し気分が悪い生徒の寮」と歌ってくれていたなら、まさにそれがいまのハリーだったのに。

マクゴナガル先生が長い羊皮紙の巻紙を手にして前に進み出た。

「ABC順に名前を呼ばれたら、帽子をかぶって椅子に座り、組分けを受けてください」

「アボット、ハンナ！」

ピンクのほおをした、金髪のおさげの少女が、転がるように前に出てきた。帽子をかぶると目が隠れるほどだった。腰かけた。一瞬の沈黙……。

ハリー・ポッターと賢者の石

144

「**ハッフルパフ！**」と帽子が叫んだ。

右側のテーブルから歓声と拍手が上がり、ハンナはハッフルパフのテーブルに着いた。ハリーは太った修道士のゴーストがハンナに向かってうれしそうに手を振るのを見た。

「ボーンズ、スーザン！」

帽子がまた「**ハッフルパフ！**」と叫び、スーザンは小走りでハンナの隣に座った。

「ブート、テリー！」

「**レイブンクロー！**」

今度は左端から二番目のテーブルに拍手が湧き、テリーが行くと何人かが立って握手で迎えた。

次の「ブロックルハースト、マンディ」もレイブンクローになった。一番左端のテーブルからはじけるような歓声が上がった。ハリーはロンの双子の兄弟がヒューッと口笛を吹くのを見た。

そして「ブルストロード、ミリセント」はスリザリンになった。スリザリンについてあれこれ聞かされたので、ハリーの思い込みなのかもしれないが、この寮の連中はどうも感じが悪いとハリーは思った。学校で体育の時間にチームを組んだときのことを思い出した。ハリーはいよいよ決定的に気分が悪くなってきた。ハリーが下手だからというわけではなく、ハリーを誘うとダドリーに目をつけられるので、みんないつも最後までハリーをのけものにした。

「フィンチ－フレッチリー、ジャスティン！」

「**ハッフルパフ！**」

帽子がすぐに寮名を呼び上げるときと、決定にしばらくかかることがあることにハリーは気づいた。

ハリーの前に並んでいた黄土色の髪をした少年、「フィネガン、シェーマス」など、まるまる一分間椅

第7章　組分け帽子

145

子に座っていた。それからやっと帽子は「**グリフィンドール**」と宣言した。

「グレンジャー、ハーマイオニー！」

ハーマイオニーは走るようにして椅子に座り、待ちきれないようにぐいっと帽子をかぶった。

「**グリフィンドール！**」

帽子が叫んだ。ロンがうめいた。

ハリーは急に恐ろしい考えにとらわれた。ドキドキしているから、そんな考えが浮かんでくるのだ。どの寮にも選ばれなかったらどうしよう。帽子を目の上までかぶったまま永遠に座り続けている――ついにマクゴナガル先生がやってきて帽子をぐいと頭から取り上げ、何かのまちがいだったから汽車に乗ってお帰りなさい、と言う――もしそうなったらどうしよう？

ヒキガエルに逃げられてばかりいた「ロングボトム、ネビル」が呼ばれた。ネビルは椅子まで行く途中で転んでしまった。決定にしばらくかかったが、帽子はやっと「**グリフィンドール！**」と叫んだ。ネビルは帽子をかぶったまま駆けだしてしまい、爆笑の中をとぼとぼ戻って、次の「マクドゥガル、モラグ」に渡した。

マルフォイは名前を呼ばれるとふんぞり返って前に進み出た。望みはあっという間にかなった。帽子はマルフォイの頭に触れるか触れないうちに「**スリザリン！**」と叫んだ。

マルフォイは満足げに仲間のクラッブやゴイルのいる席に着いた。残っている生徒は少なくなってきた。

「ムーン」……「ノット」……「パーキンソン」……、双子の「パチル」姉妹……、「パークス、サリー－アン」……、そして、ついに――。

「ポッター、ハリー！」

ハリー・ポッターと賢者の石

146

ハリーが前に進み出ると、突然広間中にシーッというささやきが波のように広がった。

「ポッターって、そう言った？」

「あのハリー・ポッターなの？」

帽子がハリーの目の上に落ちる直前までハリーが見ていたのは、広間中の人たちが首を伸ばしてハリーをよく見ようとする様子だった。次の瞬間、ハリーは帽子の内側の闇を見ていた。ハリーはじっと待った。

「フーム」低い声がハリーの耳の中で聞こえた。「難かしい。非常に難かしい。ふむ、勇気に満ちている。頭も悪くない。才能もある。おう、なんと、なるほど……自分の力を試したいというすばらしい欲望もある。いや、おもしろい……さて、どこに入れたものかな？」

ハリーは椅子の縁を握りしめ、「スリザリンはだめ、スリザリンはだめ」と思い続けた。

「スリザリンはいやなのかね？」小さな声が言った。

「確かかね？　君は偉大になれる可能性があるんだよ。そのすべては君の頭の中にある。スリザリンに入れればまちがいなく偉大になる道が開ける。いやかね？　よろしい、君がそう確信しているなら……む

しろ、**グリフィンドール！**」

ハリーは帽子が最後の言葉を広間全体に向かって叫ぶのを聞いた。帽子を脱ぎ、ハリーはふらふらとグリフィンドールのテーブルに向かった。選んでもらえた。しかもスリザリンではなかった。その安堵感でハリーの頭はいっぱいで、最高の割れるような歓声に迎えられていることにもまったく気づかなかった。監督生パーシーも立ち上がり、力強くハリーと握手した。双子のウィーズリー兄弟は、「ポッターを取った！　ポッターを取った！」と歓声を上げていた。

第7章　組分け帽子
147

ハリーはさっき出会ったひだ襟服のゴーストとむかい合って座った。ゴーストはハリーの腕を軽くたたいた。とたんにハリーは冷水の入ったバケツに腕を突っ込んだようにゾクッとした。

寮生のテーブルに着いたので、ハリーははじめて上座の貴賓席を見ることができた。ハリーに近いほうの端にハグリッドが座っていて、ハリーと目が合うと親指を上げて「よかった」という合図をした。ハリーも笑顔を返した。貴賓席の真ん中で、大きな金色の椅子にアルバス・ダンブルドアが座っていた。

ハリーはからっぽの金の皿を眺めた。急にお腹がペコペコなのに気がついた。かぼちゃパイを食べたのが大昔のような気がした。

アルバス・ダンブルドアが立ち上がった。腕を大きく広げ、みんなに会えるのがこの上もない喜びだというようにニッコリ笑った。

「おめでとう！　ホグワーツの新入生、おめでとう！　歓迎会を始める前に、二言、三言、言わせてい

ハリーはみんなと一緒に大きな拍手をした。ロンはハリーの隣の椅子に崩れるように座った。

「ロン、よくやったぞ。えらい」

ハリーの隣から、パーシー・ウィーズリーがもったいぶって声をかけた。「ザビニ、ブレーズ」はスリザリンに決まった。マクゴナガル先生はくるくると巻紙をしまい、帽子を片づけた。

では、ダンブルドアの白髪だけがゴーストと同じ銀色にキラキラ輝いていた。広間の中では、ダンブルドアの白髪だけがゴーストと同じ銀色にキラキラ輝いていた。広間の中経質なクィレル先生もいた。大きな紫のターバンをつけた姿がひときわへんてこりんだった。

まだ組分けがすんでいないのはあと三人だけになった。「タービン、リサ」はレイブンクローになった。次はロンの番だ。ロンは青ざめていた。ハリーはテーブルの下で、指で十字を切って祈った。帽子はすぐに「**グリフィンドール！**」と叫んだ。

汽車の中で食べた蛙チョコレートのカードに写真があったので、すぐにその人だとわかった。「漏れ鍋」にいた若い神

ハリー・ポッターと賢者の石

148

ただきたい。では、いきますぞ。それ！　わっしょい！　こらしょい！　どっこらしょい！　以上！」

ダンブルドアは席につき、出席者全員が拍手し歓声を上げた。ハリーは笑っていいのか悪いのかわからなかった。

「あの人……ちょっぴりおかしくない？」

ハリーはパーシーに聞いた。

「おかしいだって？」パーシーはうきうきしていた。「あの人は天才だ！　世界一の魔法使いさ！　でも少しおかしいかな、うん。君、ポテト食べるかい？」

ハリーはあっけにとられた。目の前にある大皿が食べ物でいっぱいになっている。こんなにたくさん、ハリーの食べたい物ばかり並んでいるテーブルは見たことがない。ローストビーフ、ローストチキン、ポークチョップ、ラムチョップ、ソーセージ、ベーコン、ステーキ、ゆでたポテト、グリルドポテト、フレンチフライ、ヨークシャープディング、豆、ニンジン、グレービー、ケチャップ、そしてなぜか……ハッカキャンディ。

ダーズリー家では飢え死にこそしなかったが、一度もお腹いっぱい食べさせてはもらえなかった。ハリーが食べたいものは、たとえ食べすぎて気持ちが悪くなっても、みんなダドリーが取り上げてしまった。ハリーは、ハッカキャンディ以外は全部少しずつお皿に取って食べはじめた。どれもこれもおいしかった。

「おいしそうですね」

ハリーがステーキを切っていると、ひだ襟服のゴーストが悲しげに言った。

「食べられないの？」

第7章　組分け帽子

149

「かれこれ五百年、食べておりません。もちろん食べる必要はないのですが、でもなつかしくて。まだ自己紹介しておりませんでしたね。グリフィンドール塔に住むゴーストです。ニコラス・ド・ミムジー・ポーピントン卿といいます。お見知りおきを。グリフィンドール塔に住むゴーストです」

「僕、君のこと知ってる！」ロンが突然口をはさんだ。

「兄さんたちから君のこと聞いてるよ。『ほとんど首無しニック』だ！」

「呼んでいただくのであれば、むしろ、ニコラス・ド・ミムジー……」

とゴーストがあらたまった調子で言いかけたが、黄土色の髪のシェーマス・フィネガンが割り込んできた。

「ほとんど首無し？　どうしてほとんど首無しになれるの？」

ニコラス卿は会話がどうも自分の思う方向には進んでいかないので、ひどく気にさわったようだった。

「ほら、このとおり」

ニコラス卿は腹立たしげに自分の左耳をつかんで引っ張った。頭が首からグラッとはずれ、蝶番で開くように肩の上に落ちた。誰かが首を切ろうとして、やりそこねたらしい。生徒たちが驚くので「ほとんど首無しニック」はうれしそうな顔をして頭をヒョイと元に戻し、咳払いをしてからこう言った。

「さて、グリフィンドール新入生諸君、今年こそ寮対抗優勝カップを獲得できるようがんばってくださるでしょうな？　グリフィンドールがこんなに長い間負け続けたことはない。スリザリンが六年連続で寮杯を取っているのですぞ！　『血みどろ男爵』はもう鼻持ちならない状態です……スリザリンのゴーストですがね」

ハリーがスリザリンのテーブルを見ると、身の毛もよだつようなゴーストが座っていた。うつろな目、げっそりとした顔、衣服は銀色の血でべっとり汚れている。マルフォイのすぐ隣に座っている。マル

ハリー・ポッターと賢者の石

150

フォイはその席がお気に召さない様子なのでハリーはなんだかうれしくなった。

「どうして血みどろになったの?」と興味津々のシェーマスが聞いた。

「私、聞いてみたこともありません」と、ほとんど首無しニックが言葉をにごした。

全員がお腹いっぱいになったところで食べ物は消え去り、お皿は前と同じようにピカピカになった。ありとあらゆる味のアイスクリーム、アップルパイ、糖蜜パイ、チョコレート・エクレア、ジャムドーナツ、トライフル、イチゴ、ゼリー、ライスプディングなどなど……。

ハリーが糖蜜パイを食べていると、家族の話題になった。

「僕はハーフなんだ。僕のパパはマグルで、ママは結婚するまで魔女だと言わなかったんだ。パパはずいぶんドッキリしたみたいだよ」とシェーマスが言った。

みんな笑った。

「ネビルはどうだい」ロンが聞いた。

「僕、ばあちゃんに育てられたんだけど、ばあちゃんが魔女なんだ」ネビルが話しだした。

「でも僕の家族はずうっと僕が純粋マグルだと思ってたみたい。アルジー大おじさんときたら、僕に不意打ちを食わせてなんとか僕から魔法の力を引き出そうとしたの——僕をブラックプールの桟橋の端から突き落としたりして、もう少しでおぼれるところだった。でも八歳になるまでなんにも起こらなかった。八歳のとき、アルジー大おじさんがうちに夕食にきたとき、僕の足首をつかんで二階の窓からぶら下げたんだ。ちょうどその時エニド大おばさんがメレンゲ菓子を持ってきて、大おじさんたらうっかり手を放してしまったんだ。だけど、僕はまりみたいにはずんだんだ——庭に落ちて道路までね。それを見てみんな大喜びだった。ばあちゃんなんか、うれし泣きだよ。この学校に入学することになったとき

のみんなの顔を見せたかったよ。みんな僕の魔法力じゃ無理だと思ってたらしい。アルジー大おじさん

なんかとても喜んでヒキガエルを買ってくれたんだ」

テーブルの反対側では、パーシーとハーマイオニーが授業について話していた。

「**ほんとに**、早く始まればいいのに。勉強することがいっぱいあるんですもの。私、特に変身術に興味

があるの。ほら、何かをほかのものに変えるっていう術。もちろんすごく難しいって言われてるけど

……」

「はじめは小さなものから試すんだよ。マッチを針に変えるとか……」

ハリーは体が温かくなり、眠くなってきた。貴賓席を見上げると、ハグリッドはゴブレットでグイグ

イ飲んでいた。マクゴナガル先生はダンブルドア先生と話している。ばかばかしいターバンを巻いた

クィレル先生は、ねっとりした黒髪、鉤鼻、鉤鼻、土気色の顔をした先生と話していた。

その時、突然それは起こった。鉤鼻の先生がクィレル先生のターバン越しにハリーと目を合わせたと

たん、ハリーの額の傷に痛みが走ったのだ。

「イタッ!」ハリーはとっさに手でパシリと額をおおった。

「どうしたの?」パーシーが尋ねた。

「な、なんでもない」

痛みは急に走り、同じように急に消えた。しかしあの目つきから受けた感触は簡単には振り払えな

かった。あの目はハリーが大嫌いだと言っていた……。

「あそこでクィレル先生と話しているのはどなたですか……」

「おや、クィレル先生はもう知ってるんだね。あれはスネイプ先生だ。どうりでクィレル先生がおどお

どしてるわけだ。スネイプ先生は『魔法薬学』を教えているんだが、本当はその学科は教えたくないら

しい——クィレルの席をねらってるって、みんな知ってるよ。闇の魔術にすごく詳しいんだ、スネイプって」

ハリーはスネイプをしばらく見つめていたが、スネイプは二度とハリーのほうを見なかった。

とうとうデザートも消えてしまい、ダンブルドア先生がまた立ち上がった。広間中がシーンとなった。

「エヘン——全員よく食べ、よく飲んだことじゃろうから、また二言、三言。新学期を迎えるにあたり、いくつかお知らせがある。一年生に注意しておくが、構内にある森には立ち入らぬよう。上級生も、何人かの生徒たちには、同じことをとくに注意しておきますぞ」

ダンブルドアはいたずらっぽい目でウィーズリーの双子兄弟を見た。

「管理人のフィルチさんから、授業の合間に廊下で魔法を使わないようにという注意がありました」

「今学期は、二週目にクィディッチ選手の選抜があるので、寮のチームに参加したい人はマダム・フーチに連絡するよう」

「最後にじゃが、とても痛い死に方をしたくない者は、今年いっぱい四階の右側の廊下には入らぬことじゃ」

ハリーは笑ってしまったが、笑った生徒はほんの少数だった。

「まじめに言ってるんじゃないよね?」

ハリーはパーシーに向かってつぶやいた。

「いや、まじめだよ」

パーシーがしかめっ面でダンブルドアを見ながら言った。

「変だな、どこか立ち入り禁止の場所があるときは、必ず理由を説明してくれるのに……森には危険な動物がたくさんいるからだし、それは誰でも知っている。せめて僕たち監督生にはわけを言ってくれて

第7章　組分け帽子

153

「もよかったのに」

「では、寝る前に校歌を歌いましょうぞ！」

ダンブルドアが声を張り上げた。ハリーにはほかの先生方の笑顔が急にこわばったように見えた。

ダンブルドアが魔法の杖をまるで杖先に止まったハエを振り払うようにヒョイと動かすと、金色のり

ぼんが長々と流れ出て、テーブルの上高く昇り、蛇のようにくねくねと曲がって文字を書いた。

「みんな自分の好きなメロディーで。では、さん、し、はい！」

学校中が大声で唸った。

　　ホグワーツ　ホグワーツ

　　ホグホグ　ワツワツ　ホグワーツ

　　教えて　どうぞ　僕たちに

　　老いても　ハゲても　青二才でも

　　頭にゃなんとか詰め込める

　　おもしろいものを詰め込める

　　いまはからっぽ　空気詰め

　　死んだハエやら　ガラクタ詰め

　　教えて　価値のあるものを

　　教えて　忘れてしまったものを

　　ベストをつくせば　あとはお任せ

学べよ脳みそ　くさるまで

みんなバラバラに歌い終えた。とびきり遅い葬送行進曲で歌っていた双子のウィーズリー兄弟が最後まで残った。ダンブルドアはそれに合わせて最後の何小節かを魔法の杖で指揮し、二人が歌い終わったときには、誰にも負けないぐらい大きな拍手をした。

「ああ、音楽とは何にもまさる魔法じゃ！」

感激の涙をぬぐいながらダンブルドアが言った。

「さあ、諸君、就寝時間。駆け足！」

グリフィンドールの一年生はパーシーに続いてペチャクチャと騒がしい人ごみの中を通り、大広間を出て大理石の階段を上がった。ハリーの足はまた鉛のように重くなったが、今度は疲れと満腹のせいだった。とても眠かったので、廊下を通るとき、壁にかけてある肖像画の人物がささやいたり生徒を指さしたりしても、気にならず、パーシーが引き戸やタペストリーの裏にある隠しドアを二度も通り抜けたのになんとも思わなかった。あくびをし、足を引きずりながら、階段また階段を上り、いったいあとどのくらいかかるんだろうとハリーが思ったとたん、突然みんなが止まった。

前方にステッキが一束、空中に浮いていた。パーシーが一歩前進するとステッキがバラバラと飛びかかってきた。

「ピーブズだ」

とパーシーが一年生にささやいた。

「ポルターガイストのピーブズだよ」

第7章　組分け帽子

155

「ピーブズ、姿を見せろ」

パーシーは大声を出した。

風船から空気が抜けるような、大きい無作法な音がそれに応えた。

『血みどろ男爵』を呼んできてもいいのか?」

ポンと音がして、意地悪そうな暗い目の、大きな口をした小男が現れた。あぐらをかき、ステッキの束をつかんで空中に漂っている。

「おおおおおお! かーわいい一年生ちゃん! なんてゆかいなんだ!」

小男は意地悪なかん高い笑い声を上げ、一年生めがけて急降下した。みんなはヒョイと身をかがめた。

「ピーブズ、行ってしまえ。そうしないと男爵に言いつけるぞ。本気だぞ!」

パーシーがどなった。

ピーブズは舌をベーッと出し、ステッキを何本もネビルの頭の上に落として消えてしまった。遠のきざま、あたりに並んでいる鎧をガラガラいわせる音が聞こえた。

「ピーブズには気をつけたほうがいい」

再び歩きだしながらパーシーが言った。

「ピーブズをコントロールできるのは『血みどろ男爵』だけなんだ。僕ら監督生の言うことでさえ聞きゃしない。さあ、着いた」

廊下のつきあたりに、ピンクの絹のドレスを着たとても太った婦人の肖像画がかかっていた。

「合言葉は?」とその婦人が聞いた。

「**カプート　ドラコニス**」

パーシーがそう唱えると、肖像画がパッと前に開き、その後ろの壁に丸い穴があるのが見えた。みん

ながやっとその高い穴に這い上がると——ネビルは足を持ち上げてもらわなければならなかった——穴は
グリフィンドールの談話室につながっていた。心地よい円形の部屋で、ふかふかしたひじかけ椅子がた
くさん置いてあった。

パーシーの指示で、女の子は女子寮に続くドアから、男の子は男子寮に続くドアから別々の部屋に
入った。螺旋階段のてっぺんに——そこは、いくつかある塔の一つにちがいない——やっとベッドが見
つかった。深紅のビロードのカーテンがかかった、四本柱の天蓋つきベッドが五つ置いてある。トラン
クはもう届いていた。くたくたに疲れてしゃべる元気もなく、みんなパジャマに着替えてベッドにもぐ
りこんだ。

「すごいごちそうだったね」
ロンがカーテンごしにハリーに話しかけた。
「スキャバーズ、**やめろ！** こいつ、僕のシーツをかんでいる」
ハリーはロンに、糖蜜パイを食べたかどうか聞こうとしたが、あっという間に眠り込んでしまった。

ちょっと食べすぎたせいか、ハリーはとても奇妙な夢を見た。ハリーがクィレル先生のターバンをか
ぶっていて、そのターバンがハリーに絶え間なく話しかけてくる。
「すぐスリザリンに移らなくてはならない。それが運命なのだから」と言うのだ。
「スリザリンには行きたくない」
とハリーが答えると、ターバンはだんだん重くなり、脱ごうとすると痛いほどにしめつけてくる——
そして、マルフォイがいる。ハリーがターバンと格闘しているのを笑いながら見ていると——突然マル
フォイの顔が鉤鼻のスネイプ先生に変わり、その高笑いが冷たく響く——緑色の光が炸裂し、ハリーは

第7章　組分け帽子

157

汗びっしょりになって震えながら目を覚ました。

　ハリーは寝返りをうち、再び眠りに落ちた。翌朝目覚めたときには、その夢をまったく覚えていなかった。

第8章　魔法薬の先生

「見て、見て」

「どこ？」

「赤毛ののっぽの隣」

「めがねをかけてるやつ？」

「顔見た？」

「あの傷を見た？」

翌日ハリーが寮を出たとたん、ささやき声がつきまとってきた。前のクラスが終わるのを、教室の前で行列して待っている生徒たちが、つま先立ちでハリーを見ようとしたり、廊下ですれちがったあとでわざわざ逆戻りしてきてじろじろ見たりした。ハリーにとっては迷惑だった。教室を探すだけでも精一杯だったからだ。

ホグワーツには百四十二もの階段があった。広い壮大な階段、狭いガタガタの階段、金曜日にはいつもとちがう所へつながる階段、真ん中あたりで一段消えてしまうので、忘れずにジャンプしなければならない階段……。扉もいろいろあった。ていねいにお願いしないと開かない扉、正確に一定の場所をくすぐらないと開かない扉、扉のように見えるけれど実は硬い壁が扉のふりをしている扉。物という物が動いてしまうので、どこに何があるのかを覚えるのも大変だった。肖像画の人物もしょっちゅうお互いに訪問し合っているし、鎧だってきっと歩けるにちがいないとハリーは確信していた。

第8章　魔法薬の先生

159

ゴーストも問題だった。扉を開けようとしているときに、突然ゴーストがスルリと扉を通り抜けたりすると、そのたびにヒヤッとした。「ほとんど首無しニック」はいつも喜んでグリフィンドールの新入生に道を教えてくれたが、授業に遅れそうになったときにポルターガイストのピーブズに出くわすと、二回も鍵のかかった扉にぶつかり、仕掛け階段を通るはめに陥ったときと同じぐらい時間がかかってしまう。ピーブズときたら、ごみ箱を頭の上でぶちまけたり、足元のじゅうたんを引っ張り、チョークのかけらを次々とぶつけたり、姿を隠したまま後ろからソーッと忍びよって鼻をつまみ、「釣れた

ぞ！」とキーキー声を上げたりした。

ピーブズよりやっかいなのは……そんなのがいるとすればの話だが……管理人のアーガス・フィルチだった。一日目の朝から、ハリーとロンは根性悪のフィルチにみごとに大当たりしてしまった。無理やり開けようとした扉が、運の悪いことに四階の立入り禁止廊下の入口で、その現場をフィルチに見つかってしまったのだ。道に迷ったと言っても信用しない。わざと押し入ろうとしたにちがいないと、地下牢に閉じ込めると脅された。その時はちょうど通りがかったクィレル先生のおかげで二人は救われた。

フィルチはミセス・ノリスという猫を飼っていた。やせこけて、ほこりっぽい色をした猫で、目はフィルチそっくりの、ランプみたいな出目金だった。ミセス・ノリスは一人で廊下の見まわりをする。たとえ足の指一本が境界線を越えただけでも、あっという間にフィルチにご注進だ。二秒後にはフィルチが息を切らして飛んでくる。フィルチは秘密の階段を誰よりもよく知っていたので（双子のウィーズリーには負けるかもしれないが）、ゴーストと同じくらい突然ヒョイとあらわれた。生徒たちはフィルチが大嫌いで、ミセス・ノリスを一度しこたま蹴飛ばしたいというのが、みんなの密かな熱い願いだった。

やっと教室への道がわかっても、次の難関は授業そのものだった。

魔法とは、ただ杖を振っておかし

ハリー・ポッターと賢者の石

160

なまじないを言うだけではないと、ハリーはたちまち思い知らされた。

水曜日の真夜中には、望遠鏡で夜空を観察し、星の名前や惑星の動きを勉強しなくてはならなかった。不思議な植物やキノコの育て方、どんな用途に使われるかなどを勉強するのだ。

週三回、ずんぐりした小柄なスプラウト先生と城の裏にある温室に行き、「薬草学」を学んだ。

なんといっても一番退屈なのは「魔法史」で、これは唯一、ゴーストが教えるクラスだった。ビンズ先生は昔、教員室の暖炉の前で居眠りをしてしまい、その時にはすでに相当の年だったのだが、翌朝起きてクラスに行くときに、生身の体を教員室に置き去りにしてきてしまったのだ。先生の物憂げで一本調子の講義のせいで、生徒たちは名前や年号をノートに書き取りながら、悪人エメリックと奇人ウリックを取りちがえてしまったりするのだった。

「妖精の呪文」はフリットウィック先生の担当だった。ちっちゃな魔法使いで、本を積み上げた上に立ってやっと机越しに顔が出るほどだった。最初の授業で出席を取り、ハリーの名前までくると興奮してキャッと言ったとたん、転んで姿が見えなくなってしまった。

マクゴナガル先生はやはりほかの先生とはちがっていた。逆らってはいけない先生だというハリーの勘は当たっていた。厳格で聡明そのものの先生は、最初の授業でみんなが着席するなりお説教を始めた。

「『変身術』は、ホグワーツで学ぶ魔法の中で最も複雑で危険なものの一つです。いいかげんな態度で私の授業を受ける生徒は出ていってもらいますし、二度とクラスには入れません。初めから警告しておきます」

それから先生は机を豚に変え、また元の姿に戻してみせた。生徒たちは感激して、早く試したくてうずうずした。しかし、家具を動物に変えるようになるまでには、まだまだ時間がかかることがすぐわかった。さんざん複雑なノートを取ったあと、一人一人にマッチ棒が配られ、それを針に変える練習が

始まった。授業が終わるまでにマッチ棒を変身させることができたのは、ハーマイオニー・グレンジャーただ一人だった。マクゴナガル先生は、クラス全員に、彼女のマッチ棒がどんなに銀色で、どんなにとがっているかを見せたあと、ハーマイオニーに向かってめったに見せないほほえみを見せた。

みんなが一番待ち望んでいた授業は、「闇の魔術に対する防衛術」だったが、クィレルの授業は肩すかしだった。教室にはニンニクの強烈なにおいがプンプン漂っていた。うわさでは、これは先生がルーマニアで出会った吸血鬼を寄せつけないためで、いつまた襲われるかもしれないとびくびくしているらしい。クィレルの話では、ターバンは、やっかいなゾンビをやっつけたときにアフリカの王子様がお礼にくれたものだということだったが、生徒たちはどうも怪しいと思った。というのは、シェーマス・フィネガンがはりきって、どうやってゾンビをやっつけたのかと質問すると、クィレルは赤くなって話をそらし、お天気について話しはじめたからだ。それに、ターバンがいつも変なにおいを漂わせているのにみんなは気がついた。双子のウィーズリーは、クィレルがどこにいても安全なように、ターバンにもニンニクを詰め込んでいるにちがいないと主張した。

ハリーは、ほかの生徒に比べて自分がたいして遅れを取っていないことがわかって、ホッとしていた。マグルの家から来た子もたくさんいて、彼らもハリーと同じように、ここに来るまでは自分が魔法使いや魔女だとは夢にも思っていなかった。学ぶことがありすぎて、ロンのような魔法家族の子でさえ、初めから優位なスタートを切ったわけではなかった。

ハリーとロンにとって金曜日は記念すべき日になった。大広間に朝食に下りていくのに、初めて一度も迷わずにたどり着いたのだ。

「今日はなんの授業だっけ?」オートミールに砂糖をかけながら、ハリーがロンに尋ねた。

「スリザリンの連中と一緒に、『魔法薬学』さ。スネイプはスリザリンの寮監だ。いつもスリザリンを

ハリー・ポッターと賢者の石

162

「ひいきするってみんなが言ってる——本当かどうか今日わかるだろう」とロンが答えた。

「マクゴナガルが僕たちをひいきしてくれたらいいのになあ」とハリー。

マクゴナガル先生はグリフィンドールの寮監だが、だからといって、きのうも、山ほど宿題を出すのをためらうわけではなかった。

ちょうどその時、郵便が届いた。ハリーはもう慣れっこになったが、一番最初の朝食のときは、突然大広間になだれ込んできた百羽ほどのふくろうが、テーブルの上を旋回し、飼い主を見つけては手紙や小包をそのひざに落としていく光景にあぜんとしたものだった。

ヘドウィグはいままで一度も何も運んできたことはなかった。でも、ときどき飛んできてはハリーの耳をかじったりトーストをかじったりしてから、ほかのふくろうと一緒に学校のふくろう小屋に戻って眠るのだった。ところが今朝は、マーマレードと砂糖入れの間にハタハタと降りてきて、ハリーの皿に手紙を置いていった。ハリーは急いで封を破るようにして開けた。

下手な字で走り書きがしてあった。

親愛なるハリー

金曜日の午後は授業がないはずだな。よかったら三時ごろお茶に来んか。おまえさんの最初の一週間がどんなだったかいろいろ聞きたい。ヘドウィグに返事を持たせてくれ。

ハグリッド

ハリーはロンの羽根ペンを借りて、手紙の裏に「はい。喜んで。では、またあとで」と返事を書いてヘドウィグを飛ばせた。

第8章　魔法薬の先生

163

ハグリッドとのお茶という楽しみがあったのはラッキーだった。何しろ「魔法薬学」の授業が、最悪のクラスになってしまったからだ。

新入生の歓迎会のときから、スネイプ先生が自分のことを嫌っているとハリーは感じていた。「魔法薬学」の最初の授業で、ハリーは自分の考えがまちがいだったと悟った。スネイプはハリーのことを嫌っているのではなかった——**憎んでいる**のだった。

「魔法薬学」の授業は地下牢で行われた。ここは城の中にある教室より寒く、壁にずらりと並んだガラス瓶の中でアルコール漬けの動物がプカプカ浮いていなかったとしても、充分気味が悪かった。

フリットウィックと同じく、スネイプもまず出席を取った。そして、フリットウィックと同じく、ハリーの名前までできてちょっと止まった。

「あぁ、さよう」猫なで声だ。「ハリー・ポッター。われらが新しい——**スター**だね」

ドラコ・マルフォイは仲間のクラッブやゴイルと、口を覆ってクックッと冷やかし笑いをした。出席を取り終わると、先生は生徒を見わたした。ハグリッドと同じ黒い目なのに、ハグリッドの目のような温かみはひとかけらもない。冷たくて、うつろで、暗いトンネルを思わせた。

「このクラスでは、魔法薬調剤の微妙な科学と、厳密な芸術を学ぶ」

スネイプが話しはじめた。まるでつぶやくような話し方なのに、生徒たちは一言も聞きもらさなかった——マクゴナガル先生と同じように、スネイプも何もしなくとも教室をシーンとさせる能力を持っていた。

「このクラスでは杖を振り回すようなバカげたことはやらん。そこで、これでも魔法かと思う諸君が多いかもしれん。ふつふつと沸く大釜、ゆらゆらと立ち昇る湯気、人の血管の中を這いめぐる液体の繊細な力、心を惑わせ、感覚を狂わせる魔力……諸君がこの見事さを真に理解するとは期待しておらん。我

ハリー・ポッターと賢者の石

164

輩が教えるのは、名声を瓶詰めにし、栄光を醸造し、死にさえふたをする方法である——ただし、我輩がこれまでに教えてきたウスノロたちより諸君がまだましであれば、の話だが」

大演説のあとは教室中がいっそうシーンとなった。ハリーとロンは眉根をちょっと吊り上げて互いに目配せした。ハーマイオニー・グレンジャーは椅子の端に座り、身を乗り出すようにして、自分がウスノロではないと一刻も早く証明したくてうずうずしていた。

スネイプが突然、「ポッター！」と呼んだ。

「アスフォデルの球根の粉末にニガヨモギを煎じたものを加えると何になるか？」

なんの球根の粉末を、何を煎じたものに加えるって？？？

ハリーはロンをちらっと見たが、ハリーと同じように「降参だ」という顔をしていた。ハーマイオニーが空中に高々と手を挙げた。

「わかりません」ハリーが答えた。

スネイプは口元でせせら笑った。

「チッ、チッ、チ——有名なだけではどうにもならんらしい」

ハーマイオニーの手は無視された。

「ポッター、もう一つ聞こう。ベゾアール石を見つけてこいといわれたら、どこを探すかね？」

ハーマイオニーが思いっきり高く、椅子に座ったままで挙げられる限界まで高く手を伸ばした。ハリーにはベゾアール石がいったいなんなのか見当もつかない。マルフォイ、クラッブ、ゴイルが身をよじって笑っているのを、ハリーはなるべく見ないようにした。

「わかりません」

「クラスに来る前に教科書を開いて見ようとは思わなかったわけだな、ポッター、え？」

第8章　魔法薬の先生

165

ハリーはがんばって、冷たい目をまっすぐに見つめ続けた。ダーズリーの家にいたとき、教科書に目を通しはした。スネイプは、『薬草とキノコ一〇〇〇種』を隅から隅までハリーが覚えたとでも思っているのだろうか。

スネイプはハーマイオニーの手がプルプル震えているのをまだ無視していた。

「ポッター、モンクスフードとウルフスベーンとのちがいはなんだね?」

この質問でとうとうハーマイオニーは椅子から立ち上がり、地下牢の天井に届かんばかりに手を伸ばした。

「わかりません」

ハリーは落ち着いた口調で言った。

「ハーマイオニーがわかっていると思いますから、彼女に質問してみたらどうでしょう?」

生徒が数人笑い声を上げた。ハリーとシェーマスの目が合い、シェーマスがウィンクした。しかし、スネイプは不快そうだった。

「座れ」スネイプがピシャリとハーマイオニーに言った。

「教えてやろう、ポッター。アスフォデルとニガヨモギを合わせると、眠り薬となる。あまりに強力なため、『生ける屍の水薬』と言われている。ベゾアール石は山羊の胃から取り出す石で、たいていの薬に対する解毒剤となる。モンクスフードとウルフスベーンは同じ植物で、別名をアコナイトとも言うが、トリカブトのことだ。さて? 諸君、我輩のいま言ったことをノートに書き取らんか!」

いっせいに羽根ペンと羊皮紙を取り出す音がした。その音にかぶせるように、スネイプが言った。

「ポッター、君の無礼な態度で、グリフィンドールは一点減点」

その後も「魔法薬」の授業中、グリフィンドールの状況はよくなるどころではなかった。スネイプは

ハリー・ポッターと賢者の石

166

生徒を二人ずつ組にして、おできを治す簡単な薬を調合させた。長い黒マントをひるがえしながら、スネイプは生徒たちが干しイラクサを計り、蛇の牙を砕くのを見まわった。どうもお気に入りらしいマルフォイを除いて、ほとんど全員が注意を受けた。マルフォイが角ナメクジを完璧にゆでたからみんな見るように、とスネイプがそう言ったとき、地下牢いっぱいに強烈な緑色の煙が上がり、シューシューという大きな音が広がった。ネビルが、どういうわけかシェーマスの大鍋を溶かしてねじれた小さな塊にしてしまい、こぼれた薬が石の床を伝って広がり、生徒たちの靴に焼け焦げ穴をあけていた。たちまちクラス中の生徒が椅子の上に避難したが、ネビルは大鍋が割れたときにぐっしょり薬をかぶってしまい、腕や足のそこら中に真っ赤なおできが容赦なく吹き出し、痛くてうめき声を上げていた。

「ばか者!」

スネイプがいまいましげにどなり、魔法の杖をひと振りして、こぼれた薬を取り除いた。

「おおかた、大鍋を火から下ろさないうちに、山嵐の針を入れたのだな?」

ネビルはおできが鼻にまで広がってきて、シクシク泣きだした。

「医務室へ連れていきなさい」苦々しげにスネイプがシェーマスに言いつけた。それから出し抜けに、ネビルの隣で作業をしていたハリーとロンに鉾先(ほこさき)を向けた。

「君、ポッター、針を入れてはいけないとなぜ言わなかった? 彼がまちがえば、自分のほうがよく見えると考えたな? グリフィンドールはもう一点減点」

あまりに理不尽なので、ハリーは言い返そうと口を開きかけたが、ロンが大鍋の陰でスネイプに見えないようにハリーをこづいた。

「やめたほうがいい」とロンが小声で言った。

「スネイプはものすごく意地悪になるって、みんなが言ってるよ」

第8章 魔法薬の先生

167

一時間後、地下牢の階段を上がりながらハリーは頭が混乱し、めいっていた。最初の一週間でグリフィンドールの点数を二点も減らしてしまった――いったいどうしてスネイプは僕のことをあんなに嫌うんだろう？

「元気出せよ」ロンが言った。

「フレッドもジョージもスネイプにはしょっちゅう減点されてるんだ。ねえ、一緒にハグリッドに会いにいってもいい？」

三時五分前に城を出て、二人は校庭を横切った。ハグリッドは「禁じられた森」の端にある木の小屋に住んでいる。戸口に石弓と防寒用長靴が置いてあった。ノックすると、中からめちゃめちゃに戸を引っかく音と、響くような太い吠え声が数回聞こえてきた。

「**退がれ**、ファング、**退がれ**」ハグリッドの大声が響いた。

戸が少し開いて、すきまからハグリッドの大きなひげもじゃの顔が現れた。

「待て、待て、**退がれ**、ファング」とハグリッドが言った。

ハグリッドは巨大な黒いボアハウンド犬の首輪を押さえるのに苦労しながら、ハリーたちを招き入れた。

中はひと部屋だけだった。ハムやきじ鳥が天井からぶら下がり、焚き火にかけられた銅のやかんにはお湯が沸いている。部屋の隅にはとてつもなく大きなベッドがあり、パッチワーク・キルトのカバーがかかっていた。

「くつろいでくれや」

ハグリッドがファングを放すと、ファングは一直線にロンに飛びかかり、ロンの耳をなめはじめた。ハグリッドと同じように、ファングも見た目とちがって、まったく怖くなかった。

ハリー・ポッターと賢者の石
168

「ロンです」とハリーが紹介した。

ハグリッドは大きなティーポットに熱いお湯を注ぎ、ロックケーキを皿にのせた。

「ウィーズリー家の子かい。え？」

ロンのそばかすをちらっと見ながらハグリッドが言った。

「おまえさんの双子の兄貴たちを森から追っ払うのに、俺は人生の半分を費やしてるようなもんだ」

ロックケーキは歯が折れるくらい固かったけれど、二人ともおいしそうなふりをして、初めての授業についてハグリッドに話して聞かせた。ファングは頭をハリーのひざにのせ、服によだれをダラダラらしていた。

ハグリッドがフィルチのことを「あの老いぼれ」と呼んだのでハリーとロンは大喜びした。

「あの猫だがな、ミセス・ノリスだ。いつかファングを引き合わせなくちゃな。俺が学校に行くとな、知っとるか？　いつでもズーッと俺をつけまわす。どうしても追い払えん──フィルチのやつがそうさせとるんだ」

ハリーはスネイプの授業のことを話した。ハグリッドはロンと同じように、気にするな、スネイプは生徒というという生徒はみんな嫌いなんだから、と言った。

「でも僕のこと本当に**憎んでるみたい**」

「ばかな！　なんで憎まなきゃならん？」

そう言いながら、ハグリッドはまともにハリーの目を見なかった、と、ハリーにはそう思えてならなかった。

「チャーリー兄貴はどうしてる？」とハグリッドがロンに尋ねた。

「俺はやっこさんが気に入っとった──動物にかけてはすごかった」

第8章　魔法薬の先生

169

ハグリッドがわざと話題を変えたんじゃないか、とハリーは勘ぐった。ロンがハグリッドに、チャーリーのドラゴンの仕事のことをいろいろ話している間、ハリーはテーブルの上のティーポット・カバーの下から、一枚の紙切れを見つけた。「日刊予言者新聞」の切り抜きだった。

グリンゴッツ侵入さる

七月三十一日に起きたグリンゴッツ侵入事件については、知られざる闇の魔法使い、または魔女の仕業とされているが、捜査は依然として続いている。

グリンゴッツの小鬼（ゴブリン）たちは、今日になって、何も盗られたものはなかったと主張した。荒らされた金庫は、実は侵入されたその日に、すでにからになっていた。

グリンゴッツの報道官は今日午後、「そこに何が入っていたかについては申し上げられません。詮索しないほうがみなさんの身のためです」と述べた。

汽車の中でロンが、グリンゴッツ強盗事件について話してくれたことをハリーは思い出した。ロンは事件がいつ起きたかという日付までは言わなかった。

「ハグリッド！ グリンゴッツ侵入があったのは僕の誕生日だ！ 僕たちがあそこにいる間に起きたのかもしれないよ！」とハリーが言った。

今度はまちがいない。ハグリッドはハリーからはっきり目をそらした。ハグリッドはウーッと言いながらハリーにまたロックケーキをすすめた。ハリーは記事を読み返した。

荒らされた金庫は、実は侵入されたその日に、すでにからになっていた。ハグリッドは七一三番金庫をからにした。汚い小さな包みを取り出すことが「からにする」と言える

ハリー・ポッターと賢者の石

170

なら、泥棒が探していたのはあの包みだったのか？

夕食に遅れないよう、ハリーとロンは城に向かって歩きだした。ハグリッドの親切を断りきれなかったため、ロックケーキでポケットが重かった。これまでのどんな授業よりもハグリッドとのお茶のほうがいろいろ考えさせられた。ハグリッドはあの包みを危機一髪で引き取ったのだろうか？　いま、あれはどこにあるんだろう？　スネイプについて、ハグリッドはハリーには言いたくない何事かを知っているのだろうか？

第8章　魔法薬の先生

171

第9章　真夜中の決闘

ダドリーよりいやなやつがこの世の中にいるなんて、ハリーは思ってもみなかった。でもそれはドラコ・マルフォイと出会うまでの話だ。一年生ではグリフィンドールとスリザリンが一緒のクラスになるのは「魔法薬学」の授業だけだったので、グリフィンドール寮生もマルフォイのことでそれほどいやな思いをせずにすんだ。少なくとも、グリフィンドールの談話室に「お知らせ」が出るまではそうだった。掲示を読んでみんながっくりした。

──飛行訓練は木曜日に始まります。グリフィンドールとスリザリンとの合同授業です。

「そらきた。お望みどおりだ。マルフォイの目の前で箒に乗って、物笑いの種になるのさ」

何よりも空を飛ぶ授業を楽しみにしていただけに、ハリーの失望は大きかった。

「そうなるとはかぎらないよ。あいつ、クィディッチがうまいっていつも自慢してるけど、口先だけだよ」

ロンの言うことはもっともだった。マルフォイは確かによく飛行の話をしたし、一年生がクィディッチ・チームの寮代表選手になれないなんて残念だと、みんなの前で聞こえよがしに不満を言った。マルフォイの長ったらしい自慢話は、なぜかいつも、マグルの乗ったヘリコプターを危うくかわしたところで終わる。自慢するのはマルフォイ

ばかりではない。シェーマス・フィネガンは、子供のころ、いつも箒に乗って、田舎の上空を飛び回っていたという。ロンでさえ、聞いてくれる人がいれば、チャーリーの家のお古の箒に乗って、ハンググライダーにぶつかりそうになったときの話をしただろう。魔法使いの家の子はみんなひっきりなしにクィディッチの話をした。ロンも同室のディーン・トーマスと、サッカーについて大論争をやらかしていた。ロンにしてみれば、ボールがたった一つしかなくて、しかも選手が飛べないゲームなんてどこがおもしろいのかわからない、というわけだ。ディーンの好きなウエストハム・ユナイテッドのポスターの前で、ロンが選手を指でつついて動かそうとしているのをハリーは見たことがある。

ネビルはいままで一度も箒に乗ったことがなかった。おばあさんがけっして近づかせなかったからで、ハリーも密（ひそ）かにおばあさんが正しいと思った。だいたいネビルは両足が地面に着いていたって、ひっきりなしに事故を起こすのだから。

ハーマイオニー・グレンジャーも飛ぶことに関してはネビルと同じぐらいピリピリしていた。これ
ばっかりは、本を読んで暗記すればすむものではない――だからといって彼女が飛行の本を読まなかったわけではない。木曜日の朝食のとき、ハーマイオニーは図書館で借りた『クィディッチ今昔（いまむかし）』で仕入れた飛行のコツをうんざりするほど話しまくった。ネビルだけは、いまハーマイオニーの話にしがみついていれば、あとで箒にもしがみついていられると思ったのか、必死で一言も聞きもらすまいとした。

その時ふくろう便が届き、ハーマイオニーの講義がさえぎられたのでみんなホッとしていた。
ハグリッドの手紙のあと、ハリーにはただの一通も手紙が来ていない。もちろんマルフォイはすぐにそれに気がついた。マルフォイのワシミミズクは、いつも家から菓子の包みを運んできたし、マルフォイはスリザリンのテーブルでいつも得意げにそれを広げてみせた。

メンフクロウがネビルに、おばあさんからの小さな包みを持ってきた。ネビルはうきうきとそれを開

第9章　真夜中の決闘

173

けて、白い煙のようなものが詰まっているように見える大きなビー玉ぐらいのガラス玉をみんなに見せた。

「『思い出し玉』だ！ ばあちゃんは僕が忘れっぽいこと知ってるから——何か忘れてると、この玉が教えてくれるんだ。見ててごらん。こういうふうにギュッと握るんだよ。もし赤くなったら——あれ……」

思い出し玉が突然真っ赤に光りだしたので、ネビルは愕然(がくぜん)とした。

「……何かを忘れてるってことなんだけど……」

ネビルが何を忘れたのか思い出そうとしているとき、マルフォイがグリフィンドールのテーブルのそばを通りかかり、玉をひったくった。

ハリーとロンははじけるように立ち上がった。二人ともマルフォイとけんかする口実を心のどこかで待っていた。ところがマクゴナガル先生がサッと現れた。いざこざを目ざとく見つけるのはいつもマクゴナガル先生だった。

「どうしたんですか？」

「先生、マルフォイが僕の『思い出し玉』を取ったんです」

マルフォイはしかめっ面で、すばやく玉をテーブルに戻した。

「見てただけですよ」

そう言うと、マルフォイはクラッブとゴイルを従えてスルリと逃げた。

その日の午後三時半、ハリーもロンも、グリフィンドール寮生と一緒に、初めての飛行訓練を受けるため、正面階段から校庭へと急いだ。よく晴れた少し風のある日で、足元の草がサワサワと波立ってい

ハリー・ポッターと賢者の石
174

た。傾斜のある芝生を下り、校庭を横切って平坦な芝生まで歩いていくと、校庭の反対側には「禁じら

れた森」が見え、遠くのほうに暗い森の木々が揺れていた。

スリザリン寮生はすでに到着していて、二十本の箒が地面に整然と並べられていた。ハリーは双子の

フレッドとジョージが、学校の箒のことをこぼしていたのを思い出した。高い所に行くと震えだす箒と

か、どうしても少し左に行ってしまうくせがあるものとか。

マダム・フーチが来た。白髪を短く切り、鷹のような黄色い目をしている。

「なにをぼやぼやしてるんですか？」開口一番ガミガミだ。「みんな箒のそばに立って。さあ、早く」

ハリーは自分の箒をちらりと見下ろした。古ぼけて、小枝が何本かとんでもない方向に飛び出してい

る。

「右手を箒の上に突き出して」マダム・フーチがかけ声をかけた。

「そして、『上がれ！』と言う」

みんなが **「上がれ！」** と叫んだ。

ハリーの箒はすぐさま飛び上がってハリーの手に収まったが、飛び上がった箒は少なかった。ハーマ

イオニーの箒は地面をコロリと転がっただけで、ネビルの箒ときたらピクリともしない。たぶん箒も馬

と同じで、乗り手が怖がっているのがわかるんだ、とハリーは思った。ネビルの震え声じゃ、地面に両

足を着けていたい、と言っているのが見え見えだ。

次にマダム・フーチは、箒の端からすべり落ちないように箒にまたがる方法をやって見せ、生徒たち

の列の間を回って、箒の握り方を直した。マルフォイがずっとまちがった握り方をしていたと先生に指

摘されたので、ハリーとロンは大喜びだった。

「さあ、私が笛を吹いたら、地面を強く蹴ってください。箒はぐらつかないように押さえ、二メートル

第9章　真夜中の決闘

175

ぐらい浮上して、それから少し前かがみになってすぐに降りてきてください。笛を吹いたらですよ——

一、二の——」

ところが、ネビルは、緊張するやら怖気づくやら、一人だけ地上に置いてきぼりを食いたくないやらで、先生の唇が笛に触れる前に思いっきり地面を蹴ってしまった。

「こら、戻ってきなさい！」先生の大声をよそに、ネビルはシャンパンのコルク栓が抜けたようにヒューッと飛んでいった——四メートル——六メートル——ハリーはネビルが真っ青な顔でぐんぐん離れていく地面を見下ろしているのを見た。声にならない悲鳴を上げ、ネビルは箒から真っ逆さまに落ちた。そして——。

ガーン——ドサッ、ポキッといういやな音を立てて、ネビルは草の上にうつぶせに墜落し、草地にこぶができたように突っ伏した。箒だけはさらに高く高く昇り続け、「禁じられた森」のほうへゆらゆら漂いはじめ、やがて見えなくなってしまった。

マダム・フーチは、ネビルと同じくらい真っ青になって、ネビルの上にかがみ込んだ。

「手首が折れてるわ」

ハリーは先生がそうつぶやくのを聞いた。

「さあさあ、ネビル、大丈夫。立って」

先生はほかの生徒のほうに向きなおった。

「私がこの子を医務室に連れていきますから、その間、誰も動いてはいけません。箒もそのままにして置いておくように。さもないと、クィディッチの『ク』を言う前にホグワーツから出ていってもらいますよ」

「さあ、ネビル、行きましょう」

涙でぐちゃぐちゃの顔をしたネビルは、手首を押さえ、先生に抱きかかえられるようにして、よれよれになって歩いていった。

二人がもう声の届かない所まで行ったとたん、マルフォイは大声で笑いだした。

「あいつの顔を見たか？　あの大まぬけの」

ほかのスリザリン寮生たちもはやし立てた。

「やめてよ、マルフォイ」パーバティ・パチルがとがめた。

「へー、ロングボトムの肩を持つの？」

「パーバティったら、まさか**あなたが**チビデブの泣き虫小僧に気があるなんて知らなかったわ」気の強そうなスリザリンの女の子、パンジー・パーキンソンが冷やかした。

「見ろよ！」

マルフォイが飛び出して草むらの中から何かを拾い出した。

「ロングボトムのばあさんが送ってきたバカ玉だ」

マルフォイが高々とさし上げると、「思い出し玉」はキラキラと陽（ひ）に輝いた。

「マルフォイ、こっちへ渡してもらおう」

ハリーの静かな声に、誰もが口をつぐんで二人に注目した。

マルフォイはニヤリと笑った。

「それじゃ、ロングボトムがあとで取りにこられる所に置いておくよ。そうだな──木の上なんてどうだい？」

「**こっちに渡せ**ったら！」

ハリーは声を荒らげた。　マルフォイはひらりと箒に乗り、飛び上がった。　上手に飛べると言っていた

第9章　真夜中の決闘

177

のは確かにうそではなかった——マルフォイは樫の木の梢と同じ高さまで舞い上がり、そこに浮いたまま呼びかけた。

「ここまで取りにこいよ、ポッター」

ハリーは箒をつかんだ。

「ダメ！　フーチ先生がおっしゃったでしょう、動いちゃいけないって。私たちみんなが迷惑するのよ」

ハーマイオニーが叫んだ。

ハリーは無視した。ドクン、ドクンと血が騒ぐのを感じた。箒にまたがり地面を強く蹴ると、ハリーは急上昇した。高く高く、風を切り、髪がなびく。マントがはためく。強く激しい喜びが押し寄せてくる。

——僕には教えてもらわなくてもできることがあったんだ——簡単だよ。飛ぶってなんてすばらしいんだ！　もっと高い所に行こう。

ハリーは箒を上向きに引っ張った。下で女の子たちが息をのみ、キャーキャー言う声や、ロンが感心して歓声を上げているのが聞こえた。

ハリーはくるりと箒の向きを変え、空中でマルフォイと向き合った。マルフォイはぼうぜんとしている。

「こっちへ渡せよ。でないと箒から突き落としてやる」

「へえ、そうかい？」

マルフォイはせせら笑おうとしたが、顔がこわばっていた。

不思議なことに、どうすればいいかハリーにはわかっていた。前かがみになる。そして箒を両手で

ハリー・ポッターと賢者の石
178

しっかりと握る。すると箒は槍のようにマルフォイめがけて飛び出した。マルフォイは危うくかわした。

ハリーは鋭く一回転して、箒をしっかり握りなおした。下では何人かが拍手をしている。

「クラッブもゴイルもここまでは助けにこないぞ。ピンチだな、マルフォイ」

マルフォイもちょうど同じことを考えたらしい。

「取れるものなら取るがいい、ほら！」

と叫んで、マルフォイはガラス玉を空中高く放り投げ、稲妻のように地面に戻っていった。

ハリーにはいったん高く上がった玉が、次に落下しはじめるのが、まるでスローモーションのようによく見えた。ハリーは前かがみになって箒の柄を下に向けた。次の瞬間、ハリーは一直線に急降下し、見る見るスピードを上げて玉と競走していた。下で見ている人の悲鳴とまじり合って、風が耳元でヒューヒュー鳴った――ハリーは手を伸ばす――地面すれすれの所で玉をつかんだ。間一髪でハリーは箒を引き上げて水平に立てなおし、草の上に転がるように軟着陸した。「思い出し玉」をしっかりと手のひらに握りしめたまま。

「ハリー・ポッター！」

マクゴナガル先生が走ってきた。ハリーの気持ちは、いましがたのダイビングよりなお速いスピードでしぼんでいった。ハリーはブルブル震えながら立ち上がった。

「まさか――こんなことはホグワーツで一度も……」マクゴナガル先生はショックで言葉も出なかった。めがねが激しく光っている。

「……よくもまあ、こんな大それたことを……首の骨を折ったかもしれないのに――」

「先生、ハリーが悪いんじゃないんです――」

「おだまりなさい、ミス・パチル――」

第9章　真夜中の決闘

179

「でも、マルフォイが——」

「ミスター・ウィーズリー、くどいですよ。ポッター、さあ、一緒にいらっしゃい」

マクゴナガル先生は大股に城に向かって歩きだし、ハリーはまひしたようにとぼとぼとついていった。

マルフォイ、クラッブ、ゴイルの勝ち誇った顔がちらりと目に入った。——僕は退学になるんだ。わかった——。弁解したかったが、どういうわけか声が出ない。マクゴナガル先生は、ハリーには目もくれず、飛ぶように歩いた。ハリーはほとんど駆け足でないとついていけなかった。

——とうとうやってしまった。二週間ももたなかった。きっと十分後には荷物をまとめるハメになっている。

僕が玄関に姿を現したら、ダーズリー一家はなんて言うだろう？

正面の石段を上り、ホールの大理石の階段を上がり、それでもマクゴナガル先生はハリーに一言も口をきかない。先生はドアをぐいっとひねるように開け、廊下を突き進む。ハリーはみじめな姿で早足でついていく……たぶん、ダンブルドアの所に連れていくんだろうな。ハリーはハグリッドのことを考えた。彼も退学にはなったけど、森の番人としてここにいる。もしかしたらハグリッドの助手になれるかもしれない。ロンやほかの子が魔法使いになっていくのをそばで見ながら、僕はハグリッドの荷物をかついで、校庭を這いずり回っているんだ……想像するだけで胃がよじれる思いだった。

マクゴナガル先生は教室の前で立ち止まり、ドアを開けて中に首を突っ込んだ。

「フリットウィック先生、申し訳ありませんが、ちょっとウッドをお借りできませんか」

ウッド？　ウッドって、木のこと？　僕をたたくための棒のことかな。ハリーはわけがわからなかった。

ウッドは人間だった。フリットウィック先生のクラスから出てきたのはたくましい五年生で、何事だろうという顔をしていた。

ハリー・ポッターと賢者の石

180

「二人とも私についていらっしゃい」

そう言うなりマクゴナガル先生はどんどん廊下を歩きだした。ウッドはめずらしいものでも見るようにハリーを見ている。

「お入りなさい」

マクゴナガル先生は人気のない教室を指し示した。中でピーブズが黒板に下品な言葉を書きなぐっていた。

「出ていきなさい、ピーブズ！」

先生に一喝されてピーブズの投げたチョークがごみ箱に当たり、大きな音を立てた。ピーブズは捨てぜりふを吐きながらスイーッと出ていった。マクゴナガル先生はその後ろからドアをピシャリと閉めて、二人のほうに向きなおった。

「ポッター、こちら、オリバー・ウッドです。ウッド、シーカーを見つけましたよ」

狐につままれたようだったウッドの表情がほころんだ。

「本当ですか？」

「まちがいありません」先生はきっぱりと言った。

「この子は生まれつきそうなんです。あんなものを私は初めて見ました。ポッター、初めてなんでしょう？ 箒に乗ったのは」

ハリーはだまってうなずいた。事態がどうなっているのか、さっぱりわからなかったが、退学処分だけは免れそうだ。ようやく足にも感覚が戻ってきた。マクゴナガル先生がウッドに説明している。

「この子は、いま手に持っている玉を、十五メートルもダイビングしてつかみました。かすり傷ひとつ負わずに。チャーリー・ウィーズリーだってそんなことはできませんでしたよ」

第9章　真夜中の決闘

181

ウッドは夢が一挙に実現したという顔をした。

「ポッター、クィディッチの試合を見たことあるかい。」ウッドの声が興奮している。

「ウッドはグリフィンドール・チームのキャプテンです」先生が説明してくれた。

「体格もシーカーにぴったりだ」

ウッドはハリーの回りを歩きながらしげしげ観察している。

「身軽だし……すばしこいし……ふさわしい箒を持たせないといけませんね、先生——ニンバス200

0とか、クリーンスイープの7番なんかがいいですね」

「私からダンブルドア先生に話してみましょう。一年生の規則を曲げられるかどうか。是が非でも去年よりは強いチームにしなければ。あの最終試合でスリザリンにペシャンコにされて、私はそれから何週間もセブルス・スネイプの顔をまともに見られませんでした……」

マクゴナガル先生はめがねごしに厳しい目つきでハリーを見た。

「ポッター、あなたが厳しい練習を積んでいるという報告を聞きたいものです。さもないと処罰について考えなおすかもしれませんよ」

それから突然、先生はニッコリした。

「あなたのお父さまがどんなにお喜びになったことか。お父さまもすばらしい選手でした」

「まさか」

夕食時だった。マクゴナガル先生に連れられてグラウンドを離れてから何があったか、ハリーはロンに話して聞かせた。ロンはステーキ・キドニーパイを口に入れようとしたところだったが、そんなことはすっかり忘れて叫んだ。

「**シーカー**だって？　だけど一年生は**絶対ダメ**だと……なら、君は最年少の寮代表選手だよ。ここ何年来なかったか……」

「……百年ぶりだって。ウッドがそう言ってたよ」

ハリーはパイをかき込むように食べていた。大興奮の午後だったので、ひどくお腹（なか）がすいていた。あまりに驚いて、感動して、ロンはただぼうっとハリーを見つめるばかりだった。

「来週から練習が始まるんだ。でも誰にも言うなよ。ウッドは秘密にしておきたいんだって」

その時、双子のウィーズリーがホールに入ってきて、ハリーを見つけると足早にやってきた。

「すごいな」ジョージが低い声で言った。「ウッドから聞いたよ。俺たちも選手なんだ──ビーターだ」

「今年のクィディッチ・カップはいただきだぜ」とフレッドが言った。「チャーリーがいなくなってから、一度も取ってないんだよ。だけど今年は抜群のチームになりそうだ。ハリー、君はよっぽどすごいんだな。ウッドときたら小躍りしてたぜ」

「じゃあな、俺たち行かなくちゃ。リー・ジョーダンが学校を出る秘密の抜け道を見つけたって言うんだ」

「それって俺たちが最初の週に見つけちまったやつだと思うけどね。きっと『おべんちゃらのグレゴリー』の銅像の裏にあるやつさ。じゃ、またな」

フレッドとジョージが消えるやいなや、会いたくもない顔が現れた。クラッブとゴイルを従えたマルフォイだ。

「ポッター、最後の食事かい？　マグルの所に帰る汽車にいつ乗るんだい？」

「地上ではやけに元気だな。小さなお友達もいるしね」

ハリーは冷ややかに言った。クラッブもゴイルもどう見たって小さくはないが、上座のテーブルには

第9章　真夜中の決闘

183

先生がズラリと座っているので、二人とも握り拳をボキボキ鳴らし、にらみつけることしかできなかった。

「僕一人でいつだって相手になろうじゃないか。ご所望なら今夜だっていい。魔法使いの決闘だ。杖だけだ——相手には触れない。どうしたんだい？　魔法使いの決闘なんて聞いたこともないんじゃないのか？」マルフォイが言った。

「もちろんあるさ。僕が介添人をする。おまえのは誰だい？」ロンが口をはさんだ。

マルフォイはクラッブとゴイルの大きさを比べるように二人を見た。

「クラッブだ。真夜中でいいな？　トロフィー室にしよう。いつも鍵が開いてるんでね」

マルフォイがいなくなると、二人は顔を見合わせた。

「魔法使いの決闘ってなんだい？　君が僕の介添人ってどういうこと？」

「介添人っていうのは、君が死んだらかわりに僕が戦うという意味さ」

すっかり冷めてしまった食べかけのパイをようやく口に入れながら、ロンは気軽に言った。ハリーの顔色が変わったのを見て、ロンはあわててつけ加えた。

「死ぬのは、本当の魔法使い同士の本格的な決闘の場合だけだよ。君とマルフォイだったらせいぜい火花をぶつけ合う程度だろ。二人とも、まだ相手に本当のダメージを与えるような魔法なんて使えない。

マルフォイはきっと君が断ると思っていたんだよ」

「もし僕が杖を振っても何も起こらなかったら？」

「杖なんか捨てちゃえ。鼻にパンチを食らわせろ」ロンの意見だ。

「ちょっと、失礼」

二人が見上げると、今度はハーマイオニー・グレンジャーだった。

ハリー・ポッターと賢者の石

184

「まったく、ここじゃ落ち着いて食べることもできないんですかね?」とロンが言う。

ハーマイオニーはロンを無視して、ハリーに話しかけた。

「聞くつもりはなかったんだけど、あなたとマルフォイの話が聞こえちゃったの——」

「聞くつもりがあったんじゃないの」ロンがつぶやいた。

「……夜、校内をうろうろするのは**絶対ダメ**。もし捕まったらグリフィンドールが何点減点されるか考えてよ。それに捕まるに決まってるわ。まったくなんて自分勝手なの」

「まったく大きなお世話だよ」ハリーが言い返した。

「バイバイ」ロンがとどめを刺した。

いずれにしても、「終わりよければすべてよし」の一日にはならなかったなと考えながら、ハリーはその夜遅く、ベッドに横になり、ディーンとシェーマスの寝息に耳を澄ましていた(ネビルはまだ医務室から帰ってきていない)。ロンは夕食後、つきっきりでハリーに知恵をつけてくれた。「呪いを防ぐ方法は忘れちゃったから、もし呪いをかけられたら身をかわせ」などなど。フィルチやミセス・ノリスに見つかる恐れもおおいにあった。同じ日に二度も校則を破るなんて、危ない運試しだという気がした。しかし、せせら笑うようなマルフォイの顔が暗闇の中に浮かび上がってくる——いまこそマルフォイを一対一でやっつけるまたとないチャンスだ。逃してなるものか。

「十一時半だ。そろそろ行くか」ロンがささやいた。

二人はパジャマの上にガウンを引っかけ、杖を手に、寝室を這って横切り、塔の螺旋階段を下り、グリフィンドールの談話室に下りてきた。暖炉にはまだわずかに残り火が燃え、ひじかけ椅子が弓なりの黒い影に見えた。

出口の肖像画の穴に入ろうとした瞬間、一番近くの椅子から声がした。

第9章　真夜中の決闘

185

「ハリー、まさかあなたがこんなことするとは思わなかったわ」

ランプがポッと現れた。ハーマイオニーだ。ピンクのガウンを着てしかめっ面をしている。

「**また君か！** ベッドに戻れよ！」ロンがカンカンになって言った。

「本当はあんたのお兄さんに言おうかと思ったのよ。パーシーに。監督生だから、絶対にやめさせるわ」ハーマイオニーは容赦なく言った。

ハリーはここまでお節介なのが世の中にいるなんて信じられなかった。

「行くぞ」とロンに声をかけると、ハリーは「太った婦人レディ」の肖像画を押し開け、その穴を乗り越え、二人に向かって怒ったアヒルのように、ガアガア言い続けた。

そんなことであきらめるハーマイオニーではない。ロンに続いて肖像画の穴を乗り越え、

「グリフィンドールがどうなるか気にならないの？ **自分のことばっかり気にして。** スリザリンが寮杯を取るなんて私はいやよ。私が変身呪文を知ってたおかげでマクゴナガル先生がくださった点数を、あなたたちがご破算にするんだわ」

「あっちへ行けよ」

「いいわ。ちゃんと忠告しましたからね。明日、家に帰る汽車の中で私の言ったことを思い出すでしょうよ。あなたたちは本当に……」

本当になんなのか、そのあとは聞けずじまいだった。ハーマイオニーが中に戻ろうと後ろを向くと、肖像画がなかった。太った婦人は夜のお出かけで、ハーマイオニーはグリフィンドール塔からしめ出されてしまったのだ。

「さあ、どうしてくれるの？」ハーマイオニーはけたたましい声で問い詰めた。

「知ったことか」とロンが言った。「僕たちはもう行かなきゃ。遅れちゃうよ」

廊下の入口にさえたどり着かないうちに、ハーマイオニーが追いついた。

「一緒に行くわ」

「来るな！　来るなよ」

「ここに突っ立ってフィルチに捕まるのを待ってろっていうの？　三人とも見つかったら、私、フィルチに本当のことを言うわ。私はあなたたちを止めようとしたって。あなたたち、私の証人になるのよ」

「君、相当いい神経してるぜ——」ロンが大声を出した。

「シッ。二人とも静かに！」ハリーが鋭くさえぎった。「何か聞こえるぞ」

かぎ回っているような音だ。

「ミセス・ノリスか？」

暗がりを透かし見ながら、ロンがヒソヒソ声で言った。

ミセス・ノリスではない。ネビルだった。床に丸まってぐっすりと眠っていたが、三人が忍び寄るとびくっと目を覚ました。

「ああよかった！　見つけてくれて。もう何時間もここにいるんだよ。ベッドに行こうとしたら新しい合言葉を忘れちゃったんだ」

「小さい声で話せよ、ネビル。合言葉は『豚の鼻』だけど、いまは役に立ちゃしない。太った婦人はどっかへ行っちまった」

「腕の具合はどう？」とハリーが聞いた。

「大丈夫。マダム・ポンフリーがあっという間に治してくれたよ」

「よかったね——悪いけど、ネビル、僕たちはこれから行く所があるんだ。またあとでね」

「そんな、置いていかないで！」ネビルはあわてて立ち上がった。

第9章　真夜中の決闘

187

「ここに一人でいるのはいやだよ。『血みどろ男爵』がもう二度もここを通ったんだよ」

ロンは腕時計に目をやり、それからものすごい顔でネビルとハーマイオニーをにらんだ。

「もし君たちのせいで、僕たちが捕まるようなことになったら、クィレルが言ってた『悪霊の呪い』を覚えて君たちにかけるまでは、僕、絶対に許さない」

ハーマイオニーは口を開きかけた。「悪霊の呪い」の使い方をきっちりロンに教えようとしたのかもしれない。でもハリーはシーッとだまらせ、目配せでみんなに進めと言った。

高窓からの月の光が廊下に縞模様を作っていた。その中を四人はすばやく移動した。曲がり角に来るたび、ハリーはフィルチかミセス・ノリスに出くわすような気がしたが、出会わずにすんだのはラッキーだった。大急ぎで四階への階段を上がり、抜き足差し足でトロフィー室に向かった。

マルフォイもクラブもまだ来ていなかった。トロフィー棚のガラスがところどころ月の光を受けてキラキラと輝き、カップ、盾、賞杯、像などが、暗がりの中でときどき瞬くように金銀にきらめいた。四人は部屋の両端にあるドアから目を離さないようにしながら、壁を伝って歩いた。マルフォイが飛びこんできて不意打ちを食らわすかもしれないと、ハリーは杖を取り出した。数分の時間なのに長く感じられる。

「遅いな、マルフォイのやつ、たぶん怖気づいたんだよ」とロンがささやいた。

その時、隣の部屋で物音がして、四人は飛び上がった。ハリーが杖を振り上げようとしたとき、誰かの声が聞こえた──マルフォイではない。

「いい子だ。しっかりかぐんだぞ。隅のほうにひそんでいるかもしれないからな」

フィルチがミセス・ノリスに話しかけている。心臓が凍る思いで、ハリーはめちゃめちゃに三人を手招きし、急いで自分についてくるよう合図した。四人は音を立てずに、フィルチの声とは反対側のドア

ハリー・ポッターと賢者の石

188

へと急いだ。ネビルの服が曲がり角からヒョイと消えたとたん、間一髪、フィルチがトロフィー室に入ってくるのが聞こえた。

「どこかこのへんにいるぞ。隠れているにちがいない」フィルチがブツブツ言う声がする。

「こっちだよ！」

ハリーがほかの三人にささやいた。鎧がたくさん飾ってある長い回廊を、四人は石のようにこわばって這い進んだ。フィルチがどんどん近づいて来るのがわかる。ネビルが恐怖のあまり突然悲鳴を上げ、やみくもに走りだした——つまずいてロンの腰に抱きつき、二人そろってまともに鎧にぶつかって倒れ込んだ。

ガラガラガッシャーン。城中の人を起こしてしまいそうなすさまじい音がした。

「逃げろ！」

ハリーが声を張り上げ、四人は回廊を疾走した。フィルチが追いかけてくるかどうか振り向きもせず——全速力でドアを通り、次から次へと廊下を駆け抜け、いまどこなのか、どこへ向かっているか、先頭を走っているハリーにも全然わからない——壁のタペストリーをめくり上げて隠れた抜け道を見つけ、矢のようにそこを抜け、出てきた所が「呪文学」の教室の近くだった。そこはトロフィー室からだいぶ離れていることだけはわかっていた。

「フィルチを巻いたと思うよ」

冷たい壁に寄りかかり、額の汗をぬぐいながらハリーは息をはずませていた。ネビルは体を二つ折りにしてゼイゼイ咳き込んでいた。

「だから——そう——言ったじゃない」ハーマイオニーは胸を押さえて、あえぎあえぎ言った。「忠告——したのに」

第9章　真夜中の決闘

189

「グリフィンドール塔に戻らなくちゃ、できるだけ早く」とロン。

「マルフォイにはめられたのよ。ハリー、あなたもわかってるんでしょう？　はじめから来る気なんかなかったんだわ——マルフォイが告げ口したのよね。だからフィルチは、誰かがトロフィー室に来るって知ってたのよ」

ハリーもたぶんそうだと思ったが、ハーマイオニーの前ではそうだと言いたくなかった。

「行こう」

そうは問屋がおろさなかった。ほんの十歩と進まないうちに、ドアの取っ手がガチャガチャ鳴り、教室から何かが飛び出してきた。

ピーブズだ。四人を見ると歓声を上げた。

「だまれ、ピーブズ……お願いだから——じゃないと僕たち、退学になっちゃう」

ピーブズはケラケラ笑っている。

「真夜中にふらふらしてるのかい？　一年生ちゃん。チッ、チッ、チッ、悪い子、悪い子、捕まるぞ」

「だまっててくれたら捕まらずにすむよ。お願いだ。ピーブズ」

「フィルチに言おう。言わなくちゃ。君たちのためになることだものね」

ピーブズは聖人君子のような声を出したが、目は意地悪く光っていた。

「どいてくれよ」

ロンがどなってピーブズを払いのけようとした——これが大まちがいだった。

「生徒がベッドから抜け出した！」——『呪文学』**教室の廊下にいるぞ！**

ピーブズは大声で叫んだ。

ピーブズの下をすり抜け、四人は命からがら逃げ出した。廊下の突き当たりでドアにぶち当たった

――鍵がかかっている。

「もうダメだ！」とロンがうめいた。みんなでドアを押したがどうにもならない。

「おしまいだ！　一巻の終わりだ！」

足音が聞こえた。ピーブズの声を聞きつけ、フィルチが全速力で走ってくる。

「ちょっとどいて」

ハーマイオニーは押し殺したような声でそう言うと、ハリーの杖をひったくり、鍵を杖で軽くたたいて、つぶやいた。

「アロホモラ！」

カチッと鍵が開き、ドアがパッと開いた――四人はなだれを打って入り込み、いそいでドアを閉めた。

そしてみんなドアに耳をピッタリつけて、耳を澄ました。

「どっちに行った！　早く言え、ピーブズ」フィルチの声だ。

『どうぞ』とていねいに頼みな」

「ゴチャゴチャ言うな。さあ連中はどっちに行った？」

「どうぞと言わないなら、なーんにも言わないよ」

ピーブズはいつもの変な抑揚のあるカンにさわる声で言った。

「しかたがない――どうぞ」

「なーんにも！　ハハハ。言っただろう。『どうぞ』と言わなけりゃ『なーんにも』言わないって。ハッハのハーだ！」

ピーブズがヒュッと消える音と、フィルチが怒り狂って悪態をつく声が聞こえた。

「フィルチはこのドアに鍵がかかってると思ってる。もうオッケーだ――ネビル、**放してくれよ！**」

第9章　真夜中の決闘

191

ハリーがヒソヒソ声で言った。ネビルはさっきからハリーのガウンのそでを引っ張っていたのだ。

「え？　**なに？**」

ハリーは振り返った——そしてはっきりと見た。「なに」を。しばらくの間、ハリーは自分が悪夢にうなされているにちがいないと思った——あんまりだ。今日はもう、いやというほどいろいろあったのに。

そこはハリーが思っていたような部屋ではなく、廊下だった。しかも四階の「禁じられた廊下」だ。いまこそ、なぜ立ち入り禁止なのか納得した。

四人が真正面に見たのは、怪獣のような犬の目だった——床から天井までの空間全部がその犬で埋まっている。頭が三つ。血走った三組のギョロ目。三つの鼻がそれぞれの方向にヒクヒク、ピクピクしている。三つの口から黄色い牙をむきだし、その間からダラリと、ぬめぬめした縄のような、よだれが垂れ下がっていた。

怪物犬はじっと立ったまま、その六つの目全部でハリーたちをじっと見ている。まだ四人の命があったのは、ハリーたちが急に現れたので怪物犬がふいをつかれて戸惑ったからだ。もうその戸惑いも消えたらしい。雷のような唸り声がまちがいなくそう言っている。

ハリーはドアの取っ手をまさぐった——フィルチか死か——フィルチのほうがましだ。

四人はさっきとは反対方向に倒れ込んだ。ハリーがドアをバタンと閉め、みんな飛ぶようにさっき来た廊下を駆けだした。急いで別の場所を探しにいっているらしい。そんなことはもうどうでもよかった——とにかくあの怪獣犬から少しでも遠く離れたい一心だ。駆けに駆け続けて、やっと八階の太った婦人の肖像画までたどり着いた。

「まあいったいどこに行ってたの？」

ハリー・ポッターと賢者の石

192

ガウンは肩からズレ落ちそうだし、顔は紅潮して汗だくだし、婦人は四人の様子を見て驚いた。

「なんでもないよ——**豚の鼻、豚の鼻**」

息も絶え絶えにハリーがそう言うと、肖像画がパッと前に開いた。四人はやっとの思いで談話室に入り、わなわな震えながらひじかけ椅子にへたり込んだ。口がきけるようになるまでにしばらくかかった。ネビルときたら、二度と口がきけないのじゃないかとさえ思えた。

「あんな怪物を学校の中に閉じ込めておくなんて、いったい学校は何を考えているんだろう」

やっとロンが口を開いた。「世の中に運動不足の犬がいるとしたら、まさにあの犬だね」

ハーマイオニーは息も不機嫌さも同時に戻ってきた。

「あなたたち、どこに目をつけてるの？」ハーマイオニーがつっかかるように言った。「あの犬がなんの上に立ってたか、見なかったの？」

「床の上じゃないの？」ハリーが一応意見を述べた。「僕、足なんか見てなかった。頭を三つ見るだけで精一杯だったよ」

ハーマイオニーは立ち上がってみんなをにらみつけた。

「ちがう。**床**じゃない。仕掛け扉の上に立ってたのよ。何かを守ってるのにちがいないわ」

「あなたたち、さぞかしご満足でしょうよ。もしかしたらみんな殺されてたかもしれないのに——もっと悪いことに、退学になったかもしれないのよ。では、みなさん、おさしつかえなければ、休ませていただくわ」

ロンはポカンと口をあけてハーマイオニーを見送った。

「おさしつかえなんかあるわけないよな。あれじゃ、まるで僕たちがあいつを引っ張り込んだみたいに聞こえるじゃないか、な？」

ハーマイオニーの言ったことがハリーには別の意味でひっかかった。ベッドに入ってからもそれを考えていた。犬が何かを守っている……ハグリッドがなんて言ったっけ？

——何かを安全にしまっておくには、グリンゴッツが世界一安全な場所だ——たぶんホグワーツ以外ではな……。

七一三番金庫から持ってきたあの汚い小さな包みが、いまどこにあるのか、ハリーはそれがわかったような気がした。

ハリー・ポッターと賢者の石

194

第10章　ハロウィーン

次の日、ハリーとロンがまだホグワーツにいるのを見て、マルフォイは目を疑った。二人ともつかれた顔をしていたが上機嫌だった。朝になってみるとハリーもロンも、あの三つ頭の犬に出会ったことがすばらしい冒険に思えたし、次の冒険が待ち遠しくなっていた。とりあえず、ハリーはロンに例の包みのこと、それがグリンゴッツからホグワーツに移されたのではないかということを話して聞かせた。あんなに厳重な警備が必要なものっていったいなんだろうと、二人はあれこれ話した。

「ものすごく大切か、ものすごく危険なものだな」とロン。

「その両方かも」とハリー。

謎の包みについては、五センチぐらいの長さのものだろうということしかわからなかったので、それ以上、推測のしようもなかった。

三頭犬と仕掛け扉の下に何が隠されているのか、ネビルもハーマイオニーもまったく興味を示さなかった。ネビルにとっては、二度とあの犬に近づかないということだけが重要だった。ハーマイオニーはハリーともロンともあれから口をきかなかったが、えらそうな知ったかぶり屋に指図されないですむのは、二人にとってむしろおまけをもらったような気分だった。ハリーとロンの思いは、いまや、どうやってマルフォイに仕返しするかだけだった。それから一週間ほどすると、なんと、そのチャンスが郵便とともにやってきた。

いつものようにふくろうが群れをなして大広間に飛んできた。六羽のオオコノハズクがくわえた細長

い包みがすぐにみんなの気を引いた。ハリーも興味津々で、あの大きな包みはなんだろうと見ていると、驚いたことに、コノハズクはハリーの真ん前に舞い降りて、その大きな包みを落とし、ハリーの食べていたベーコンを床にはねとばした。六羽がまだ飛び去らないうちに、もう一羽のふくろうが包みの上に手紙を落としていった。

ハリーは急いで手紙を開けた。それが正解だった。手紙にはこう書いてあった。

包みをここで開けないように。

中身は新品のニンバス2000です。
あなたが箒を持ったことがわかると、みんなが欲しがるので、気づかれないようにしなければなりません。

今夜七時、クィディッチ競技場でオリバー・ウッドが待っています。

最初の練習です。

M・マクゴナガル教授

手紙をロンに渡しながら、ハリーは喜びを隠しきれなかった。

「ニンバス2000だって？　僕、**さわったことさえないよ**」

ロンはうらやましそうに唸った。

一時間目が始まる前に二人だけで箒を見ようと、急いで大広間を出たが、玄関ホールの途中で、クラップとゴイルが寮に上がる階段の前に立ちふさがっているのに気づいた。マルフォイがハリーの包みをひったくって、中身を確かめるようにさわった。

ハリー・ポッターと賢者の石

196

「箒だ」

マルフォイはねたましさと苦々しさの入りまじった顔つきで、ハリーに包みを投げ返した。

「今度こそおしまいだな、ポッター。一年生は箒を持っちゃいけないんだ」

ロンはがまんしきれずに言い返した。

「ただの箒なんかじゃないぞ。なんてったって、ニンバス2000だぜ。君、家に何持ってるって言っ
た？ コメット260かい？」

ロンはハリーに向かってニヤッと笑いかけた。

「コメットって見かけは派手だけどニンバスとは格がちがうんだよ」

「君に何がわかる、ウィーズリー。柄の半分も買えないくせに。兄貴たちと一緒に小枝を一本ずつ貯め
なきゃならないくせに」

マルフォイがかみついてきた。ロンが応戦しようとしたときに、フリットウィック先生がマルフォイ
のひじのあたりに現れた。

「君たち、言い争いじゃないだろうね？」先生がキーキー声で言った。

「先生、ポッターの所に箒が送られてきたんですよ」マルフォイがさっそく言いつけた。

「いや――、いや――、そうらしいね」先生はハリーに笑いかけた。

「マクゴナガル先生が特別措置について話してくれたよ。ところでポッター、箒は何型かね？」

「ニンバス2000です」

マルフォイのひきつった顔を見て、笑いを必死でこらえながらハリーは答えた。

「実は、箒が持てたのはマルフォイのおかげなんです」

マルフォイの怒りと当惑をむき出しにした顔を見て、二人は笑いを押し殺しながら階段を上がった。

大理石の階段の上まで来たとき、ハリーは思うぞんぶん笑った。

「だって本当だもの。もしマルフォイがネビルの『思い出し玉』をかすめていかなかったら、僕はチームには入れなかったし……」

「それじゃ、校則を破ってごほうびをもらったと思ってるのね」

背後から怒った声がした。ハーマイオニーだった。ハリーが持っている包みを、けしからんと言わんばかりににらみつけ、階段を一段一段踏みしめて上ってくる。

「あれっ、僕たちとは口をきかないんじゃなかったの?」とハリー。

「そうだよ。いまさら変えないでよ。僕たちにとっちゃありがたいんだから」とロン。

ハーマイオニーは、ツンとそっぽを向いて行ってしまった。

ハリーは一日中、授業に集中できなかった。気がつくと寮のベッドの下に置いてきた箒のことを考えていたり、今夜練習することになっているクィディッチ競技場のほうに気持ちがそれてしまっていた。

夕食は何を食べたのかもわからないまま飲み込んで、ロンと一緒に寮に駆け戻り、ようやくニンバス2000の包みを解いた。

ベッドカバーの上に転がり出た箒を見て、ロンは「ウワー」とため息をついた。箒のことは何も知らないハリーでさえ、すばらしい箒だと思った。すらりとしてつややかがあり、マホガニーの柄の先に長くまっすぐな小枝がすっきりと束ねられ、柄の先端近くに金文字で「ニンバス2000」と書かれていた。

七時近く、夕暮れの薄明かりの中、ハリーは城を出てクィディッチ競技場へと急いだ。中に入るのは初めてだった。競技場の周囲には、何百という座席が高々とせり上げられていて、観客が高い所から観戦できるようになっていた。ピッチの両端には、高い金の柱が三本ずつ立っていて、先端に輪がついている。十五メートルもの高さがあることを除けば、マグルの子供がシャボン玉を作るのに使う

ハリー・ポッターと賢者の石

プラスチックの輪にそっくりだとハリーは思った。

ウッドが来るまでに、どうしてもまた飛んでみたくなり、ハリーは箒にまたがり地面を蹴った。なんていい気分なんだろう——ハリーは高いゴールポストの輪をくぐったり、ピッチに向かって急降下したり急上昇したりしてみた。ニンバス2000はちょっと触れるだけで、ハリーの思いのままに飛んだ。

「おーい、ポッター、降りてこい！」

オリバー・ウッドがやってきた。大きな木製の箱を小脇に抱えている。ハリーはウッドのすぐ隣にぴたりと着陸した。

「おみごと」ウッドは目をキラキラさせていた。

「マクゴナガル先生の言っていた意味がわかったよ……君はまさに生まれつきの才能がある。今夜はルールを教えるだけだ。それから週三回のチーム練習に参加だ」

箱を開けると、大きさのちがうボールが四個あった。

「いいかい、クィディッチのルールを覚えるのは簡単だ。プレーするのはそう簡単じゃないけどね。両チームそれぞれ七人の選手がいる。そのうち三人はチェイサーだ」

「三人のチェイサー」とハリーがくり返した。

ウッドはサッカーボールぐらいの大きさの真っ赤なボールを取り出した。

「このボールがクアッフルだ。チェイサーはこのクアッフルを投げ合って、相手ゴールの輪の中に入れる。そしたら得点。輪に入るたびに一〇点だ。ここまではいいかい？」

「チェイサーがクアッフルを投げ、輪を通ると得点」ハリーはまたくり返した。

「それじゃ、ゴールは六つあるけど、箒に乗ってプレーするバスケットボールのようなものじゃないかなあ？」

第10章　ハロウィーン

199

「バスケットボールってなんだい？」ウッドが不思議そうに聞いた。

「うん、気にしないで」ハリーはあわてて言った。

「さてと、各チームにはキーパーと呼ばれる選手がいる。僕はグリフィンドールのキーパーだ。味方の輪の周りを飛び回って、敵が点を入れないようにするんだ」

「チェイサーが三人、キーパーが一人、クアッフルでプレーする。オーケー、わかった」

ハリーは全部覚えこもうと意気込んでいた。

「それは何するもの？」

ハリーは箱の中に残っている三つのボールを指さした。

「いま見せるよ。ちょっとこれを持って」

ウッドが野球のバットに似た短い棍棒をハリーに渡した。

「ブラッジャーがなんなのか、いまから見せてあげよう。この二つがブラッジャーだ」

ウッドは赤いクアッフルより少し小さい、真っ黒なボールを二つハリーに見せた。二つともまったく同じようなボールで、箱の中にひもでとめてあったが、ひもを引きちぎって飛び出そうとしているように見えた。

「下がって」とハリーに注意してから、ウッドは腰をかがめ、ブラッジャーを一つだけひもからはずした。

とたんに黒いボールは空中高く飛び上がり、まっすぐにハリーの顔めがけてぶつかってきた。鼻を折られちゃ大変と、ハリーが棍棒でボールを打つと、ボールはジグザグに舞い上がった。そして二人の頭上をぐるぐる回り、今度はウッドにぶつかってきた。ウッドはボールを上から押さえ込むように飛びかかり、地面に押さえつけた。

ハリー・ポッターと賢者の石

200

「わかったろう?」

　ウッドは、ハーハー言いながら、じたばたするブラッジャーを力ずくで箱に戻し、ひもで押さえつけておとなしくさせた。

「ブラッジャーはロケットのように飛び回って、プレーヤーを箒からたたき落とそうとするんだ。そこで各チーム二人のビーターがいる——双子のウィーズリーがそれだ——味方の陣地をブラッジャーから守って、敵の陣地へ打ち返す役だよ。さあ、ここまでのところわかったかい?」

「チェイサーが三人、クアッフルで得点する。キーパーはゴールポストを守る。ビーターはブラッジャーを味方の陣地から追い払う」ハリーはすらすら答えた。

「よくできた」

「えーと……ブラッジャーが誰かを殺しちゃったことはあるの?」

　ハリーはなにげなく質問しているようなふりをした。

「ホグワーツでは一度もないよ。あごの骨を折ったやつは二、三人いたけど、せいぜいその程度だ。さて、残るメンバーはシーカー。それが君のポジションだ。クアッフルもブラッジャーも気にしなくていい……」

「……」

「……僕の頭を割りさえしなきゃだけど」

「心配するな。双子のウィーズリーにはブラッジャーもかなわないさ——つまり、二人は人間ブラッジャーみたいなものだな」

　ウッドは箱に手をつっこんで、四つ目の、最後のボールを取り出した。クアッフルやブラッジャーに比べるとずいぶん小さく、大きめのクルミぐらいだった。まばゆい金色で、小さな銀色の羽をひらひらさせている。

第10章　ハロウィーン

201

「これが、いいかい、『金のスニッチ』だ。一番重要なボールだよ。とにかく速いし見えにくいから、捕まえるのが非常に難しい。シーカーの役目はこれを捕ることだ。君はチェイサー、ビーター、ブラッジャー、クアッフルの間を縫うように飛び回って、敵のシーカーより先にこれを捕らないといけない。

何しろシーカーがスニッチを捕ると一五〇点入る。勝利はほとんど決まったようなものだ。だから敵はなんとしてでもシーカーを妨害しようとする。スニッチが捕まらないかぎりクィディッチの試合は終わらない。いつまでも続く──確か最長記録は三か月だったと思う。交代選手を次々投入して、正選手は交代で眠ったということだ。ま、こんなとこかな。質問あるかい?」

ハリーは首を横に振った。やるべきことはしっかりわかった。それができるかどうかだけが問題だ。

「スニッチを使った練習はまだやらない」

ウッドはスニッチを慎重に箱にしまい込んだ。

「もう暗いから、なくすといけないし。かわりにこれで練習しよう」

ウッドはポケットからゴルフボールの袋を取り出した。数分後、二人は空中にいた。ウッドはゴルフボールをありとあらゆる方向に思いきり強く投げ、ハリーにキャッチさせた。

ハリーは一つも逃さなかったので、ウッドは大喜びだった。三十分もすると、すっかり暗くなり、もう続けるのは無理だった。

「あのクィディッチ・カップに、今年こそは僕たちの寮の名前が入るぞ」

城に向かってつかれた足取りで歩きながら、ウッドはうれしそうに言った。

「君はチャーリーよりうまくなるかもしれないな。チャーリーだって、ドラゴンを追っかける仕事を始めなかったら、いまごろイギリスのナショナル・チームでプレーしてたろうに」

ハリー・ポッターと賢者の石

202

毎日たっぷり宿題がある上、週三回のクィディッチの練習で忙しくなった。そのせいか、気がつくと、なんとホグワーツに来てからもう二か月もたっていた。いまではプリベット通りよりも城のほうが自分の家だという気がしていた。授業のほうも、基礎がだいぶわかってきたのでおもしろくなってきた。

ハロウィーンの朝、廊下に漂うパンプキンパイを焼くおいしそうなにおいでみんな目を覚ました。もっとうれしいことに、「妖精の呪文」の授業でフリットウィック先生が、そろそろ物を飛ばす練習をしましょうと言ったのだ。先生がネビルのヒキガエルをブンブン飛び回らせるのを見てからというもの、みんなやってみたくてたまらなかった。先生は生徒を二人ずつ組ませて練習させた。ハリーはシェーマス・フィネガンと組んだ——ネビルがハリーと組みたくてじっとこっちを見ていたので、これでホッとした。ロンは、なんと、ハーマイオニーと組むことになった。二人ともこれにはカンカンだった。ハリーが箒を受け取って以来、ハーマイオニーは一度も二人と口をきいていなかった。

「さあ、いままで練習してきたしなやかな手首の動かし方を思い出して」

いつものように積み重ねてきた本の上に立って、フリットウィック先生はキーキー声で言った。

「ビューン、ヒョイ、ですよ。いいですか、ビューン、ヒョイ。呪文を正確に、これもまた大切ですよ。覚えてますね、あの魔法使いバルッフィオは、『f』でなく『s』の発音をしたため、気がついたら、自分が床に寝転んでいて、バッファローが胸の上に乗っかっていましたね」

これはとても難しかった。ハリーもシェーマスもビューン、ヒョイ、とやったのに、空中高く浮くはずの羽根は机の上にはりついたままだ。シェーマスがかんしゃくを起こして、杖で羽根をこづいて火をつけてしまったので、ハリーは帽子で火を消すはめになった。隣のロンも、似たり寄ったりのみじめさだった。

「ウィンガディアム　レヴィオーサ！」

長い腕を風車のように振り回してロンが叫んでいる。ハーマイオニーのとんがった声が聞こえる。

「言い方がまちがってるわ。**ウィン・ガー・ディアム　レヴィ・オー・サ**。『ガー』と長ぁーくきれいに言わなくちゃ」

「そんなによくご存じなら、君がやってみろよ」とロンがどなっている。

ハーマイオニーはガウンのそでをまくり上げて杖をビューンと振り、呪文を唱えた。

「**ウィンガーディアム　レヴィオーサ！**」

すると、羽根は机を離れ、頭上一・二メートルぐらいの所に浮いたではないか。

「オーッ、よくできました！」先生が拍手をして叫んだ。「みなさん、見てください。グレンジャーさんがやりました！」

授業が終わったとき、ロンは最悪に不機嫌だった。

「だから、誰だってあいつにはがまんできないって言うんだ。まったく悪夢みたいなやつさ」

廊下の人ごみを押し分けながら、ロンがハリーに言った。

誰かがハリーにぶつかり、急いで追い越していった。ハーマイオニーだ。ハリーが顔をちらっと見る

と——驚いたことに、泣いている。

「いまの、聞こえたみたい」とハリー。

「それがどうした？」

ロンも少し気にしていたが、「誰も友達がいないってことは、とっくに気がついているだろうさ」と言った。

ハーマイオニーは次の授業に出て来なかったし、その日の午後は一度も見かけなかった。ハロウィーンのごちそうを食べに大広間に向かう途中、パーバティ・パチルがラベンダーに話しているのをハリー

ハリー・ポッターと賢者の石

204

たちは小耳にはさんだ。ハーマイオニーがトイレで泣いていて、一人にしておいてくれと言ったらしい。ロンはまた少しバツの悪そうな顔をしたが、大広間でハロウィーンの飾りつけを見た瞬間、ハーマイオニーのことなど二人の頭から吹き飛んでしまった。

千匹ものコウモリが壁や天井で羽をばたつかせ、もう千匹が低くたれこめた黒雲のようにテーブルのすぐ上まで急降下して、くり抜いたかぼちゃの中のろうそくの炎をちらつかせた。新学期の始まりのときと同じように、金色の皿にのったごちそうが突然現れた。

ハリーが皮つきポテトを皿によそっていたちょうどその時、クィレル先生が息を切らせて駆け込んできた。ターバンはゆがみ、顔は恐怖で引きつっている。みんなが見つめる中を、ダンブルドア校長の席までたどり着いたクィレル先生は、テーブルに倒れこんで、あえぎあえぎ言った。

「トロールが……地下室に……お知らせしなくてはと思って」

クィレル先生はその場でばったりと気を失ってしまった。

大混乱になった。ダンブルドア先生が杖の先から紫色の爆竹を何度か爆発させて、やっと静かにさせた。

「監督生よ」

ダンブルドア先生の声がとどろいた。

「すぐさま自分の寮の生徒を引率して寮に帰るように」

パーシーは水を得た魚だ。

「僕について来て！　一年生はみんな一緒に固まって！　僕の言うとおりにしていれば、トロールなど恐るるに足らず！　さあ、僕の後ろについて離れないで！　道をあけてくれ。一年生を通してくれ！　道をあけて。僕は監督生です！」

第10章　ハロウィーン

205

「トロールなんて、いったいどうやって入ってきたんだろう」階段を上がりながら、ハリーはロンに聞いた。

「僕に聞いたって知らないよ。トロールって、とってもバカなヤツらしいよ。もしかしたらハロウィーンの冗談のつもりで、ピーブズが入れたのかな」とロンが答えた。

みんながてんでんばらばらな方向に急いでいた。右往左往しているハッフルパフの一団をかき分けて進もうとしていたちょうどその時、ハリーが突然ロンの腕をつかんだ。

「ちょっと待って──ハーマイオニーだ」

「あいつがどうかしたかい？」

「トロールのこと知らないよ」

ロンが唇をかんだ。

「わかった。だけどパーシーに気づかれないようにしなきゃ」

ヒョイとかがんで、二人は反対方向に行くハッフルパフ寮生にまぎれ込み、誰もいなくなったほうの廊下をすり抜け、女子用トイレへと急いだ。角を曲がったとたん、後ろから急ぎ足でやってくる音が聞こえた。

「パーシーだ！」

ロンがささやき、怪獣グリフィンの大きな石像の後ろにハリーを引っ張り込んだ。石像の陰から目を凝らしてのぞくと、パーシーではなくスネイプだった。廊下を渡り、視界から消えていった。

「何してるんだろう。どうしてほかの先生と一緒に地下室に行かないんだろう」

ハリーがつぶやいた。

「知るもんか」

だんだん消えていくスネイプの足音を耳で追いながら、二人はできるだけ音を立てないように身をかがめて廊下を歩いていった。

「スネイプは四階のほうに向かってるよ」と言うハリーを、ロンが手を上げて制した。

「何かにおわないか?」

ハリーがクンクンと鼻を使うと、汚れた靴下と、掃除をしたことがない公衆トイレのにおいを混ぜたような悪臭が鼻をついた。

次に音が聞こえた……低いブァーブァーという唸り声、巨大な足を引きずるように歩く音。ロンが指さした……廊下のむこう側、左手から何か大きなものがこっちに近づいて来る。二人が物影に隠れて身を縮めていると、月明かりに照らされた場所にその大きなものがヌーッと姿を現した。

恐ろしい光景だった。背は四メートルもあり、墓石のような鈍い灰色の肌、大きな岩石のようなずんぐりした巨体に、ハゲた小さな頭がココナッツのようにちょこんとのっている。体中がものすごい悪臭を放っていた。腕が異常に長いので、手にした巨大な棍棒は床を引きずっている。

トロールはドアの前で立ち止まり、中をじっと見た。長い耳をぴくつかせ、中身のない頭で考えていたが、やがて前かがみになってのろのろと中に入った。

「鍵穴に鍵がついたままだ。あいつを閉じ込められる」ハリーが声を殺して言った。

「名案だ」ロンの声はびくびくしている。

トロールが出てきませんようにと祈りながら、二人は開けっぱなしのドアに向かってじりじりと進んだ。のどがカラカラだった。最後の一歩は大きくジャンプして、ハリーは鍵をつかみドアをピシャリと

閉めて鍵をかけた。

「やった！」

勝利に意気揚々、二人はもと来た廊下を走ったが、曲がり角まで来たとき、心臓が止まりそうな声を聞いた——かん高い、恐怖で立ちすくんだような悲鳴——いま鍵をかけたばかりの部屋の中からだ。

「しまった」ロンの顔は「血みどろ男爵」ぐらい真っ青だった。

「女子用トイレだ！」ハリーも息をのんだ。

「ハーマイオニーだ！」二人が同時に叫んだ。

これだけは絶対やりたくなかったが、ほかに手段があるだろうか？　回れ右をして二人はドアへと全力疾走した。気が動転して鍵がうまく回せない——開いた——ハリーがドアを開けた——二人は突入した。ハーマイオニー・グレンジャーは奥の壁にはりついて縮み上がっていた。いまにも気を失わんばかりだ。トロールは洗面台を次々となぎ倒しながら、ハーマイオニーに近づいていく。

「こっちに引きつけろ！」ハリーは無我夢中でロンにそう言うと、蛇口を拾って力いっぱい壁に投げつけた。

トロールはハーマイオニーのほんの一メートル手前で立ち止まった。そしてのろのろと向きを変え、にぶそうな目をパチクリさせながらなんの音だろうとこっちを見た。いやしい小さな目がハリーをとらえた。一瞬迷ったようだったが、今度はハリーのほうに棍棒を振り上げて近づいてきた。

「やーい、ウスノロ！」ロンが反対側から叫んで、金属パイプを投げつけた。トロールにはパイプが肩にあたっても何も感じないようだったが、それでも叫び声は聞こえたらしく、また立ち止まった。醜い鼻面を今度はロンのほうに向けたので、ハリーはその後ろに回り込む余裕ができた。

ハリー・ポッターと賢者の石

208

「早く、走れ、走るんだ！」

ハリーはハーマイオニーに向かって叫びながらドアのほうに引っ張ろうとしたが、ハーマイオニーは動けなくなっていた。恐怖で口を開け、壁にぴったりとはりついたままだった。

トイレに反響する叫び声がトロールを逆上させてしまったようだ。再び唸り声を上げて、一番近くにいた、もはや逃げ場のないロンのほうに向かって来た。

その時ハリーは、勇敢とも、まぬけともいえるような行動に出た。走っていって後ろからトロールに飛びつき、腕をトロールの首ねっこに巻きつけた。トロールにとってハリーが首にぶら下がってることなど感じもしないが、さすがに長い棒切れが鼻に突き刺されば気にはなる。ハリーが飛びついたとき、杖は持ったままだった――杖がトロールの鼻の穴を突き上げた。

痛みに唸り声を上げながらトロールは棍棒をめちゃめちゃに振り回したが、ハリーは渾身の力でぴったりとしがみついていた。トロールはしがみついてるハリーを振り払おうともがき、いまにも棍棒でハリーに強烈な一撃を食らわしそうだった。

ハーマイオニーは恐ろしさのあまり、へなへなと床に座り込んでしまった。ロンは自分の杖を取り出した――自分でも何をしようとしているのかもわからないまま、ロンは最初に頭に浮かんだ呪文を唱えていた。

「**ウィンガーディアム　レヴィオーサ！**」

突然、棍棒がトロールの手から飛び出し、空中を高く高く上がって、ゆっくり一回転してからボクッといういやな音を立てて持ち主の頭の上に落ちた。トロールはふらふらしたかと思うと、ドサッと音を立ててその場にうつぶせに伸びてしまった。倒れた衝撃で、トイレ全体が揺れた。

ハリーが立ち上がった。ブルブル震え、息も絶え絶えだ。ロンはまだ杖を振り上げたまま突っ立って、

第10章　ハロウィーン
209

自分のやってしまったことをぼうっと見ていた。

ハーマイオニーがやっと口をきいた。

「これ……死んだの？」

「いや、ノックアウトされただけだと思う」

ハリーはかがみ込んで、トロールの鼻から自分の杖を引っ張り出した。灰色ののりの塊のようなものがべっとりとついていた。

「ウエー、トロールの鼻くそだ」

ハリーはそれをトロールのズボンでふき取った。

その時、突然バタンという音がして、バタバタと大きな足音が聞こえ、三人は顔を上げた。どんなに大騒動だったか三人は気づきもしなかったが、物が壊れる音や、トロールの唸り声を階下の誰かが聞きつけたにちがいない。まもなくマクゴナガル先生が飛び込んできた。そのすぐあとにスネイプ、最後はクィレルだった。

クィレルはトロールを一目見たとたん、ヒィヒィと弱々しい声を上げ、胸を押さえてトイレに座り込んでしまった。

スネイプはトロールをのぞき込んだ。マクゴナガル先生はハリーとロンを見すえた。ハリーはこんなに怒った先生の顔を初めて見た。唇が蒼白だ。グリフィンドールのために五〇点もらえるかなというハリーの望みは、あっという間に消え去った。

「一体全体、あなた方はどういうつもりなのですか」

マクゴナガル先生の声は冷静だが怒りに満ちていた。ハリーはロンを見た。まだ杖を振り上げたままの格好で立っている。

「殺されなかっただけでも運がよかった。寮にいるべきあなた方がどうしてここにいるのですか？」

スネイプはハリーに、すばやく鋭い視線を投げかけた。ハリーはうつむいた。ロンが杖を下ろせばいいのにと思った。

その時、暗がりから小さな声がした。

「マクゴナガル先生。聞いてください——二人とも私を探しに来たんです」

「ミス・グレンジャー！」

ハーマイオニーはやっと立ち上がった。

「私がトロールを探しに来たんです。私……私一人でやっつけられると思いました——あの、本で読んでトロールについてはいろんなことを知っていたので」

ロンは杖を取り落とした。ハーマイオニー・グレンジャーが、先生に真っ赤なうそをついている？

「もし二人が私を見つけてくれなかったら、私、いまごろ死んでいました。ハリーは杖をトロールの鼻に刺し込んでくれ、ロンはトロールの棍棒でノックアウトしてくれました。二人とも誰かを呼びに行く時間がなかったんです。二人が来てくれた時は、私、もう殺される寸前で……」

ハリーもロンも、そのとおりです、という顔を装った。

「まあ、そういうことでしたら……」マクゴナガル先生は三人をじっと見た。

「ミス・グレンジャー、なんと愚かしいことを。たった一人で野生のトロールを捕まえようなんて、そんなことをどうして考えたのですか？」

ハーマイオニーはうなだれた。ハリーは言葉も出なかった。規則を破るなんて、ハーマイオニーは絶対そんなことをしない人間だ。その彼女が規則を破ったふりをしている。僕たちをかばうために。まるでスネイプが菓子をみんなに配りはじめたようなものだ。

第10章　ハロウィーン

211

「ミス・グレンジャー、グリフィンドールから五点減点です。あなたには失望しました。けががないならグリフィンドール塔にお戻りなさい。生徒たちが、さっき中断したパーティの続きを寮でやっています」

ハーマイオニーは帰っていった。

マクゴナガル先生は今度はハリーとロンのほうに向きなおった。

「先ほども言いましたが、あなたたちは運がよかったのです。でも大人の野生トロールと対決できる一年生はそうざらにはいません。一人五点ずつあげましょう。ダンブルドア先生にご報告しておきます。帰ってよろしい」

急いで部屋を出て二つ上の階に上がるまで、二人は何も話さなかった。何はともあれ、トロールのあのにおいから逃れられたのはうれしかった。

「二人で一〇点は少ないよな」

とロンがブックサ言った。

「二人で五点だろ。ハーマイオニーの五点を引くと」とハリーが訂正した。

「ああやって彼女が僕たちを助けてくれたのは確かにありがたかったよ。だけど、**僕たちが**あいつを助けたのも確かなんだぜ」

「僕たちが鍵をかけてヤツをハーマイオニーと一緒に閉じ込めたりしなかったら、助けはいらなかったかもしれないよ」ハリーはロンに正確な事実を思い出させた。

二人は太った婦人の肖像画の前に着いた。

「豚の鼻」の合言葉で二人は中に入っていった。

談話室は人がいっぱいでガヤガヤしていた。誰もが談話室に運ばれてきた食べ物を食べている中で、

ハーマイオニーだけが一人ポツンと扉のそばに立って二人を待っていた。互いに気まずい一瞬が流れた。

そして、三人とも顔を見せず、互いに「ありがとう」と言ってから、急いで食べ物を取りに行った。

それ以来、ハーマイオニー・グレンジャーは二人の友人になった。共通の経験をすることで互いを好

きになる、そんな特別な経験があるものだ。四メートルもあるトロールをノックアウトしたという経験

は、まさしくそれだった。

第10章　ハロウィーン

213

第11章　クィディッチ

十一月に入ると、急に寒くなった。学校を囲む山々は灰色に凍りつき、湖は冷たい鋼のように張りつめていた。校庭には毎朝霜が降り、窓から見下ろすと、クィディッチ競技場のピッチで箒の霜取りをするハグリッドの姿が見えた。丈長のモールスキン・コートにくるまり、ウサギの毛の手袋をはめ、ビーバー革のどでかいブーツをはいていた。

クィディッチ・シーズンの到来だ。何週間もの練習が終わり、土曜日は、いよいよハリーの初試合になる。グリフィンドール対スリザリンだ。グリフィンドールが勝てば、寮対抗総合の二位に浮上する。

寮チームの秘密兵器として、ハリーのことは、一応、「極秘」というのがウッドの作戦だったので、ハリーが練習しているところを見た者はいなかった。きっとすばらしいプレーをするだろうね、と期待されたり、みんながマットレスを持ってハリーの下を右往左往するだろうよ、とけなされたり——ハリーにとってはどっちもどっちで、ありがたくなかった。

ハーマイオニーと友達になれたのは、ハリーにとって幸運だった。クィディッチの練習が追い込みに入ってからのウッドのしごきの中で、ハーマイオニーがいなかったら、あれだけの宿題を全部こなすのはとうてい無理だったろう。それに『クィディッチ今昔』という本も貸してくれた。これがまたおもしろい本だった。

ハリーはこの本でいろんなことを学んだ。たとえば、クィディッチには七百もの反則があり、その全

ハリー・ポッターと賢者の石

214

部が一四七三年のワールドカップで起きたとか、シーカーは普通、一番小さくて速い選手がなり、大きな事故といえばシーカーに起きやすいこと、試合中の死亡事故はまずないが、何人かの審判が試合中に消えてしまい、数か月後にサハラ砂漠で見つかったこと、などが書かれている。

ハーマイオニーは、野生トロールから助けてもらって以来、規則を破ることに少しは寛大になり、おかげでずいぶんやさしくなっていた。ハリーのデビュー戦の前日、休み時間に三人は凍りつくような中庭に出ていた。ハーマイオニーは魔法でリンドウ色の火を出してくれた。ジャムの空き瓶に入れて持ち運びできる火だった。背中を火にあてて暖まっていると、スネイプがやってきた。片足を引きずっていることにハリーはすぐ気づいた。火は禁止されているにちがいないと思い、スネイプから見えないように三人はぴったりくっついた。だが不覚にも、さも悪さをしているような顔つきが、スネイプの目にとまってしまった。スネイプが足を引きずりながら近づいてきた。火は見つからなかったが、何か小言を言う口実を探しているようだった。

「ポッター、そこに持っているのは何かね?」

ハリーは『クィディッチ今昔』を差し出した。

「図書館の本は校外に持ち出してはならん。よこしなさい。グリフィンドール五点減点」

スネイプが行ってしまうと、「規則をでっち上げたんだ」とハリーは怒ってブツブツ言った。

「だけど、あの足はどうしたんだろう?」

「知るもんか、でも、ものすごく痛いといいよな」とロンも悔しがった。

その夜、グリフィンドールの談話室は騒々しかった。ハリー、ロン、ハーマイオニーは一緒に窓際に座って、ハーマイオニーがハリーとロンの呪文の宿題をチェックしていた。答えを丸写しはさせてくれ

第11章 クィディッチ
215

なかったが（「それじゃ覚えないでしょ?」）、宿題に目を通してくれるよう頼めば、結局は正しい答えを教えてもらうことになった。

ハリーは落ち着かなかった。『クィディッチ今昔』を返してもらい、試合のことで高ぶる神経を本を読んでまぎらわしたかった。なんでスネイプをそんなに怖がらなくちゃいけないんだ?

ハリーは立ち上がり、本を返してもらってくる、と二人に宣言した。

「一人で大丈夫?」

あとの二人が口をそろえて言った。ハリーには勝算があった。ほかの先生がそばにいたら、スネイプも断れないだろう。

ハリーは職員室のドアをノックした。答えがない。もう一度ノックする。反応がない。

スネイプが中に本を置きっぱなしにしているかもしれない? のぞいてみる価値ありだ。ドアを少し開けて中をうかがうと、とんでもない光景が目に飛び込んできた。

中にはスネイプとフィルチだけしかいない。スネイプはガウンをひざまでたくし上げている。片脚のすねがズタズタになって血だらけだ。フィルチがスネイプに包帯を渡していた。

「いまいましいヤツだ。三つの頭に同時に注意するなんてできるか?」

ハリーはそっとドアを閉めようとした。だが——。

「ポッター!」

スネイプは怒りに顔をゆがめ、急いでガウンを下ろして脚を隠した。

「本を返してもらえたらと思って」

ハリーはゴクリとつばをのんだ。

ハリー・ポッターと賢者の石
216

「出て行け！　失せろ！」

スネイプがグリフィンドールを減点しないうちに、ハリーは寮まで全速力で駆け戻った。

「返してもらった？　どうかしたのかい」

戻ってきたハリーにロンが声をかけた。ハリーはいま見てきたことをヒソヒソ声で二人に話した。

「わかるだろう、どういう意味か」

ハリーは息もつかずに話した。

「ハロウィーンの日、三頭犬の裏をかこうとしたんだ。僕たちが見たのは、そこへ行く途中だったんだよ——あの犬が守っているものをねらってるんだ。トロールは絶対あいつが入れたんだ。みんなの注目をそらすために——箒を賭けてもいい」

「ちがう。そんなはずないわ」ハーマイオニーは目を見開いて言った。「確かに意地悪だけど、ダンブルドアが守っているものを盗もうとする人ではないわ」

「おめでたいよ、君は。先生はみんな聖人だと思っているんだろう」ロンは手厳しく言った。

「僕はハリーとおんなじ考えだな。スネイプならやりかねないよ。だけど何をねらってるんだろう？

あの犬、何を守ってるんだろう？」

ハリーはベッドに入ってもロンと同じ疑問が頭の中でぐるぐる回っていた。ネビルは大いびきをかいていたが、ハリーは眠れなかった。何も考えないようにしよう——眠らなくちゃ、あと数時間でクィディッチの初試合なんだから——しかし、ハリーに脚を見られたときのスネイプのあの表情は、そう簡単に忘れられはしなかった。

夜が明けて、晴れ渡った寒い朝が来た。大広間はこんがり焼けたソーセージのおいしそうなにおいと、

第11章　クィディッチ

217

クィディッチの好試合を期待するうきうきしたざわめきで満たされていた。

「朝食、しっかり食べないと」

「何も食べたくないよ」

「トーストをちょっとだけでも」ハーマイオニーがやさしく言った。

「お腹すいてないんだよ」

あと一時間もすれば競技場の中だと思うと、最悪の気分だった。

「ハリー、力をつけておけよ。シーカーは真っ先に敵にねらわれるんだからな」

シェーマス・フィネガンが忠告した。

「わざわざありがと」

シェーマスが自分の皿のソーセージにケチャップを山盛りにしぼり出すのを眺めながらハリーが答えた。

十一時には学校中がクィディッチ競技場の観客席につめかけていた。双眼鏡を持っている生徒もたくさんいる。観客席は空中高くに設けられていたが、それでも試合の動きが見にくいこともあった。

ロンとハーマイオニーは、ネビル、シェーマス、そしてウエストハム・ユナイテッドのファンのディーンたちと一緒に最上段に陣取った。ハリーをびっくりさせてやろうと、スキャバーズがかじってボロボロにしたシーツで大きな旗を作り、「ポッターを大統領に」と書いて、その下に絵のうまいディーンがグリフィンドール寮のシンボルのライオンを描いた。ハーマイオニーがちょっと複雑な魔法をかけて、絵がいろいろな色に光るようになっていた。

一方、更衣室では、選手たちがクィディッチ用の真紅のローブに着替えていた（スリザリンは緑色の

ハリー・ポッターと賢者の石

218

ローブだ）。

ウッドが咳払いをして選手を静かにさせた。

「いいか、野郎ども」

「あら女性もいるのよ」

チェイサーのアンジェリーナ・ジョンソンがつけ加えた。

「そして女性諸君」ウッドが訂正する。「いよいよだ」

「大試合だぞ」フレッド・ウィーズリーが声を張り上げた。

「待ち望んでいた試合だ」ジョージ・ウィーズリーが続けた。

「オリバーのスピーチなら空で言えるよ。僕らは去年もチームにいたからね」

フレッドがハリーに話しかけた。

「だまれよ。そこの二人」とウッドがたしなめた。

「今年は、ここ何年ぶりかの最高のグリフィンドール・チームだ。この試合はまちがいなくいただきだ」

そしてウッドは「負けたら承知しないぞ」とでも言うように全員をにらみつけた。

「よーし。さあ時間だ。全員、がんばれよ」

ハリーはフレッドとジョージのあとについて更衣室を出た。ひざが震えませんようにと祈りながら、大歓声に迎えられてピッチに出た。

マダム・フーチが審判だ。ピッチの真ん中に立ち、箒を手に両チームを待っていた。

「さあ、みなさん、正々堂々戦いましょう」

全選手が周りに集まるのを待って先生が言った。どうもスリザリンのキャプテン、五年生のマーカ

第11章　クィディッチ

219

ス・フリントに向かって言っているらしいことに、ハリーは気づいた。フリントって、トロールの血が流れているみたいだ、とハリーは思った。ふと旗が目に入った。「ポッターを大統領に」と点滅しながら、大観衆の頭上に高々とはためいている。ハリーは心が踊り、勇気がわいてきた。

「箒に乗って、よーい」

ハリーはニンバス2000にまたがった。

フーチ審判の銀のホイッスルが高らかに鳴った。

十五本の箒が空へ舞い上がる。高く、さらに高く。試合開始だ。

「さて、クアッフルはたちまちグリフィンドールのアンジェリーナ・ジョンソンが取りました——なんてすばらしいチェイサーでしょう。その上かなり魅力的であります」

「ジョーダン！」

「失礼しました、先生」

双子のウィーズリーの仲間、リー・ジョーダンが、マクゴナガル先生の厳しい監視を受けながら実況放送している。

「ジョンソン選手、突っ走っております。アリシア・スピネットにきれいなパス。オリバー・ウッドはよい選手を見つけたものです。去年はまだ補欠でした——ジョンソンにクアッフルが返る、そして——あ、ダメです。スリザリンがクアッフルを奪いました。キャプテンのマーカス・フリントが取って飛ぶ——鷲のように舞い上がっております——ゴールを決めるか——いや、グリフィンドールのキーパー、ウッドがすばらしい動きで防ぎました。クアッフルは再びグリフィンドールへ——あ、あれはグリフィンドールのチェイサー、ケイティ・ベルです。フリントの周りですばらしい急降下です。ゴールに向かって飛びます——あいたっ！——これは痛かった。ブラッジャーが後頭部にぶつかりました——

ハリー・ポッターと賢者の石

220

クアッフルはスリザリンに取られました――今度はエイドリアン・ピューシーがゴールに向かってダッシュしています。しかし、これは別のブラッジャーにはばまれました――フレッドなのかジョージなのか見分けはつきませんが、ウィーズリーのどちらかがねらい撃ちをかけました――どっちにしてもグリフィンドールのビーター、ファインプレーですね。そしてクアッフルは再びジョンソンの手に。前方には誰もいません。さあ飛びだしました――ジョンソン選手、飛びます――ブラッジャーがものすごいスピードで襲うのをかわします――ゴールは目の前だ――がんばれ、いまだ、アンジェリーナ――キーパーのブレッチリーが飛びつく――あ、ミスした――**グリフィンドール、先取点！**」

グリフィンドールの大歓声が寒空いっぱいに広がった。スリザリン側からヤジとため息が上がった。

「ちょいと詰めてくれや」

「ハグリッド！」

ロンとハーマイオニーはギュッと詰めて、ハグリッドが一緒に座れるよう広く場所をあけた。

「俺も小屋から見ておったんだが……」首からぶら下げた大きな双眼鏡をポンポンたたきながらハグリッドが言った。

「やっぱり、観客の中で見るのとはまたちがうのでな。スニッチはまだ現れんか、え？」

「まだだよ。いまのところハリーはあんまりすることがないよ」ロンが答えた。

「トラブルに巻き込まれんようにしておるんだろうが。それだけでもええ」ハグリッドは双眼鏡を上に向けて豆粒のような点をじっと見た。それがハリーだった。

はるか上空で、ハリーはスニッチを探して目を凝らしながら、試合を下に見てスイスイ飛び回っていた。これがハリーとウッドの立てた作戦だった。

「スニッチが目に入るまでは、みんなから離れてるんだ。あとでどうしたって攻撃される。それまでは

とウッドから言われていた。

アンジェリーナが点を入れたとき、ハリーは二、三回宙返りをしてうれしさを発散させたが、いまはまたスニッチ探しに戻っている。一度パッと金色に光るものが見えたが、ウィーズリーの腕時計が反射しただけだった。また一度はブラッジャーがまるで大砲の弾のような勢いで襲ってきたが、ハリーはひらりとかわし、そのあとでフレッド・ウィーズリーが球を追いかけてやってきた。

「ハリー、大丈夫か?」

そう叫ぶなりフレッドは、ブラッジャーをマーカス・フリントめがけて勢いよくたたきつけた。

リー・ジョーダンの実況放送は続く。

「さて今度はスリザリンの攻撃です。チェイサーのピューシーはブラッジャーを二つかわし、双子のウィーズリーをかわし、チェイサーのベルをかわして、ものすごい勢いでゴ……ちょっと待ってください——あれはスニッチか?」

エイドリアン・ピューシーは、左耳をかすめた金色の閃光(せんこう)を振り返るのに気を取られて、クアッフルを落としてしまった。観客席がザワザワとなった。

ハリーはスニッチを見た。興奮の波が一挙に押し寄せてくる。ハリーは金色の光線を追って急降下した。スリザリンのシーカー、テレンス・ヒッグズも見つけた。スニッチを追って二人は追いつ追われつの大接戦だ。チェイサーたちも自分の役目を忘れてしまったように、宙に浮いたまま眺めている。

ハリーのほうがヒッグズより速かった——小さなボールが羽をパタパタさせて目の前を矢のように飛んでいくのがはっきり見えた——ハリーは一段とスパートをかけた。

グワーン!

グリフィンドール席から怒りの声が湧き上がった。マーカス・フリントがわざとハリーの邪魔をした

のだ。ハリーの箒ははじき飛ばされてコースを外れ、ハリーはかろうじて箒にしがみついていた。

「反則だ！」とグリフィンドール寮生が口々に叫んだ。フーチ先生はフリントに厳重注意を与え、グリ

フィンドールにゴール・ポストに向けてのペナルティ・スローを与えた。ごたごたしているうちに、ス

ニッチはまた見えなくなってしまった。

下の観客席ではディーン・トーマスが大声で叫んでいる。

「退場させろ。審判！　レッドカードだ！」

「サッカーじゃないんだよ、ディーン」ロンがなだめた。「クィディッチに退場はないんだ。ところで、

レッドカードって何？」

ハグリッドはディーンに味方した。

「ルールを変えるべきだわい。フリントはもうちっとでハリーを地上に突き落とすとこだった」

リー・ジョーダンの実況も中立を保つのが難しくなった。

「えー、誰が見てもはっきりと、胸くそその悪くなるようなインチキのあと――」

「ジョーダン！」

マクゴナガル先生がすごみをきかせた。

「えーと、おおっぴらで不快な反則のあと――」

「ジョーダン、いいかげんにしないと――」

「はい、はい、了解。フリントはグリフィンドールのシーカーを殺しそうになりました。誰にでもあり

得るようなミスですね、きっと。そこでグリフィンドールのペナルティ・スローです。スピネットが投

げました。決まりました。さあ、ゲーム続行。クアッフルはグリフィンドールが持ったままです」

二度目のブラッジャーをハリーがかわし、球が獰猛に回転しながらハリーの頭上をすれすれに通り過ぎたちょうどその時……箒が急にひやりとするような揺れ方をした。一瞬、落ちると思った。ハリーは両手とひざで箒をしっかり押さえた。こんなのは初めてだ。

また来た。箒がハリーを振り落とそうとしているみたいだ。しかし、ニンバス2000が急に乗り手を振り落とそうとしたりするわけがない。ハリーは向きを変えてグリフィンドールのゴール・ポストのほうに行こうとした。ウッドにタイムを取ってもらおうか、どうしようか、ハリーは決めかねていた。ところが気がつくと箒はまったく言うことを聞かなくなっていた。方向転換ができない。まったく方向が指示できないのだ。空中をジグザグに飛び、時々シューッと激しく揺れ動いて、ハリーはあわや振り落とされるところだった。

リーは実況放送を続けている。

「スリザリンの攻撃です――クアッフルはフリントが持っています――ベルが抜かれた――あ、ブラッジャーがフリントの顔にぶつかりました。鼻をへし折るといいんですが――ほんの冗談です、先生――スリザリン得点です――あーあ……」

スリザリンは大歓声だった。ハリーの箒が変な動きをしていることには誰も気づかないようだ。ハリーの箒がぐいっと動いたり、ぴくぴくっと動いたりしながら、上へ、上へ、ゆっくりとハリーを乗せたまま、ぐいっと動いたり、ぴくぴくっと動いたりしながら、上へ、上へ、ゆっくりとハリーを試合から引き離していった。

「いったいハリーは何をしとるんだ」

双眼鏡でハリーを見ていたハグリッドがブツブツ言った。

「あれがハリーじゃなけりゃ、箒のコントロールを失ったんじゃないかと思うわな……しかしハリーに

かぎってそんなこたぁ……」

突然、観客があちこちでいっせいにハリーのほうを指さした。箒がぐるぐる回りはじめたのだ。ハリーはかろうじてしがみついている。次の瞬間、全員が息をのんだ。箒が荒々しく揺れ、ハリーを振り飛ばしそうだ。いまやハリーは片手だけで箒の柄にぶら下がっている。

「フリントがぶつかったとき、どうかしちゃったのかな?」

シェーマスがつぶやいた。

「そんなこたぁねぇ。強力な闇の魔術以外、箒に悪さはできん。チビどもなんぞ、ニンバス2000にはそんな手出しはできん」

ハグリッドの声はブルブル震えていた。

その言葉を聞くやハーマイオニーはハグリッドの双眼鏡をひったくり、ハリーのほうではなく、観客席のほうを必死になって見回した。

「何してるんだよ」真っ青な顔でロンがうめいた。

「思ったとおりだわ」ハーマイオニーは息をのんだ。

「スネイプよ……見てごらんなさい」

ロンが双眼鏡をもぎ取った。むかい側の観客席の真ん中にスネイプが立っていた。ハリーから目を離さず絶え間なくブツブツつぶやいている。

「何かしてる——箒に呪いをかけてるんだわ」ハーマイオニーが言った。

「僕たち、どうすりゃいいんだ?」

「私に任せて」

ロンが次の言葉を言う前に、ハーマイオニーの姿は消えていた。ロンは双眼鏡をハリーに向けた。箒

は激しく震え、ハリーもこれ以上つかまっていられないようだった。観客は総立ちだ。恐怖で顔を引きつらせて見上げている。ハリーもこれ以上つかまっていられないようだった。近づくたび、ハリーの箒はさらに高く飛び上がってしまう。双子はハリーの下で輪を描くように飛びはじめた。落ちてきたら下でキャッチするつもりらしい。マーカス・フリントはク

うとしたが、だめだ。近づくたび、ハリーの箒はさらに高く飛び上がってしまう。双子はハリーの下で

つらせて見上げている。双子のウィーズリーがハリーに近づいていった。自分たちの箒に乗り移らせよ

は激しく震え、ハリーもこれ以上つかまっていられないようだった。観客は総立ちだ。恐怖で顔を引き

アッフルを奪い、誰にも気づかれず、五回も点を入れた。

「早くしてくれ、ハーマイオニー」ロンは絶望的な声をもらした。

ハーマイオニーは観衆をかき分け、スネイプが立っているスタンドにたどり着き、スネイプの一つ後ろの列を疾走していた。途中でクィレルとぶつかってなぎ倒し、クィレルは頭からつんのめるように前の列に落ちたが、ハーマイオニーは、立ち止まりも謝りもしなかった。スネイプの背後に回ったハーマイオニーはそっとうずくまり、杖を取り出し、二言、三言しっかり言葉を選んでつぶやいた。杖からりンドウ色の炎が飛び出し、スネイプのマントのすそに燃え移った。三十秒もすると、スネイプは自分に火がついているのに気づいた。鋭い叫び声が上がったので、ハーマイオニーはこれでもう大丈夫だと火をすくい取り、小さな空き瓶に納めてポケットに入れると、人ごみにまぎれ込んだ――スネイプは何が起こったのかわからずじまいだろう。

それで充分だった。空中のハリーは再び箒にまたがれるようになっていた。

「ネビル、もう見ても怖くないよ！」

ロンが呼びかけた。ネビルはこの五分間、ハグリッドのジャケットに顔をうずめて泣きっぱなしだった。

ハリーは急降下していた。観衆が見たのは、ハリーが手で口をパチンと押さえるところだった。まるで吐こうとしているようだ――四つんばいになって着地した――コホン――何か金色の物がハリーの手

ハリー・ポッターと賢者の石
226

のひらに落ちた。

「スニッチを取ったぞ！」

頭上高くスニッチを振りかざし、ハリーが叫んだ。大混乱の中で試合は終わった。

「あいつは取ったんじゃない。飲み込んだんだ」

二十分たってもフリントはまだわめいていたが、結果は変わらなかった。ハリーはルールを破ってはいない。リー・ジョーダンは大喜びで、まだ試合結果を叫び続けていた。

「グリフィンドール、一七〇対六〇で勝ちました！」

一方、ハリーは、試合のあとも続いた騒ぎの渦中にはいなかった。ロン、ハーマイオニーと一緒にハグリッドの小屋で、濃い紅茶をいれてもらっていたのだ。

「スネイプだったんだよ」とロンが説明した。

「ハーマイオニーも僕も見たんだ。君の箒にブツブツ呪いをかけていた。ずっと君から目を離さずにね」

「バカな」

ハグリッドは自分のすぐそばの観客席でのやりとりを、試合中一言も聞いていなかったのだ。

「なんでスネイプがそんなことをする必要があるんだ？」

三人は互いに顔を見合わせ、どう言おうかと迷っていたが、ハリーは本当のことを言おうと決めた。

「僕、スネイプについて知ってることがあるんだ。あいつ、ハロウィーンの日、三頭犬の裏をかこうとしてかまれたんだよ。何か知らないけど、あの犬が守ってるものをスネイプが盗ろうとしたんじゃないかと思うんだ」

ハグリッドはティーポットを落とした。

「なんでフラッフィーを知ってるんだ?」

「**フラッフィー?**」

「そう、あいつの名前だ——去年パブで会ったギリシャ人のやつから買ったんだ——俺がダンブルドアに貸した。守るため——」

「何を?」ハリーが身を乗り出した。

「もう、これ以上聞かんでくれ。重大秘密なんだ、これは」

ハグリッドがぶっきらぼうに言った。

「だけど、スネイプが**盗もう**としたんだよ」

ハグリッドはまた「バカな」をくり返した。

「スネイプはホグワーツの教師だ」

「ならどうしてハリーを殺そうとしたの? そんなことするわけなかろうが」

午後の出来事が、スネイプに対するハーマイオニーの考えを変えさせたようだ。

「私、呪いをかけてるかどうか、一目でわかるわ。たくさん本を読んだから! この目で見たんだから!」ハーマイオニーが叫んだ。

「ハグリッド。私、呪いをかけてるかどうか、一目でわかるわ。スネイプは瞬き一つしなかったわ。この目で見たんだから!」

「じーっと目をそらさずに見続けるの。スネイプは瞬き一つしなかったわ。この目で見たんだから!」

「おまえさんはまちがっとる! 俺が断言する」

ハグリッドもゆずらない。

「ハリーの箒がなんであんな動きをしたんか、俺にはわからん。だがスネイプは生徒を殺そうとしたり はせん。三人ともよく聞け。おまえさんたちは関係のないことに首を突っ込むどる。危険だ。あの犬の ことも、犬が守ってるもののことも忘れるんだ。あれはダンブルドア先生とニコラス・フラメルの——」

228

「あっ！」ハリーは聞き逃さなかった。「ニコラス・フラメルっていう人が関係してるんだね？」

ハグリッドは口がすべった自分自身に強烈に腹を立てているようだった。

第11章　クィディッチ

第12章　みぞの鏡

もうすぐクリスマス。十二月も半ばのある朝、目覚めればホグワーツは深い雪におおわれ、湖はカチカチに凍りついていた。魔法をかけた雪玉を数個クィレルにつきまとわせ、ターバンの後ろでポンポン跳ね返るようにしたという理由で、双子のウィーズリーが罰を受けた。猛吹雪をくぐってやっと郵便を届けた数少ないふくろうは、元気を回復して飛べるようになるまで、ハグリッドの世話を受けていた。

みんなクリスマス休暇が待ち遠しかった。グリフィンドールの談話室や大広間にはごうごうと火が燃えていたが、廊下はすきま風で氷のように冷たく、身を切るような風が教室の窓をガタガタいわせた。最悪なのはスネイプ教授の地下牢教室だった。吐く息が白い霧のように立ち昇り、生徒たちはできるだけ熱い釜に近づいて暖を取った。

「かわいそうに」

「魔法薬」の授業のとき、ドラコ・マルフォイが言った。

「家に帰ってくるなと言われて、クリスマスなのにホグワーツに居残るやつがいるんだね」

そう言いながらハリーの様子をうかがっている。クラッブとゴイルがクスクス笑った。カサゴの脊椎の粉末を量っていたハリーは、三人を無視した。

クィディッチの試合以来、マルフォイはますますいやなやつになっていた。スリザリンが負けたことを根に持って、ハリーを笑い者にしようと、「次の試合には大きな口の『木登り蛙』がシーカーになるぞ」とはやしたてた。

誰も笑わなかった。乗り手を振り落とそうとした箒に見事にしがみついていたハリーに、みんなとても感心していたからだ。妬ましいやら、腹立たしいやらで、マルフォイは、また古い手に切り替え、ハリーにちゃんとした家族がないことをあざけった。

クリスマスにプリベット通りに帰るつもりはなかった。先週、マクゴナガル先生が、クリスマスに寮に残る生徒のリストを回したとき、ハリーはすぐに名前を書いた。自分が哀れだとは全然考えなかったし、むしろいままでで最高のクリスマスになるだろうと期待していた。ロンもウィーズリー三兄弟も、両親がチャーリーに会いにルーマニアに行くので学校に残ることになっていた。

「魔法薬」のクラスを終えて地下牢を出ると、行く手の廊下を大きな樅（もみ）の木がふさいでいた。木の下から二本の巨大な足が突き出し、フウフウと大きな息づかいが聞こえたのでハグリッドが木をかついでいることがすぐにわかった。

「やぁ、ハグリッド、手伝おうか」

とロンが枝の間から頭を突き出して尋ねた。

「いんや、大丈夫。ありがとうよ、ロン」

「すみませんが、そこ、どいてもらえませんか」

後ろからマルフォイの気取った冷たい声が聞こえた。

「ウィーズリー、お小遣い稼ぎですかね？　君もホグワーツを出たら森の番人になりたいんだろう――ハグリッドの小屋だって君たちの家に比べたら宮殿みたいなんだろうねぇ」

ロンがマルフォイに飛びかかった瞬間、スネイプが階段を上がってきた。

「ウィーズリー！」

ロンはマルフォイの胸ぐらをつかんでいた手を放した。

「スネイプ先生、けんかを売られたんですよ」

ハグリッドがひげもじゃの大きな顔を木の間から突き出してかばった。

「マルフォイがロンの家族を侮辱したんでね」

「そうだとしても、けんかはホグワーツの校則違反だろう、ハグリッド。ウィーズリー、グリフィンドールは五点減点。これだけですんでありがたいと思うことだ。さあ諸君、さっさと行きたまえ」スネイプがよどみなく言い放った。

マルフォイ、クラッブ、ゴイルの三人はニヤニヤしながら乱暴に木の脇を通り抜け、針のような樅の葉をそこら中にまき散らした。

「覚えてろ」

ロンはマルフォイの背中に向かって歯ぎしりした。

「いつか、やっつけてやる——」

「マルフォイもスネイプも、二人とも大嫌いだ」とハリーが言った。

「さあさあ、元気出せ。もうすぐクリスマスだ」

ハグリッドが励ました。

「ほれ、一緒においで。大広間がすごいから」

三人はハグリッドと樅の木のあとについて大広間に行った。マクゴナガル先生とフリットウィック先生が忙しくクリスマスの飾りつけをしているところだった。

「あぁ、ハグリッド、最後の樅の木ね——あそこの角に置いてちょうだい」

広間はすばらしい眺めだった。柊(ひいらぎ)や宿木(やどりぎ)が綱のように編まれて壁に飾られ、クリスマスツリーが十二本もそびえ立っていた。小さなつららでキラキラ光るツリーもあれば、何百というろうそくで輝いてい

ハリー・ポッターと賢者の石

232

るツリーもあった。

「休みまであと何日だ？」ハグリッドが尋ねた。

「あと一日よ」

ハーマイオニーが答えた。

「そう言えば——ハリー、ロン、昼食まで三十分あるから、図書館に行かなくちゃ」

「ああそうだった」

フリットウィック先生が魔法の杖からふわふわした金色の泡を出して、新しいツリーを飾りつけているのに見とれていたロンが、こちらに目を向けた。

ハグリッドは三人について大広間を出た。

「図書館？　休み前なのに？　おまえさんたち、ちいっと勉強しすぎじゃねえか？」

「勉強じゃないんだよ。ハグリッドがニコラス・フラメルって言ってからずっと、どんな人物か調べているんだよ」

ハリーが明るく答えた。

「なんだって？」

ハグリッドは驚いて言った。

「まあ、聞け——言っただろうが——ほっとけ。あの犬が何を守っているかなんて、おまえさんたちには関係ねえ」

「私たち、ニコラス・フラメルが誰なのかを知りたいだけなのよ」

「ハグリッドが教えてくれる？　そしたらこんな苦労はしないんだけど。僕たち、もう何百冊も本を調べたけど、どこにも出ていなかった——何かヒントをくれないかなあ。僕、どっかでこの名前を見た覚

第12章　みぞの鏡

233

「えがあるんだ」とハリーが言った。

「俺はなんも言わんぞ」

ハグリッドはきっぱり言った。

「それなら、自分たちで見つけなくちゃ」とロンが言った。

三人はむっつりしているハグリッドを残して図書館に急いだ。

ハグリッドがうっかりフラメルの名前をもらして以来、三人は本気でその名前を調べ続けていた。スネイプが何を盗もうとしているかを知るには、本を調べる以外に方法はない。やっかいなのは、フラメルが本にのる理由がわからないので、どこから探しはじめていいか見当もつかないことだった。『二十世紀の偉大な魔法使い』にものっていなかったし、『現代の著名な魔法使い』にも『近代魔法界の主要な発見』、『魔法界における最近の進歩に関する研究』にものっていなかった。図書館があまりに大きいのも問題だった。何万冊もの蔵書、何千もの書棚、何百もの細い通路ではお手上げだ。

ハーマイオニーは調べる予定の内容と表題のリストを取り出し、ロンは通路を大股に歩きながら、並べてある本を書棚から手当たりしだいに引っ張り出した。

ハリーは『閲覧禁止』の書棚になんとなく近づいた。もしかしたらフラメルの名はこの中にあるんじゃないかと、ハリーはここしばらくそう考えていた。残念ながら、ここの本を見るには先生のサイン入りの特別許可証が必要だったし、絶対に許可はもらえないとわかっていた。ここにはホグワーツではけっして教えない強力な闇の魔術に関する本があり、上級生が『闇の魔術に対する防衛術』の上級編を勉強するときだけ読むことを許された。

「君、何を探しているの?」司書のマダム・ピンスだ。

「いえ、別に」

ハリー・ポッターと賢者の石

234

「それなら、ここから出たほうがいいわね。さあ、出て──出なさい！」

マダム・ピンスは毛ばたきをハリーに向けて振った。

もっと気の利いた言い訳をとっさに考えたらよかったのに、と思いながらハリーは図書館を出た。ハリー、ロン、ハーマイオニーの間では、フラメルがどの本に出ているかマダム・ピンスには聞かない、という了解ができていた。聞けば教えてくれただろうが、三人の考えがスネイプの耳に入るような危険を犯すわけにはいかない。

ハリーは、図書館の外の廊下で二人を待ったが、二人が何か見つけてくるとはあまり期待していなかった。もう二週間も収穫なしだった。もっとも、授業の合間の短い時間にしか探せなかったので、見つからなくても無理はない。できるなら、マダム・ピンスのしつこい監視を受けずに、ゆっくり探す必要があった。

五分後、ロンとハーマイオニーも首を横に振り振り出てきた。三人は昼食に向かった。

「私が家に帰っている間も続けて探すでしょう？　見つけたら、ふくろうで知らせてね」

「君のほうは、家に帰ってフラメルについて聞いてみて。パパやママなら聞いても安全だろう？」とロンが言った。

「ええ、安全よ。二人とも歯医者だから」ハーマイオニーが答えた。

クリスマス休暇になると、楽しいことがいっぱいで、ロンもハリーもフラメルのことを忘れた。寝室には二人しかいなかったし、談話室もいつもよりがらんとして、暖炉のそばの心地よいひじかけ椅子に座ることができた。二人は何時間も座り込んで、串に刺せるものはおよそなんでも刺して火であぶって食べた──パン、トースト用のクランペット、マシュマロ──そして、マルフォイを退学させる策を

第12章　みぞの鏡

235

練った。実際にうまくいくはずはなくとも、話すだけで楽しかった。

ロンはハリーに魔法使いのチェスを手ほどきした。マグルのチェスとまったく同じだったが、駒が生きているところがちがっていて、まるで戦争で軍隊を指揮しているようだった。ロンのチェスは古くてよれよれだった。ロンの持ち物はみんな家族の誰かのお下がりなのだが、チェスはおじいさんのお古だった。しかし、古い駒だからといってまったく弱みにはならなかった。ロンは駒を知りつくしていて、駒は命令のままに動いた。

ハリーはシェーマス・フィネガンから借りた駒を使っていたが、駒はハリーをまったく信用していなかった。新米プレーヤーのハリーに向かって駒が勝手なことを叫び、ハリーを混乱させた。

「私をそこに進めるのはやめろ。あそこに敵のナイトがいるのが見えないのか？　**あっちの駒**を進めろよ。**あの駒**なら取られてもかまわないから」

クリスマスイブの夜、ハリーはあしたのおいしいごちそうと楽しい催しを楽しみにベッドに入った。クリスマスプレゼントのことはまったく期待していなかったが、翌朝早く目を覚ますと、真っ先に、ベッドの足元に置かれた小さなプレゼントの山が目に入った。

「メリークリスマス」

ハリーが急いでベッドから起きだしてガウンを着ていると、ロンが寝ぼけまなこで挨拶した。

「メリークリスマス」

ハリーも挨拶を返した。

「ねぇ、これ見てくれる？　プレゼントがある」

「ほかに何があるって言うの。大根なんて置いてあったってしょうがないだろ？」

そう言いながらロンは、ハリーのより高く積まれた自分のプレゼントの山を開けはじめた。

ハリー・ポッターと賢者の石

236

ハリーは一番上の包みを取り上げた。分厚い茶色の包み紙に「ハリーへ　ハグリッドより」と走り書きしてあった。中には荒削りな木の横笛が入っていた。ハグリッドが自分で削ったのがすぐにわかった。吹いてみると、ふくろうの鳴き声のような音がした。

次のはとても小さな包みでメモが入っていた。

おまえの言付けを受け取った。クリスマスプレゼントを同封する。

バーノンおじさんとペチュニアおばさんより

メモ用紙に五十ペンス硬貨がセロハンテープではりつけてあった。

「どうもご親切に」とハリーがつぶやいた。

ロンは五十ペンス硬貨に夢中になった。

「**へんなの！**——おかしな形。これ、ほんとに**お金？**」

「あげるよ」

ロンがあんまり喜ぶのでハリーは笑った。

「ハグリッドの分、おじさんとおばさんの分——それじゃこれは誰からだろう？」

「僕、誰からだかわかるよ」

ロンが少し顔を赤らめて、大きなもっこりした包みを指さした。

「それ、ママからだよ。君がプレゼントをもらうあてがないって知らせたんだ。でも——あーあ、まさ

第12章　みぞの鏡

237

か『ウィーズリー家特製セーター』を君に贈るなんて」ロンがうめいた。

ハリーが急いで包み紙を破ると、中から厚い手編みのエメラルドグリーンのセーターと大きな箱に入ったホームメイドのファッジが出てきた。

「ママは毎年僕たちのセーターを編むんだ」

ロンは自分の包みを開けた。

「僕のは**いつだって**栗色なんだ」

「君のママって本当にやさしいね」

ハリーはファッジをかじりながら言った。とてもおいしかった。

次のプレゼントも菓子だった——ハーマイオニーからの、蛙チョコレートの大きな箱だ。

もう一つ包みが残っていた。手に持ってみると、とても軽い。開けてみた。

銀ねず色の液体のようなものがするすると床にすべり落ちて、キラキラと折り重なった。ロンがハッと息をのんだ。

「僕、これがなんなのか聞いたことがある」

ロンはハーマイオニーから送られた百味ビーンズの箱を思わず落とし、声をひそめた。

「もし僕の考えているものだったら——とてもめずらしくて、**とっても貴重なものなんだ**」

「なんだい？」

ハリーは輝く銀色の布を床から拾い上げた。水を織物にしたような不思議な手ざわりだった。

「これは透明マントだ」

ロンは貴いものを畏れ敬うような表情で言った。

「きっとそうだ——ちょっと着てみて」

ハリーはマントを肩からかけた。ロンが叫び声を上げた。

「**まちがいない！**　下を見てごらん！」

下を見ると足がなくなっていた。首だけが宙に浮いて、体はまったく見えなかった。ハリーは鏡の前に走っていった。鏡に映ったハリーがこっちを見ていた。首だけが宙に浮いて、体はまったく見えなかった。マントを頭まで引き上げると、ハリーの姿は鏡から消えていた。

「手紙があるよ！　マントから手紙が落ちたよ！」

ロンが叫んだ。

ハリーはマントを脱いで手紙をつかんだ。ハリーには見覚えのない、風変わりな細長い文字でこう書いてあった。

　君のお父さんが、亡くなる前にこれを私に預けた。君に返す時が来たようだ。

上手に使いなさい。

　メリークリスマス

名前が書いてない。ハリーは手紙を見つめ、ロンのほうはマントに見とれていた。

「こういうマントを手に入れるためだったら、僕、**なんだって**あげちゃう。ほんと**になんでも**だよ。ど

第12章　みぞの鏡

239

うしたんだい？」

「ううん、なんでもない」

奇妙な感じだった。誰がこのマントを送ってくれたんだろう。本当に父さんのものだったんだろうか。

ハリーがそれ以上何か言ったり考えたりする間も与えずに、寝室のドアが勢いよく開いて双子のフレッ

ドとジョージが入ってきた。ハリーは急いでマントを隠した。まだ、ほかの人には知られたくなかった。

「メリークリスマス！」

「おい、見ろよ――ハリーもウィーズリー家のセーターを着てるぜ！」

フレッドとジョージも青いセーターを着ていた。片方には黄色の大きな文字でフレッドのＦが、もう

一つにはジョージのＧがついていた。

「でもハリーのほうが上等だな」

ハリーのセーターを手に取ってフレッドが言った。

「ママは身内じゃないとますます力が入るんだよ」

「ロン、どうして着ないんだい？　着ろよ。とっても暖かいじゃないか」

とジョージがせかした。

「僕、栗色は嫌いなんだ」

気乗りしない様子でセーターを頭からかぶりながらロンがうめくように言った。

「イニシャルがついてないな」

ジョージが気づいた。

「ママはおまえなら自分の名前を忘れないと思ったんだろう。でも僕たちだってバカじゃないさ――自

分の名前ぐらい覚えているよ。グレッドとフォージさ」

ハリー・ポッターと賢者の石

240

「この騒ぎはなんだい？」

パーシー・ウィーズリーがたしなめるような顔でドアからのぞいた。プレゼントを開ける途中だったらしく、腕にはもっこりしたセーターを抱えていた。フレッドが目ざとく気づいた。

「監督生のP！　パーシー、着ろよ。僕たちも着てるし、ハリーのもあるんだ」

「やめろ——いやだ——着たくない」

パーシーのめがねがずれるのもかまわず、双子がむりやり頭からセーターをかぶせたので、パーシーはセーターの中でもごもごご言った。

「いいかい、君はいつも監督生たちと一緒のテーブルにつくんだろうけど、今日だけはダメだぞ。だってクリスマスは家族が一緒になって祝うものだろ」

ジョージが言った。

パーシーはかぶせられたセーターに腕を通さないままの格好で、双子にがっちり両脇を固められ、連行されていった。

こんなすばらしいクリスマスのごちそうは、ハリーにとって初めてだった。丸々太った七面鳥のロースト百羽、山盛りのローストポテトとゆでたポテト、大皿に盛った太いチポラータ・ソーセージ、深皿いっぱいのバター煮の豆、銀の器に入ったこってりとした肉汁とクランベリーソース。テーブルのあちこちに魔法のクラッカーが山のように置いてあった。ダーズリー家ではプラスチックのおもちゃや薄いぺらぺらの紙帽子が入っているクラッカーを買ってきたが、そんなちゃちなマグルのクラッカーとは物がちがう。ハリーはフレッドと一緒にクラッカーのひもを引っぱった。パーンと破裂するどころではない。大砲のような音を立てて爆発し、青い煙がもくもくとあたり一面に立ち込め、中から海軍少将の帽

第12章　みぞの鏡

241

子と生きたハツカネズミが数匹飛び出した。上座のテーブルではダンブルドア先生が自分の三角帽子と花飾りのついた婦人用の帽子とを交換してかぶり、クラッカーに入っていたジョークの紙をフリットウィック先生が読み上げるのを聞いて、ゆかいそうにクスクス笑っていた。

七面鳥の次はブランデーでフランベしたクリスマスプディングが出てきた。ハグリッドはハリーが見ている間に何杯もワインをおかわりして、見る見る赤くなり、しまいにはマクゴナガル先生のほおにキスをした。驚いたことに、マクゴナガル先生は、三角帽子が横っちょにずれるのもかまわず、ほおを赤らめてクスクス笑った。

食事を終えてテーブルを離れたハリーは、クラッカーから出てきたおまけをたくさん抱えていた。破裂しない光る風船、自分でできるイボつくりのキット、新品のチェスセットなどだった。ハツカネズミはどこかへ消えてしまったが、結局ミセス・ノリスのクリスマスのごちそうになるんじゃないかと、ハリーはいやな予感がした。

昼過ぎ、ハリーはウィーズリー四兄弟と猛烈な雪合戦を楽しんだ。それから、ゼイゼイ息をはずませながら、びっしょりぬれて凍えた体でグリフィンドールの談話室に戻り、暖炉の前に座った。新しいチェスセットを使ったデビュー戦で、ハリーは物の見事にロンに負けた。パーシーがおせっかいをしなかったら、こんなにも大負けはしなかったのにとハリーは思った。

夕食は七面鳥のサンドイッチ、マフィン、トライフル、クリスマスケーキを食べ、みんな満腹で眠くなり、それからベッドに入るまで何もする気にもならず、フレッドとジョージに監督生バッジを取られたパーシーが、二人を追いかけてグリフィンドール中を走り回っているのを眺めていただけだった。

ハリーにとってはいままでで最高のクリスマスだった。それなのに何か一日中、心の中に引っかかる

ものがあった。ベッドにもぐり込んでからやっとそれがなんだったのかに気づいた――透明マントとその贈り主のことだ。

ロンは七面鳥とケーキで満腹になり、悩むような不可解なこともないので、天蓋つきベッドのカーテンを引くとたちまち眠ってしまった。ハリーはベッドの端に寄り、下から透明マントを取り出した。

父さんのもの……これは父さんのものだったんだ。手に持つと、布はサラサラと絹よりもなめらかに、空気よりも軽やかに流れた。「上手に使いなさい」そう書いてあったっけ。

いま、試してみなければ。ハリーはベッドから抜け出し、マントを体に巻きつけた。足元を見ると月の光と影だけだ。とても奇妙な感じだった。

――上手に使いなさい――。

ハリーは急に眠気が吹っ飛んだ。このマントを着ていればホグワーツ中を自由に歩ける。シーンとした闇の中に立つと、興奮が体中に湧き上がってきた。これを着ればどこでも、どんな所でも、フィルチにも知られずに行くことができる。

ロンがブツブツ寝言を言っている。起こしたほうがいいかな？いや、何かがハリーを引き止めた――父さんのマントだ……ハリーはいまそれを感じた――初めて使うんだ……僕一人でマントを使いたい。

寮を抜け出し、階段を下り、談話室を横切り、肖像画の裏の穴を登った。

「そこにいるのは誰なの？」

太った婦人（レディ）がすっとんきょうな声を上げた。ハリーは答えずに、急いで廊下を歩いた。

どこに行こう？ハリーは立ち止まり、ドキドキしながら考えた。そうだ。図書館の閲覧禁止の棚に行こう。好きなだけ、フラメルが誰かわかるまで調べられる。透明マントをぴっちりと体に巻きつけな

第12章　みぞの鏡

243

がら、ハリーは図書館に向かって歩いた。

図書館は真っ暗で気味が悪かった。ランプをかざして書棚の間を歩くと、ランプは宙に浮いているように見えた。自分の手でランプを持っているのはわかっていても、ぞっとするような光景だった。

閲覧禁止の棚は一番奥にあった。ロープでほかの棚と仕切られている。ハリーは慎重にロープをまたぎ、ランプを高くかかげて書名を見た。

書名を見てもよくわからなかった。背表紙の金文字がはがれたり色あせたり、ハリーにはわからない外国語で書いてあったりした。書名のないものもある。血のような不気味な黒いしみのついた本が一冊あった。ハリーは首筋がゾクゾクした。気のせいなのか――いや、そうではないかもしれない――本の間からヒソヒソ声が聞こえるような気がした。まるで、そこにいてはいけない人間が入り込んでいるのを知っているかのようだった。

とにかくどこからか手をつけなければ。ランプをそうっと床に置いて、ハリーは一番下の段から見かけのおもしろそうな本を探しはじめた。黒と銀色の大きな本が目に入った。重くて引き出すのも大変だったが、やっと取り出してひざの上にのせ、バランスを取りながら本を開いた。

突然血も凍るような鋭い悲鳴が夜の静寂を切りさいた――本が叫び声を上げた！　ハリーは本をピシャリと閉じたが、耳をつんざくような叫びはとぎれずに続いた。ハリーは後ろによろけた拍子にランプをひっくり返してしまい、灯がフッと消えた。

気は動転していたが、ハリーは廊下をこちらに向かってやってくる足音を聞いた――叫ぶ本を棚に戻し、ハリーは逃げた。出口付近でフィルチとすれちがった。血走った薄い色の目がハリーの体を突き抜けてその先を見ていた。ハリーはフィルチの伸ばした腕の下をすり抜けて廊下を疾走した。本の悲鳴がまだ耳を離れなかった。

ハリー・ポッターと賢者の石

244

ふと目の前に背の高い鎧が現れ、ハリーは急停止した。逃げるのに必死で、どこに逃げるかは考える間もなかった。暗いせいだろうか、いまいったいどこにいるのかわからない。確か、厨房のそばに鎧があったっけ。でもそこより五階ぐらいは上のほうにいるにちがいない。

「先生、誰かが夜中に歩き回っていたら、直接先生にお知らせするんでしたよねぇ。誰かが図書館に、しかも閲覧禁止の所にいました」

ハリーは血の気が引くのを感じた。ここがどこかはわからないが、フィルチは近道を知っているにちがいない。フィルチのねっとりした猫なで声がだんだん近づいてくる。しかも恐ろしいことに、返事をしたのはスネイプだった。

「閲覧禁止の棚？　それならまだ遠くまで行くまい。捕まえられる」

フィルチとスネイプが前方の角を曲がってこちらにやってくる。ハリーはその場に釘づけになった。もちろんハリーの姿は見えないはずだが、狭い廊下だし、もっと近づいてくればハリーにまともにぶつかってしまう――マントはハリーの体そのものを消してはくれない。

ハリーはできるだけ静かにあとずさりした。左手のドアが少し開いていた。最後の望みの綱だ。息を殺し、ドアを動かさないようにして、ハリーはすきまからそっとすべり込んだ。

よかった。二人に気づかれずに部屋の中に入ることができた。二人はハリーの真ん前を通り過ぎていった。壁に寄りかかり、足音が遠のいていくのを聞きながら、自分がいま隠れている部屋が見えてきた。

危なかった。危機一髪だった。数秒後、ハリーはやっと、昔使われていた教室のような部屋だった。机と椅子が黒い影のように壁際に積み上げられ、ごみ箱も逆さにして置いてある――ところが、ハリーの寄りかかっている壁の反対側の壁に、なんだかこの部屋にそぐわないものが立てかけてあった。

通りの邪魔になるからと、誰かがそこに寄せて置いたみたい

だった。

天井まで届くような背の高い見事な鏡だ。金の装飾豊かな枠には、二本の鉤爪状(かぎづめ)の脚がついている。枠の上のほうに字が彫ってある。

「すつうを　みぞの　のろここ　のたなあ　くなはで　おか　のたなあ　はしたわ」

フィルチやスネイプの足音も聞こえなくなり、ハリーは落ち着きを取り戻しつつあった。鏡に近寄って透明な自分の姿をもう一度見たくて、真ん前に立ってみた。

ハリーは思わず叫び声を上げそうになり、両手で口をふさいだ。急いで振り返って、あたりを見回した。本が叫んだときよりもずっと激しく動悸(どうき)がした――鏡に映ったのは自分だけではない。ハリーのすぐ後ろにたくさんの人が映っていたのだ。

しかし、部屋には誰もいない。あえぎながら、もう一度ゆっくり鏡を振り返って見た。

ハリーが青白いおびえた顔で映っている。その後ろに少なくとも十人くらいの人がいる。肩越しにもう一度後ろを振り返って見た――誰もいない。それともみんなも透明なのだろうか？　この部屋には透明の人がたくさんいて、この鏡は透明でも映る仕掛けなんだろうか？

もう一度鏡をのぞき込んでみた。ハリーのすぐ後ろに立っている女性が、ハリーにほほえみかけ、手を振っている。後ろに手を伸ばしてみても、空をつかむばかりだった。もし本当に女の人がそこにいるのなら、こんなにそばにいるのだから触れることができるはずなのに、なんの手応えもなかった――女の人もほかの人たちも、鏡の中にしかいなかった。

とてもきれいな女性だった。深みがかった赤い髪で、目は……僕の目にそっくりだ。ハリーはその女の人が泣いているのにもっと近づいてみた。明るい緑色の目だ――形も僕にそっくりだ。ハリーは鏡にもっと近づいてみた。ほほえみながら、泣いている。やせて背の高い黒髪の男性がそのそばにいて、腕を回して

ハリー・ポッターと賢者の石
246

女性の肩を抱いている。男の人はめがねをかけていて、髪がくしゃくしゃだ。後ろの毛が立っている。

鏡に近づきすぎて、鼻が鏡の中のハリーの鼻とくっつきそうになった。

「母さん?」ハリーはささやいた。「父さん?」

二人はほほえみながらハリーを見つめるばかりだった。

ハリーは鏡の中のほかの人々の顔もじっと眺めた。自分と同じような緑の目の人、そっくりな鼻の人。小柄な老人はハリーと同じにひざこぞうが飛び出しているみたいだ——生まれて初めて、ハリーは自分の家族を見ていた。

ポッター家の人々はハリーに笑いかけ、手を振った。ハリーは貪るようにみんなを見つめ、両手をぴったりと鏡に押し当てた。鏡の中に入り込み、みんなに触れたいとでもいうように。ハリーの胸に、喜びと深い悲しみが入りまじった強い痛みが走った。

どのくらいそこにいたのか、自分にもわからなかった。鏡の中の姿はいつまでも消えず、ハリーは何度も何度ものぞき込んだ。遠くのほうから物音が聞こえ、ハリーはふと我に返った。いつまでもここにはいられない。なんとかベッドに戻らないと。ハリーは鏡の中の母親から思いきって目を離し、「また来るからね」とつぶやいた。そして急いで部屋を出た。

「起こしてくれればよかったのに」
翌朝ロンが不機嫌そうにいった。
「今晩、一緒に来ればいいよ。僕、また行くから。君に鏡を見せたいんだ」
「君のママとパパに会いたいよ」ロンは意気込んだ。

「僕は君の家族に会いたい。ウィーズリー家の人たちに会いたいよ。ほかの兄さんとか、みんなに会わせてくれるよね」

「いつだって会えるよ。今度の夏休みに家に来ればいい。もしかしたら、その鏡は亡くなった人だけを見せるのかもしれないな。しかし、フラメルを見つけられなかったのは残念だったなぁ。ベーコンか何か食べろよ。何も食べてないじゃないか。どうしたの？」

ハリーは食べたくなかった。両親に会えた。今晩もまた会える。ハリーはフラメルのことはほとんど忘れてしまっていた。そんなことはもう、どうでもいいような気がした。三頭犬が何を守っていようが、関係ない。スネイプがそれを盗んだところで、それがどうしたというんだ。

「大丈夫かい？　なんか様子がおかしいよ」ロンが言った。

あの鏡の部屋が二度と見つからないのではと、ハリーはそれが一番怖かった。ロンと二人でマントを着たので、昨夜よりのろのろ歩きになった。図書館からの道筋をもう一度たどりなおして、二人は一時間近く暗い通路をさまよった。

「凍えちゃうよ。もうあきらめて帰ろう」とロンが言った。

「いやだ！　どっかこのあたりなんだから」ハリーはつっぱねた。

背の高い魔女のゴーストがするすると反対方向に行くのとすれちがったほかは、誰も見かけなかった。冷えて足の感覚がなくなったと、ロンがブツブツ言いはじめたちょうどその時、ハリーはあの鎧を見つけた。

「ここだ……ここだった……そう！」二人はドアを開けた。ハリーはマントをかなぐり捨てて鏡に向かって走った。

みんながそこにいた。父さんと母さんがハリーを見てニッコリ笑っていた。

「ねっ？」とハリーがささやいた。

「何も見えないよ」

「ほら！　みんなを見てよ……たくさんいるよ」

「僕、君しか見えないよ」

「ちゃんと見てごらんよ。さぁ、僕の所に立ってみて」

ハリーが脇にどいてロンが鏡の正面に立つと、ハリーには家族の姿が見えなくなって、かわりにペイズリー模様のパジャマを着たロンが映っているのが見えた。

今度はロンのほうが、鏡に映った自分の姿を夢中でのぞき込んでいた。

「僕を見て！」ロンが言った。

「家族みんなが君を囲んでいるのが見えるかい？」

「うぅん……僕一人だ……でも僕じゃないみたい……もっと年上に見える……僕、首席だ！」

「なんだって？」

「僕……ビルがつけていたようなバッジをつけてる……そして最優秀寮杯とクィディッチ優勝カップを持っている──僕、クィディッチのキャプテンもやってるんだ！」

ロンはほれぼれするような自分の姿からようやく目を離し、興奮した様子でハリーを見た。

「この鏡は未来を見せてくれるのかなぁ？」

「そんなはずないよ。僕の家族はみんな死んじゃったんだから──もう一度僕に見せて──」

「君はきのうひとり占めで見たじゃないか。もう少し僕に見せてよ」

「君はクィディッチの優勝カップを持ってるだけじゃないか。何がおもしろいんだよ。僕は両親に会い

第12章　みぞの鏡

249

「たいんだ」

「押すなよ──」

突然、外の廊下で音がして、二人は言い争いを止めた。どんなに大声で話していたかに気がつかなかったのだ。

「早く！」

ロンがマントを二人にかぶせたとたん、ミセス・ノリスの蛍のように光る目がドアのむこうから現れた。ロンとハリーは息をひそめて立っていた。二人とも同じことを考えていた。

──このマント、猫にも効くのかな？ ──何年もたったような気がした。やがて、ミセス・ノリスはくるりと向きを変えて立ち去った。

「まだ安心はできない──フィルチの所に行ったかもしれない。僕たちの声が聞こえたにちがいない。さぁ」

ロンはハリーを部屋から引っ張り出した。

次の朝、雪はまだ解けていなかった。

「ハリー、チェスしないか？」とロンが誘った。

「しない」

「下におりて、ハグリッドの所に行かないか？」

「ううん……君が行けば……」

「ハリー、あの鏡のことを考えてるんだろう。今夜は行かないほうがいいよ」

「どうして？」

ハリー・ポッターと賢者の石

250

「わかんないけど、なんだかあの鏡のこと、悪い予感がするんだ。それに、君はずいぶん危機一髪の目にあったじゃないか。フィルチもスネイプもミセス・ノリスもうろうろしているよ。連中に君が見えないからって安心はできない。君にぶつかったらどうなる？　もし君が何かひっくり返したら？」

「ハーマイオニーみたいなこと言うね」

「本当に心配しているんだよ。ハリー、行っちゃだめだよ」

だがハリーは鏡の前に立つことしか考えていなかった。ロンがなんと言おうと、止めることはできない。

三日目の夜は昨夜より早く道がわかった。あんまり速く歩いたので、自分でも用心が足りないと思うぐらい音を立てていた。だが、誰とも出会わなかった。

父さんと母さんはちゃんとそこにいて、ハリーにほほえみかけ、おじいさんの一人は、うれしそうにうなずいていた。ハリーは鏡の前に座り込んだ。何があろうと、ひと晩中家族とそこにいたい。誰も、何ものも止められやしない。

ただし――。

「ハリー、また来たのかね？」

ハリーは体中がヒヤーッと氷になったかと思った。振り返ると、壁際の机に、誰あろう、アルバス・ダンブルドアが腰かけていた。鏡のそばに行きたい一心で、ダンブルドアの前を気づかずに通り過ぎてしまったにちがいない。

「ぼ、僕、気がつきませんでした」

「透明になると、不思議にずいぶん近眼になるんじゃのう」とダンブルドアが言った。

第12章　みぞの鏡

251

先生がほほえんでいるのを見てハリーはホッとした。ダンブルドアは机から下りてハリーと一緒に床に座った。

「君だけではない。何百人も君と同じように、この『みぞの鏡』のとりこになった」

「先生、僕、そういう名の鏡だとは知りませんでした」

「この鏡が何をしてくれるのかはもう気がついたじゃろう」

「鏡は……僕の家族を見せてくれました……」

「そして君の友達のロンには、首席になった姿じゃった」

「どうしてそれを……」

「わしはマントがなくても透明になれるのでな」

ダンブルドアは穏やかに言った。

「それで、この『みぞの鏡』はわしたちに何を見せてくれると思うかね?」

ハリーは首を横に振った。

「ではヒントをあげようかのう。この世で一番幸せな人には、この鏡は普通の鏡になる。その人が鏡を見ると、そのまんまの姿が映るのじゃ。これで何かわかったかね」

ハリーは考えてからゆっくりと答えた。

「何か欲しいものを見せてくれる……なんでも自分の欲しいものを……」

「当たりでもあるし、はずれでもある」

ダンブルドアが静かに言った。

「鏡が見せてくれるのは、心の一番奥底にある一番強い『のぞみ』じゃ。それ以上でもそれ以下でもない。君は家族を知らないので、家族に囲まれた自分を見る。ロナルド・ウィーズリーはいつも兄弟の陰

ハリー・ポッターと賢者の石

252

でかすんでいるから、兄弟の誰よりもすばらしい自分が一人で堂々と立っている姿が見える。しかしこの鏡は、知識や真実を示してくれるものではない。鏡が映すものが現実のものか、はたして実現が可能なものなのかさえ判断できず、鏡の前でへとへとになったり、鏡に映る姿に魅入られてしまったり、正気を失ってしまったりしたんじゃよ。

ハリー、この鏡は明日、よそに移す。もうこの鏡を探してはいけないよ。たとえ再びこの鏡に出合うことがあっても、もう大丈夫じゃろう。夢にふけったり、生きることを忘れてしまうのはよくない。それをよく覚えておきなさい。さあて、そのすばらしいマントを着て、ベッドに戻ってはいかがかな」

ハリーは立ち上がった。

「でも、もう一つだけ質問を許そう」

「あの……ダンブルドア先生、質問してよろしいですか？」

「いいとも。いまのもすでに質問だったがのう」

ダンブルドアはほほえんだ。

「先生ならこの鏡で何が見えるんですか？」

「わしかね？　厚手のウールの靴下を一足、手に持っておるのが見える」

ハリーは目を見開いた。

「靴下はいくつあってもいいものじゃ。なのに今年のクリスマスにも靴下は一足ももらえなかった。わしにプレゼントしてくれる人は本ばっかり贈りたがるんじゃ」

ダンブルドアは本当のことを言わなかったのかもしれない、ハリーがそう気づいたのはベッドに入ってからだった。でも……ハリーは枕の上にいたスキャバーズを払いのけながら考えた――きっとあれはちょっと無遠慮な質問だったんだ……。

第12章　みぞの鏡

253

第13章　ニコラス・フラメル

「みぞの鏡」を二度と探さないようにとダンブルドアに説得され、クリスマス休暇が終わるまで透明マントはハリーのトランクの底にしまい込まれたままだった。ハリーは鏡の中で見たものを忘れたいと思ったが、そう簡単にはいかなかった。それからよく悪夢にうなされた。高笑いが響き、両親が緑色の閃光とともに消え去る夢を何度もくり返し見た。

ハリーがロンに夢のことを話すと、ロンが言った。

「ほら、ダンブルドアの言うとおりだよ。鏡を見て気が変になる人がいるって」

新学期が始まる一日前にハーマイオニーが帰ってきた。ロンとはちがい、ハーマイオニーの気持ちは複雑だった。一方では、ハリーが三晩も続けてベッドを抜け出し、学校中をうろうろしたと聞いて驚きあきれたが（もしフィルチに捕まっていたら！）、一方、どうせそういうことならせめてニコラス・フラメルについてハリーが何か見つけなければよかったのに、と悔しがった。

図書館ではフラメルは見つからないと、三人はほとんどあきらめかけていたが、ハリーには絶対どこかでその名前を見たという確信があった。新学期が始まると、三人は再び十分間の休み時間中に必死で本をあさった。クィディッチの練習も始まったので、ハリーは二人より時間が取れなかった。

ウッドのしごきは前よりも厳しくなった。雪が雨に変わり、果てしなく降り続いてもウッドの意気込みが湿りつくことはなかった。次の試合でハッフルパフに勝てば七年ぶりに寮対抗杯をスリザリンから

ハリー・ポッターと賢者の石
254

取り戻せるのだ。確かに勝ちたいという気持ちはあったが、それとは別に、練習でつかれたあとはあまり悪夢を見なくなることも、ハリーは意識していた。

ひときわ激しい雨でびしょびしょになり、泥んこになって練習している最中、ウッドが悪い知らせをもたらした。双子のウィーズリーが互いに急降下爆撃を仕掛け、箒から落ちるふりをするので、カンカンに腹を立てたウッドが叫んだ。

「ふざけるのはやめろ！　そんなことをすると、今度の試合には負けるぞ。次の試合の審判はスネイプだ。すきあらばグリフィンドールから減点しようとねらってくるぞ！」

とたんにジョージ・ウィーズリーは本当に箒から落ちてしまった。

「**スネイプ**が審判をやるって？」

ジョージは口いっぱいの泥を吐きちらしながら急（せ）き込んで聞いた。

「スネイプがクィディッチの審判をやったことなんかあるか？　俺たちがスリザリンに勝つかもしれないとなったら、きっとフェアでなくなるぜ」

チーム全員がジョージのそばに着地して文句を言いはじめた。

「**僕**のせいじゃない。僕たちは、つけ込む口実を与えないよう、絶対にフェアプレーをしなければ」

それはそうだとハリーは思った。しかしハリーには、クィディッチの試合中スネイプがそばにいると困る理由がもう一つあった……。

練習のあと、選手たちはいつもどおりだらだらとしゃべっていたが、ハリーはまっすぐグリフィンドールの談話室に戻った。ロンとハーマイオニーはチェスの対戦中だった。ハーマイオニーが負けるのはチェスだけだったが、負けるのは彼女にとっていいことだとハリーとロンは思っていた。

「いまは話しかけないで。集中しなくちゃ……」

ロンはハリーがそばに座るなりそう言ったが、ハリーの顔を見ると、「なんかあったのか？　なんて顔してるんだい」と聞いた。

ほかの人に聞かれないように小声で、ハリーは、スネイプが突然クィディッチの審判をやりたいと言いだした、という不吉なニュースを伝えた。ハーマイオニーとロンはすぐに反応した。

「試合に出ちゃだめよ」

「病気だって言えよ」

「足を折ったことにすれば」とハーマイオニー。

「いっそ本当に足を折ってしまえ」とロン。

「できないよ。シーカーの補欠はいないんだ。僕が出ないとグリフィンドールはプレーできなくなってしまう」

その時、ネビルが談話室に倒れ込んできた。どうやって肖像画の穴を這い上れたやら、両足がぴったりくっついたままで、「足縛りの呪い」をかけられたとすぐにわかる。グリフィンドール塔までずっとウサギ跳びをしてきたにちがいない。

みんな笑い転げたが、ハーマイオニーだけはすぐ立ち上がって呪いを解く呪文を唱えた。

両足がパッと離れ、ネビルは震えながら立ち上がった。

「どうしたの？」

ネビルをハリーとロンのそばに座らせながらハーマイオニーが尋ねた。

「マルフォイが……」ネビルは震え声で答えた。

「図書館の外で出会ったの。誰かに呪文を試してみたかったって……」

「マクゴナガル先生の所に行きなさいよ！　マルフォイがやったって報告するのよ！」

ハリー・ポッターと賢者の石

256

とハーマイオニーが急き立てた。

ネビルは首を横に振った。

「これ以上、面倒はいやだ」

「ネビル、マルフォイに立ち向かわなきゃだめだよ」

「あいつは平気でみんなをバカにしてる。だからといって屈服してヤツをつけ上がらせていいってもんじゃない」

「僕が、勇気がなくてグリフィンドールにふさわしくないって、言われなくってもわかってるよ。マルフォイがさっき言ったから」

ネビルが声を詰まらせた。

ハリーはポケットを探って蛙チョコレートを取り出した。ハーマイオニーがクリスマスにくれたのが一つだけ残っていた。ハリーはいまにも泣きそうになっているネビルにそれを差し出した。

「マルフォイが十人束になったって君にはおよばないよ。組分け帽子に選ばれて、君はグリフィンドールに入ったんだろう？　マルフォイはどうだい？　くされスリザリンに入れられたよ」

蛙チョコの包み紙を開けながら、ネビルはかすかにほほえんだ。

「ハリー、ありがとう……僕、もう寝るよ……カードあげる。集めてるんだろう？」

ネビルが行ってしまってから、ハリーは「有名魔法使いカード」を眺めた。

「またダンブルドアだ。僕が初めて見たカード……」

ハリーは息をのんだ。カードの裏を食い入るように見つめ、そしてロンとハーマイオニーの顔を見た。

「**見つけたぞ！**」

ハリーが声を殺して叫んだ。

第13章　ニコラス・フラメル

257

「フラメルを見つけた！　どっかで名前を見たことがあるって言ったよね。ホグワーツに来る汽車の中で見たんだ――聞いて――『とくに、一九四五年、闇の魔法使い、グリンデルバルドを破ったこと、ドラゴンの血液の十二種類の利用法の発見、パートナーであるニコラス・フラメルとの錬金術の共同研究などで有名！』」

ハーマイオニーは飛び上がった。こんなに興奮したハーマイオニーを見るのは、三人の最初の宿題が採点されて戻ってきたとき以来だった。

「ちょっと待ってて！」

ハーマイオニーは女子寮への階段を脱兎のごとく駆け上がっていった。どうしたんだろうとロンとハリーが顔を見交わす間もないうちに、巨大な古い本を抱えてハーマイオニーが矢のように戻ってきた。

「この本で探してみようなんて考えつきもしなかったわ」

ハーマイオニーは興奮しながらささやいた。

「ちょっと軽い読書をしようと思って、ずいぶん前に図書館から借り出していたの」

「**軽い**？」とロンが口走った。

ハーマイオニーは、見つけるまではだまっていてと言うなり、ブツブツひとり言を言いながらすごい勢いでページをめくりはじめた。

いよいよ探していたものを見つけた。

「これだわ！　**思ったとおりよ！**」

「もうしゃべってもいいのかな？」とロンが不機嫌な声を出した。

ハーマイオニーはおかまいなしにヒソヒソ声でドラマチックに読み上げた。「ニコラス・フラメルは、

我々の知るかぎり、**賢者の石の創造に成功した唯一の者！**」

ハーマイオニーが期待したような反応がなかった。

「何、それ？」

ハリーとロンの反応がこれだ。

「まったく、もう。二人とも本を読まないの？　ほら、ここ……読んでみて」

ハーマイオニーが二人のほうに本を押して寄こした。二人は読みはじめた。

錬金術とは、「賢者の石」と言われる恐るべき力をもつ伝説の物質を創造することに関わる古代の学問であった。この「賢者の石」は、いかなる金属をも黄金に変える力があり、また飲めば不老不死になる「命の水」の源でもある。

「賢者の石」については何世紀にもわたって多くの報告がなされてきたが、現存する唯一の石は著名な錬金術師であり、オペラ愛好家であるニコラス・フラメル氏が所有している。フラメル氏は昨年六六五歳の誕生日を迎え、デボン州でペレネレ夫人（六五八歳）と静かに暮らしている。

ハリーとロンが読み終わると、ハーマイオニーが言った。

「ねっ？　あの犬はフラメルの『賢者の石』を守っているにちがいないわ！　フラメルがダンブルドアに保管してくれって頼んだのよ。だって二人は友達だし、フラメルは誰かがねらっているのを知ってたのね。だからグリンゴッツから石を移してほしかったんだわ！」

「金を作る石、けっして死なないようにする石！　スネイプがねらうのも無理ないよ。誰だって欲しいもの」とハリーが言った。

「それに『魔法界における最近の進歩に関する研究』にのってなかったわけだ。だって六百六十五歳

じゃ厳密には最近とは言えないよな」とロンが続けた。

翌朝、「闇の魔術に対する防衛術」の授業で、狼人間にかまれた傷のさまざまな処置法についてノートを取りながら、ハリーとロンは自分が「賢者の石」を持っていたらどうするかを話していた。ロンが自分のクィディッチ・チームを買うと言ったとたん、ハリーはスネイプと試合のことを思い出した。

「僕、試合に出るよ」

ハリーはロンとハーマイオニーに言った。

「出なかったら、スリザリンの連中はスネイプが怖くて僕が試合に出なかったと思うだろう。目にもの見せてやる……僕たちが勝って、連中の顔から笑いをぬぐいさってやる」

「ピッチに落ちたあなたを、私たちがぬぐいさるようなハメにならなければね」

とハーマイオニーが言った。

二人に向かって強がりを言ったものの、試合が近づくにつれてハリーは不安になってきた。ほかの選手もあまり冷静ではいられなかった。七年近くスリザリンに取られっぱなしだった優勝を手にすることができたなら、どんなにすばらしいだろう。でも審判が公正でなかったらそれは可能なことなのだろうか。

思い過ごしかもしれないが、ハリーはどこに行ってもスネイプに出くわすような気がした。ハリーがひとりぼっちになったときに捕まえようと、あとをつけてるのではないかと思うことがときどきあった。「魔法薬学」の授業は毎週拷問にかけられているようだった。スネイプはハリーにとてもつらくあたった。ハリーたちが「賢者の石」のことを知ったと気づいたのだろうか？　そんなはずはないと思いなが

らも、ときどきハリーは、スネイプには人の心が読めるのではないかという恐ろしい思いに囚われてしまうのだった。

次の日の昼過ぎ、ロンとハーマイオニーは更衣室の外で「幸運を祈る」とハリーを見送った。はたして再び生きて自分に会えるかどうかと二人が考えていることをハリーは知っていた。どうも意気が上がらない。ウッドの激励の言葉もほとんど耳に入らないまま、ハリーはクィディッチのユニフォームを着てニンバス2000を手に取った。

ハリーと別れたあと、ロンとハーマイオニーはスタンドでネビルの隣に座った。ネビルはなぜ二人が深刻な顔をしているのか、クィディッチの試合観戦なのになぜ杖を持ってきているのか、さっぱりわからなかった。ハリーにだまって、ロンとハーマイオニーはひそかに「足縛りの呪文」を練習していた。マルフォイがネビルに術を使ったことからヒントを得て、もしスネイプがハリーを傷つけるようなそぶりをちらっとでも見せたらこの術をかけようと準備していた。

「いいこと、忘れちゃだめよ。**ロコモーター　モルティスよ**」

ハーマイオニーが杖をそでの中に隠そうとしているロンにささやいた。

「**わかってるったら**。ガミガミ言うなよ」

ロンがピシャリと言った。

更衣室ではウッドがハリーをそばに呼んで話をしていた。

「ポッター、プレッシャーをかけるつもりはないが、この試合こそ、とにかく早くスニッチを捕まえてほしいんだ。スネイプにハッフルパフをひいきする余裕を与えずに試合を終わらせてくれ」

「学校中が観戦に出てきたぜ」

第13章　ニコラス・フラメル

261

フレッド・ウィーズリーがドアからのぞいて言った。

「こりゃ驚いた——ダンブルドアまで見に来てる！」

ハリーの心臓が宙返りした。

「ダンブルドア？」

ハリーはドアに駆け寄って確かめた。フレッドの言うとおりだ。あの銀色のひげはまちがいようがない。

ハリーはホッとして笑いだしそうになった。助かった。ダンブルドアが見ている前では、スネイプが選手がピッチに入場してきたとき、スネイプが腹を立てているように見えたのは、そのせいかもしれない。ロンもそれに気づいた。

「スネイプがあんなに意地悪な顔をしたの、見たことない」

ロンがハーマイオニーに話しかけた。

「さぁ、プレー・ボールだ。アイタッ！」

誰かがロンの頭の後ろをこづいた。マルフォイだった。

「ああ、ごめん。ウィーズリー、気がつかなかったよ」

マルフォイはクラッブとゴイルに向かってニヤッと笑った。

「この試合、ポッターはどのくらい箒に乗っていられるかな？　誰か、賭けるかい？　ウィーズリー、どうだい？」

ロンは答えなかった。ジョージ・ウィーズリーがブラッジャーをスネイプのほうに打ったという理由で、スネイプがハッフルパフにペナルティ・スローを与えたところだった。ハーマイオニーはひざの上

で指を十字架の形に組んで祈りながら、目を凝らしてハリーを見つめ続けていた。ハリーはスニッチを探して鷹のようにぐるぐると高い所を旋回していた。

「グリフィンドールの選手がどういうふうに選ばれたか知ってるかい？」

しばらくしてマルフォイが聞こえよがしに言った。ちょうどスネイプが、なんの理由もなくハッフルパフにペナルティ・スローを与えたところだった。

「気の毒な人が選ばれてるんだよ。ポッターは両親がいないし、ウィーズリー一家はお金がないし……ネビル・ロングボトム、君もチームに入るべきだね。脳みそがないから」

ネビルは顔を真っ赤にしたが、座ったまま後ろを振り返ってマルフォイの顔を見た。

「マルフォイ、ぼ、僕、君が十人束になってもかなわないぐらい価値があるんだ」

ネビルがつっかえながらも言いきった。

マルフォイもクラブもゴイルも大笑いした。ロンは試合から目を離す余裕がなかったが、「そうだ、ネビル、もっと言ってやれよ」と口を出した。

「ロングボトム、もし脳みそが金でできてるなら、君はウィーズリーより貧乏だよ。つまり生半可な貧乏じゃないってことだな」

ロンはハリーのことが心配で、神経が張りつめて切れる寸前だった。

「マルフォイ、これ以上一言でも言ってみろ。ただでは——」

「ロン！」

突然ハーマイオニーが叫んだ。

「ハリーが！」

「何？　どこ？」

第13章　ニコラス・フラメル

263

ハリーが突然ものすごい急降下を始めた。そのすばらしさに観衆は息をのみ、大歓声を上げた。ハーマイオニーは立ち上がり、指を十字に組んだまま口にくわえていた。ハリーは弾丸のように一直線に地上に向かって突っ込んでいく。

「運がいいぞ、ウィーズリー！　ポッターはきっと地面にお金が落ちているのを見つけたのにちがいない！」とマルフォイが言った。

ロンはついに切れた。マルフォイが気がついたときには、もうロンがマルフォイに馬乗りになり、地面に組み伏せていた。ネビルは一瞬ひるんだが、観客席の椅子の背をまたいで助勢に加わった。

「行けっ！　ハリー」

ハーマイオニーが椅子の上に飛び上がり、声を張り上げた。ハリーがスネイプのほうに猛スピードで突進してゆく。ロンとマルフォイが椅子の下で転がり回っていることにも、ネビル、クラッブ、ゴイルが取っ組み合って拳の嵐の中から悲鳴が聞こえてくるのにも、ハーマイオニーはまるで気がつかなかった。

空中では、スネイプが箒の向きを変えた瞬間、耳元のほんの数センチ先を紅の閃光（せんこう）がかすめていった。次の瞬間、ハリーは急降下を止め、意気揚々と手を挙げた。その手にはスニッチが握られていた。

スタンドがドッと沸いた。新記録だ。こんなに早くスニッチを捕まえるなんて前代未聞だ。

「ロン！　ロン！　どこ行ったの？　試合終了よ！　ハリーが勝った！　私たちの勝ちよ！　グリフィンドールが首位に立ったわ！」

ハーマイオニーは狂喜して椅子の上で飛びはね、踊り、前列にいたパーバティ・パチルに抱きついた。

ハリーは地上から三十センチの所で箒から飛び降りた。自分でも信じられなかった。やった！　試合終了だ。試合開始から五分も経（た）っていなかった。グリフィンドールの選手が次々とグラウンドに降りて

ハリー・ポッターと賢者の石

264

きた。スネイプもハリーの近くに着地した。青白い顔をして唇をギュッと結んでいた。誰かがハリーの肩に手を置いた。見上げるとダンブルドアがほほえんでいた。

「よくやった」

ダンブルドアがハリーだけに聞こえるようにそっと言った。

「君があの鏡のことをくよくよ考えず、一生懸命やってきたのは偉い……すばらしい……」

スネイプが苦々しげに地面につばを吐いた。

しばらくして、ハリーはニンバス2000を箒置き場に戻すため、一人で更衣室を出た。こんなに幸せな気分になったことはなかった。ほんとうに誇りにできることをやり遂げた——名前だけが有名だなんてもう誰も言わないだろう。夕方の空気がこんなに甘く感じられたことはなかった。湿った芝生の上を歩いていると、この一時間の出来事がよみがえってきた。幸せでぼうっとなった時間だった。グリフィンドールの寮生が駆け寄ってきてハリーを肩車したので、ロンとハーマイオニーが遠くのほうでピョンピョン飛びはねているのが見えた。ロンはひどい鼻血を流しながら歓声を上げていた。

箒置き場にやってきたハリーが、木の扉に寄りかかってホグワーツを見上げると、窓という窓が夕日に照らされて赤くキラキラ輝いている。グリフィンドールが首位に立った。僕、やったんだ。スネイプに目にもの見せてやった……。

スネイプと言えば……。

城の正面の階段をフードをかぶった人物が急ぎ足で下りてきた。あきらかに人目をさけている。禁じられた森に足早に歩いていく。試合の勝利熱があっという間に吹っ飛んでしまった。あのすべるような忍び歩きが誰なのか、ハリーにはわかる。スネイプだ。ほかの人たちが夕食を食べているときにこっそ

第13章　ニコラス・フラメル

265

り森に行くとは——いったい何事だろう？

ハリーはまたニンバス2000に飛び乗り、飛び上がった。城の上まで音を立てずに滑走すると、スネイプが森の中に駆け込んで行くのが見えた。ハリーはあとをつけた。

木が深々と繁り、ハリーはスネイプを見失った。円を描きながらだんだん高度を下げ、木の梢に触れるほどの高さまできたとき、誰かの話し声が聞こえた。声のするほうにスーッと移動し、ひときわ高いぶなの木に音を立てずに降りた。

箒をしっかり握りしめ、そっと枝を登り、ハリーは葉っぱの陰から下をのぞき込んだ。

木の下の薄暗い平地にスネイプがいた。一人ではなかった。クィレルもいた。どんな顔をしているかハリーにはよく見えなかったが、クィレルはいつもよりひどくつかえながら話していた。ハリーは耳をそばだてた。

「……な、なんで……よりによって、こ、こんな場所で……セブルス、君にあ、会わなくちゃいけないんだ」

「このことは二人だけの問題にしようと思いましてね」

スネイプの声は氷のようだった。

「生徒諸君に『賢者の石』のことを知られてはまずいのでね」

ハリーは身を乗り出した。クィレルが何かもごもご言っている。

「あのハグリッドの野獣をどう出し抜くか、もうわかったのかね」

「で、でもセブルス……私は……」

「クィレル、私を敵に回したくなかったら」

スネイプはぐいと一歩前に出た。

「ど、どういうことなのか、私には……」

「私が何が言いたいか、よくわかっているはずだ」

ふくろうが大きな声でホーッと鳴いたので、ハリーは木から落ちそうになった。やっとバランスを取り、スネイプの次の言葉を聞きとった。

「……あなたの怪しげなまやかしについて聞かせていただきましょうか」

「で、でも私は、な、何も……」

「いいでしょう」

とスネイプがさえぎった。

「それでは、近々、またお話をすることになりますな。もう一度よく考えて、どちらに忠誠を尽くすのか決めておいていただきましょう」

スネイプはマントを頭からすっぽりかぶり、大股に立ち去った。もう暗くなりかかっていたが、ハリーにはその場に石のように立ち尽くすクィレルの姿が見えた。

「ハリーったら、**いったい**どこにいたのよ？」

ハーマイオニーがかん高い声を出した。

「僕らが勝った！　君が勝った！　僕らの勝ちだ！」

ロンがハリーの背をバンバンたたきながら言った。

「それに、僕はマルフォイの目に青あざを作ってやったし、ネビルなんか、クラッブとゴイルにたった一人で立ち向かったんだぜ。まだ気を失ってるけど、大丈夫だってマダム・ポンフリーが言ってた――スリザリンに目にもの見せてやったぜ。みんな談話室で君を待ってるんだ。パーティをやってるんだよ。

第13章　ニコラス・フラメル

267

フレッドとジョージがケーキやら何やら、厨房から失敬してきたんだ」

「それどころじゃない」

ハリーが息もつかずに言った。

「どこか誰もいない部屋を探そう。大変な話があるんだ……」

ハリーはピーブズがいないことを確かめてから部屋のドアをぴたりと閉めて、いま見てきたこと、聞いたことを二人に話した。

「僕らは正しかった。『賢者の石』だったんだ。それを手に入れるのを手伝えって、スネイプがクィレルを脅していたんだ。スネイプはフラッフィーを出し抜く方法を知ってるかって聞いていた……それと、クィレルの『怪しげなまやかし』のことも何か話してた……フラッフィー以外にも何か別なものが石を守っているんだと思う。きっと、人を惑わすような魔法がいっぱいかけてあるんだよ。クィレルが闇の魔術に対抗する呪文をかけて、スネイプがそれを破らなくちゃいけないのかもしれない──」

「それじゃ『賢者の石』が安全なのは、クィレルがスネイプに抵抗している間だけということになるの?」ハーマイオニーが不安げに言った。

「それじゃ、三日ともたないな。石はすぐなくなっちまうよ」とロンが言った。

第14章　ノルウェー・ドラゴンのノーバート

クィレルはハリーたちが思っていた以上のねばりを見せた。それから何週間かが経ち、ますます青白く、ますますやつれて見えたが、口を割った気配はなかった。

四階の廊下を通るたび、ハリー、ロン、ハーマイオニーの三人は扉にぴったり耳をつけて、クィレルの唸り声が聞こえるかどうかを確かめた。スネイプは相変わらず不機嫌にマントをひるがえして歩いていたが、それこそ石がまだ無事だという証拠でもあった。

クィレルと出会うたびに、ハリーは励ますような笑顔を向けるようにしたし、ロンはクィレルの吃音（きつおん）をからかう連中をたしなめはじめた。

しかし、ハーマイオニーは「賢者の石」だけに関心を持っていたわけではなかった。復習予定表を作り上げ、ノートにはマーカーで印をつけはじめた。彼女だけがすることなら、ハリーもロンも気にせずにすんだのだが、ハーマイオニーは自分と同じことをするよう二人にもしつこく勧めていた。

「ハーマイオニー、試験はまだズーッと先だよ」

「十週間先でしょ。ズーッと先じゃないわ。ニコラス・フラメルの時間にしたらほんの一秒でしょう」

「僕たち、六百歳じゃないんだぜ」ロンは、忘れちゃいませんかと反論した。

「それに、なんのために復習するんだよ。君はもう、全部知ってるじゃないか」

「なんのためですって？　気は確か？　二年生に進級するには試験をパスしなけりゃいけないのよ。大切な試験なのに、私としたことが……もうひと月前から勉強を始めるべきだったわ」

ありがたくないことに、クリスマス休暇ほど楽しくはなかった。ハーマイオニーと同意見のようだった。山のような宿題が出て、復活祭の休みは、クリスマス休暇ほど楽しくはなかった。ハーマイオニーがすぐそばで、ドラゴンの血の十二種類の利用法を暗唱したり、杖の振り方を練習したりするので、二人はのんびりするどころではなかった。うめいたりあくびをしたりしながらも、ハリーとロンは自由時間のほとんどをハーマイオニーと一緒に図書館で過ごし、復習に精を出した。

「こんなのとっても覚えきれないよ」

とうとうロンは音を上げ、羽根ペンを投げ出すと、図書館の窓から恨めしげに外を見た。ここ数か月振りのすばらしいお天気だった。空は忘れな草色のブルーに澄み渡り、夏の近づく気配が感じられた。

『薬草とキノコ一〇〇〇種』で「ハナハッカ」を探していたハリーは、「ハグリッド！　図書館で何してるんだい？」というロンの声に、思わず顔を上げた。

ハグリッドがバツが悪そうにもじもじしながら現れた。背中に何か隠している。モールスキンのコートを着たハグリッドは、いかにも場ちがいだった。

「いや、ちーっと見てるだけ」

ごまかし声が上ずって、たちまち三人の興味を引いた。

「おまえさんたちは何をしてるんだ？」

ハグリッドが突然疑わしげに尋ねた。

「まさか、ニコラス・フラメルをまだ探しとるんじゃねえだろうな」

「そんなのもうとっくの昔にわかったさ」

ロンが意気揚揚と言った。

「それだけじゃない。あの犬が何を守っているかも知ってるよ。『賢者のい——』」

「シーッ！」

ハグリッドは急いで言い触らしちゃいかん。おまえさんたち、まったくどうかしちまったんじゃねえか」

「そのことは大声で言い触らしちゃいかん。おまえさんたち、まったくどうかしちまったんじゃねえか」

「ちょうどよかった。ハグリッドに聞きたいことがあるんだけど。フラッフィー以外にあの石を守っているのはなんなの？」ハリーが聞いた。

「シーッ！ いいか——あとで小屋に来てくれや。ただし、教えるなんて約束はできねえぞ。ここでそんなことをしゃべりまくられちゃ困る。生徒が知ってるはずはねえんだから。俺がしゃべったと思われるだろうが……」

「じゃ、あとで行くよ」

とハリーが言った。

ハグリッドはもぞもぞと出ていった。

「ハグリッドったら、背中に何を隠してたのかしら？」

ハーマイオニーが考え込んだ。

「もしかしたら石と関係があると思わない？」

「僕、ハグリッドがどの書棚の所にいたか見てくる」

勉強にうんざりしていたロンが言った。ほどなくロンが本をどっさり抱えて戻ってきて、テーブルの上にドサッと置いた。

第14章　ノルウェー・ドラゴンのノーバート

271

「ドラゴンだよ！」

ロンが声をひそめて言った。

「ハグリッドはドラゴンの本を探してたんだ。ほら、見てごらん。『イギリスとアイルランドのドラゴンの種類』『ドラゴンの飼い方——卵から焦熱地獄まで』だってさ」

「初めてハグリッドに会ったとき、ずっと前からドラゴンを飼いたいと思ってたって、そう言ってたよ」ハリーが言った。

「でも、僕たちの世界じゃ法律違反だよ。一七〇九年のワーロック法で、ドラゴンの飼育は違法になったんだ。みんな知ってる。もし家の裏庭でドラゴンを飼ってたら、どうしたってマグルが僕らのことに気づくだろ——どっちみちドラゴンを手なずけるのは無理なんだ。狂暴だからね。チャーリーがルーマニアで野生のドラゴンにやられた火傷を見せてやりたいよ」

「だけどまさか、**イギリスに野生のドラゴン**なんていないんだろう？」とハリーが聞いた。

「いるともさ」

ロンが答えた。

「ウェールズ・グリーン普通種とか、ヘブリディーズ諸島ブラック種とか。もしマグルがそいつらを見つけてしまったら、こっちはそのたびにそれを忘れさせる魔法をかけなくちゃいけないんだ。もみ消すのに魔法省が苦労してるんだ。

「じゃ、ハグリッドはいったい何を考えてるのかしら？」

ハーマイオニーが言った。

ハリー・ポッターと賢者の石

272

一時間後、ハグリッドの小屋を訪ねると、驚いたことにカーテンが全部閉まっていた。ハグリッドは

「誰だ?」と確かめてからドアを開け、三人を中に入れるとすぐまたドアを閉めた。

中は窒息しそうなほど暑かった。こんなに暑い日だというのに、暖炉にはごうごうと炎が上がっている。ハグリッドはお茶を入れ、イタチの肉をはさんだサンドイッチをすすめたが、三人は遠慮した。

「それで、おまえさん、何か聞きたいって言ってたな?」

ハリーは単刀直入に聞くことにした。

「うん。フラッフィー以外に『賢者の石』を守っているのは何か、ハグリッドに教えてもらえたらなと思って」

ハグリッドはしかめっ面をした。

「もちろんそんなことはできん。まず第一、俺自身が知らん。第二に、おまえさんたちはもう知りすぎちょる。だから俺が知ってたとしても言わん。石がここにあるのにはそれなりのわけがあるんだ。グリンゴッツから盗まれそうになってなあ——もうすでにそれにも気づいとるだろうが。だいたいフラッフィーのことも、いったいどうしておまえさんたちに知られっちまったのかわからんなぁ」

「ねえ、ハグリッド。私たちに言いたくないだけでしょう。でも、絶対知ってるのよね。だって、ここで起きてることであなたの知らないことなんかないんですもの」

ハーマイオニーはやさしい声でおだてた。

ハグリッドのひげがぴくぴく動き、ひげの中でニコリとしたのがわかった。ハーマイオニーは追い討ちをかけた。

「私たち、石が盗まれないように、誰が、どうやって守りを固めたのかなぁって考えてるだけなのよ。ダンブルドアが信頼して助けを借りるのは誰かしらね、ハグリッド以外に」

第14章　ノルウェー・ドラゴンのノーバート

せした。

最後の言葉を聞くとハグリッドは胸をそらした。ハリーとロンはよくやったとハーマイオニーに目配

「まあ、それくらいなら言ってもかまわんじゃろう……さてと……俺からフラッフィーを借りて……何人かの先生が魔法の罠（わな）をかけて……スプラウト先生……フリットウィック先生……マクゴナガル先生……」

ハグリッドは指を折って名前を挙げはじめた。

「それからクィレル先生、もちろんダンブルドア先生もちょっと細工したし、まてよ、誰か忘れておるな。そうそう、スネイプ先生」

「スネイプだって？」

「ああ、そうだ。まだあのことにこだわっとるのか？　スネイプは石を**守るほう**の手助けをしたんだ。盗もうとするはずがなかろう」

ハリーは、ロンもハーマイオニーも自分と同じことを考えているなと思った。もしスネイプが石を守る側にいるならば、ほかの先生がどんなやり方で守ろうとしたかも簡単にわかるはずだ。たぶん全部わかったんだ──クィレルの呪文とフラッフィーを出し抜く方法以外は。

「ハグリッドだけがフラッフィーをおとなしくさせられるんだよね？　誰にも教えたりはしないよね？たとえ先生にだって」

ハリーは心配そうに聞いた。

「俺とダンブルドア先生以外は誰一人として知らん」

ハグリッドは得意げに言った。

「そう、それならひと安心だ」

ハリーはほかの二人に向かってそうつぶやいた。

「ハグリッド、窓を開けてもいい？　ゆだっちゃうよ」

「悪いな。それはできん」

ハリーはハグリッドがちらりと暖炉を見たのに気づいた。

「ハグリッド——あれは何？」

聞くまでもなくハリーにはわかっていた。炎の真ん中、やかんの下に大きな黒い卵があった。

「えーと、あれは……その……」

ハグリッドは落ち着かない様子でひげをいじっていた。

「ハグリッド、どこで手に入れたの？　すごく高かったろう」

ロンはそう言いながら、火のそばにかがみ込んで卵をよく見ようとした。

「賭けに勝ったんだ。きのうの晩、村まで行って、ちょっと酒を飲んで、知らないやつとトランプをしてな。はっきり言えば、そいつは厄介払いして喜んどったな」

「だけど、もし卵が孵ったらどうするつもりなの？」

ハーマイオニーが尋ねた。

「それで、ちいと読んどるんだがな」

ハグリッドは枕の下から大きな本を取り出した。

「図書館で借りたんだ」——『趣味と実益を兼ねたドラゴンの育て方』——もちろん、ちいと古いが、なんでも書いてある。母竜が息を吹きかけるように卵は火の中に置け。なぁ？　それからっと……孵ったときにはブランデーと鶏の血を混ぜて三十分ごとにバケツ一杯飲ませろとか。それとここを見てみろや——卵の見分け方——俺のはノルウェー・リッジバックという種類らしい。こいつがめずらしいやつでな」

第14章　ノルウェー・ドラゴンのノーバート

275

ハグリッドのほうは大満足そうだったが、ハーマイオニーはちがった。

「ハグリッド、この家は**木の家なのよ**」

ハグリッドはどこ吹く風、ルンルン鼻歌まじりで薪をくべていた。

結局、もう一つ心配を抱えることになってしまった。ハグリッドが法を犯して小屋にドラゴンを隠しているのがばれたらどうなるんだろう。

「あーあ、平穏な生活って、どんなものかなぁ」

次々に出される宿題と来る日も来る日も格闘しながら、ロンがため息をついた。ハーマイオニーがハリーとロンの分も復習予定表を作りはじめたので、二人とも気が変になりそうだった。

ある朝ヘドウィグが、ハリーにハグリッドからの手紙を届けた。たった一行の手紙だ。

いよいよ孵るぞ

ロンは「薬草学」の授業をさぼって、すぐ小屋に向かおうとしたが、ハーマイオニーががんとして受けつけない。

「だって、ハーマイオニー、ドラゴンの卵が孵るところなんて、一生に何度も見られると思うかい?」

「授業があるでしょ。さぼったらまた面倒なことになるわよ。でも、ハグリッドがしていることがばれたら、私たちの面倒とは比べものにならないぐらい、あの人、ひどく困ることになるわ——」

「だまって!」ハリーが小声で言った。

マルフォイがほんの数メートル先にいて、立ち止まってじっと聞き耳を立てていた。どこまで聞かれ

ハリー・ポッターと賢者の石

276

てしまったんだろう？　ハリーはマルフォイの表情がとても気にかかった。

ロンとハーマイオニーは「薬草学」の教室に行く間、ずっと言い争っていた。とうとうハーマイオニーも折れて、午前中の休憩時間に三人で急いで小屋に行ってみようということになった。授業の終わりを告げるベルが城から聞こえてくるやいなや、三人は移植ごてを放り投げ、校庭を横切って森のはずれへと急いだ。

ハグリッドは興奮で紅潮していた。

「もうすぐ出てくるぞ」と三人を招き入れた。

卵はテーブルの上に置かれ、深い亀裂が入っていた。中で何かが動いている。コツン、コツンという音がする。

椅子をテーブルのそばに引き寄せ、四人とも息をひそめて見守った。

突然キーッと引っかくような音がして卵がパックリ割れ、赤ちゃんドラゴンがテーブルにポイと出てきた。かわいいとはとても言えない。しわくちゃの黒いコウモリ傘のようだ、とハリーは思った。やせっぽちの真っ黒な胴体に不似合いな、巨大な骨っぽい翼、長い鼻に大きな鼻の穴、こぶのような角、オレンジ色の出目金のような目だ。

赤ちゃんがくしゃみをすると、鼻から火花が散った。

「すばらしく**美しい**だろう？」

ハグリッドがそうつぶやきながら手を差し出してドラゴンの頭をなでようとした。するとドラゴンは、とがった牙を見せてハグリッドの指にかみついた。

「こりゃすごい、ちゃんとママちゃんがわかっとる！」

「ハグリッド。ノルウェー・リッジバック種ってどれくらいの早さで大きくなるの？」

第14章　ノルウェー・ドラゴンのノーバート

ハーマイオニーが聞いた。

答えようとしたとたん、ハグリッドの顔から血の気が引いた――はじかれたように立ち上がり、窓際に駆け寄った。

「どうしたの?」

「カーテンのすきまから誰かが見とった……子供だ……学校のほうへ駆けていく」

ハリーが急いでドアに駆け寄り外を見た。遠目にだってあの姿はまぎれもない。マルフォイにドラゴンを見られてしまった。

次の週、マルフォイが薄笑いを浮かべているのが、三人は気になって仕方がなかった。ひまさえあれば三人でハグリッドの所に行き、暗くした小屋の中でなんとかハグリッドを説得しようとした。

「外に放せば? 自由にしてあげれば?」

とハリーがうながした。

「そんなことはできん。こんなにちっちゃいんだ。死んじまう」

ドラゴンはたった一週間で三倍に成長していた。鼻の穴からは煙がしょっちゅう噴出している。ハグリッドはドラゴンの面倒を見るのに忙しく、家畜の世話の仕事もろくにしていなかった。ブランデーの空き瓶や鶏の羽根がそこら中の床の上に散らかっていた。

「この子をノーバートと呼ぶことにしたんだ」

「ドラゴンを見るハグリッドの目はうるんでいる。

「もう俺がはっきりわかるらしいぞ。いいか、見てろよ。ノーバートや、ノーバート! ママちゃんはどこ?」

「おかしくなってるぜ」ロンがハリーにささやいた。

「ハグリッド、二週間もしたら、ノーバートはこの家ぐらいに大きくなるんだよ。マルフォイがいつダンブルドアに言いつけるかわからないよ」

ハリーがハグリッドの耳に入るように大声で言った。

「そ、そりゃ……俺もずっと飼っておけんぐらいのことはわかっとる。だけんどほっぽり出すなんてことはできん。どうしてもできん」ハグリッドは唇をかんだ。

ハリーが突然ロンに呼びかけた。

「チャーリー」

「君までおかしくなっちゃったか。僕はロンだよ。わかるかい？」

「ちがうよ——チャーリーだ、君の兄さんのチャーリー。ルーマニアでドラゴンの研究をしている——チャーリーにノーバートを預ければいい。面倒を見て、自然に帰してくれるよ！」

「名案！ ハグリッド、どうだい？」

ロンも賛成だ。

ハグリッドはとうとう、チャーリーに頼みたいというふくろう便を送ることに同意した。

その次の週はのろのろと過ぎた。水曜日の夜、みんながとっくに寝静まり、ハリーとハーマイオニーの二人だけが談話室に残っていた。壁の掛時計が零時を告げたとき、肖像画の扉が突然開き、ロンがどこからともなく現れた。ハリーの透明マントを脱いだのだ。ロンはハグリッドの小屋でノーバートに餌をやるのを手伝っていた。ノーバートは死んだネズミを木箱に何杯も食べるようになっていた。

「かまれちゃったよ！」

第14章　ノルウェー・ドラゴンのノーバート

279

ロンは血だらけのハンカチにくるんだ手を差し出して見せた。

「一週間は羽根ペンを持ててないぜ。まったく、あんな恐ろしい生き物はいままで見たことないよ。なのにハグリッドの言うことを聞いていたら、ふわふわしたちっちゃな子ウサギかと思っちゃうよ。やつが僕の手をかんだというのに、僕がやつを怖がらせたからだって叱るんだ。僕が帰るとき、子守唄を歌ってやってたよ」

暗闇の中で窓をたたく音がした。

「ヘドウィグだ!」

ハリーは急いでふくろうを中に入れた。

「チャーリーの返事を持ってきたんだ!」

三つの頭が手紙をのぞき込んだ。

ロン、元気かい?

手紙をありがとう。喜んでノルウェー・リッジバックを引き受けるよ。だけど、ここに連れてくるのはそう簡単ではない。来週、僕の友達が訪ねてくることになっているから、彼らに頼んでこっちに連れてきてもらうのが一番いいと思う。問題は彼らが法律違反のドラゴンを運んでいるところを、見られてはいけないということだ。

土曜日の真夜中、一番高い塔にリッジバックを連れてこられるかい? そしたら、彼らがそこで君たちと会って、暗いうちにドラゴンを運び出せる。

できるだけ早く返事をくれ。

ハリー・ポッターと賢者の石

280

がんばれよ……。

　　　　　　　　　　　　　　　　　　　　　　　チャーリーより

　三人は互いに顔を見合わせた。

「透明マントがある」

　ハリーが言った。

「できなくはないよ——僕ともう一人とノーバートぐらいなら隠せるんじゃないかな？」

　ハリーの提案にほかの二人もすぐに同意した。ノーバートを——それにマルフォイを——追っ払うた

めならなんでもするという気持ちになるぐらい、ここ一週間は大変だったのだ。

　障害が起きてしまった。翌朝、ロンの手は二倍ぐらいの大きさに腫れ上がったのだ。ロンはドラゴン

にかまれたことがばれるのを恐れて、マダム・ポンフリーの所へ行くのをためらっていた。だが、昼過

ぎにはそんなことを言っていられなくなった。傷口が気持ちの悪い緑色になったのだ。どうやらノー

バートの牙には毒があったようだ。

　その日の授業が終わったあと、ハリーとハーマイオニーは医務室に飛んでいった。ロンはひどい状態

でベッドに横になっていた。

「手だけじゃないんだ」

　ロンが声をひそめた。

「もちろん手のほうもちぎれるように痛いけど。マルフォイが来たんだ。あいつ、僕の本を借りたいっ

第14章　ノルウェー・ドラゴンのノーバート

281

てマダム・ポンフリーに言って入ってきやがった。僕のことを笑いに来たんだよ。何にかまれたか本当のことをマダム・ポンフリーに言いつけるって僕を脅すんだ——僕は犬にかまれたって言ったんだけど、たぶんマダム・ポンフリーは信じてないと思う——クィディッチの試合のとき、殴ったりしなけりゃよかった。だから仕返しに僕にこんな仕打ちをするんだ」

ハリーとハーマイオニーはロンをなだめようとした。

「土曜日の真夜中ですべて終わるわよ」

ハーマイオニーのなぐさめはロンを落ち着かせるどころか逆効果になった。ロンは突然ベッドに起き上がり、すごい汗をかきはじめた。

「土曜零時！」

ロンの声はかすれていた。

「あぁ、どうしよう……大変だ……いま、思い出した……チャーリーの手紙をあの本にはさんだままだ。僕たちがノーバートを処分しようとしてることがマルフォイに知れてしまう」

ハリーとハーマイオニーが答える間はなかった。マダム・ポンフリーが入ってきて、「ロンは眠らないといけないから」と二人を医務室から追い出してしまったのだ。

「いまさら計画は変えられないよ」

ハリーはハーマイオニーにそう言った。

「チャーリーにまたふくろう便を送っている時間はないし、ノーバートをなんとかする最後のチャンスだ。危険でもやってみなくちゃ。それに、こっちには透明マントがあるってこと、マルフォイはまだ知らないし」

ハグリッドの所に行くと、大型犬ボアハウンドのファングがしっぽに包帯を巻かれて小屋の外に座り込んでいた。ハグリッドは窓を開けて中から二人に話しかけた。

「中には入れてやれない」

ハグリッドはフウフウ言っている。

「ノーバートは難しい時期でな……いや、けっして俺の手に負えないほどではないぞ」

チャーリーの手紙の内容を話すと、ハグリッドは目に涙をいっぱいためた——ノーバートがちょうどハグリッドの足にかみついたせいかもしれないが。

「ウワーッ! いや、俺は大丈夫。ちょいとブーツをかんだだけだ……ジャレてるんだ……だって、まだ赤ん坊だからな」

その「赤ん坊」がしっぽで壁をバーンとたたき、窓がガタガタ揺れた。ハリーとハーマイオニーは一刻も早く土曜日が来てほしいと思いながら城へ帰っていった。

ハグリッドがノーバートに別れを告げる時がやってきた。ハリーたちは自分の心配で手いっぱいで、ハグリッドを気の毒に思う余裕はなかった。暗く曇った夜だった。ピーブズが入口のホールで壁にボールを打ちつけるテニスをしていたので、終わるまで出られず、二人がハグリッドの小屋に着いたのは予定より少し遅い時間だった。

ハグリッドはノーバートを大きな木箱に入れて準備をすませていた。

「長旅だから、ネズミをたくさん入れといたし、ブランデーも入れといたよ」

ハグリッドの声がくぐもっていた。

「さびしいといけないから、テディベアのぬいぐるみも入れてやった」

第14章　ノルウェー・ドラゴンのノーバート

283

箱の中からは何かを引き裂くような物音がした。ハリーにはぬいぐるみのテディベアの頭が引きちぎられる音に聞こえた。

「ノーバート、バイバイだよ！」

ハリーとハーマイオニーが透明マントを箱にかぶせ、自分たちもその下に隠れると、ハグリッドはしゃくり上げた。

「ママちゃんはけっしておまえを忘れないよ！」

どうやって箱を城に持ち帰ったやら、二人は覚えていない。入口のホールから大理石の階段を上がり、暗い廊下を渡り、二人が息を切らしてノーバートを運ぶ間、刻一刻と零時が近づいていた。一つ階段を上がるとまた次の階段――ハリーの知っている近道を使っても、作業はあまり楽にはならなかった。

「もうすぐだ！」

一番高い塔の下の階段にたどり着き、ハリーはハアハアしながら言った。

その時、目の前で何かが突然動いた。二人はあやうく箱を落としそうになった。自分たちの姿が見えなくなっていることも忘れて、二人は物陰に小さくなって隠れた。数メートル先で二人の人間がもみ合っている姿がおぼろげに見える。ランプが一瞬燃え上がった。

タータンチェックのガウンを着て頭にヘアネットをかぶったマクゴナガル先生が、マルフォイの耳をつかんでいた。

「罰則です！」

先生が声を張り上げた。

「さらに、スリザリンから二〇点減点！　こんな真夜中にうろつくなんて、なんてことを……」

「先生、誤解です。ハリー・ポッターが来るんです……ドラゴンを連れてるんです！」

「なんというくだらないことを！　どうしてそんなうそをつくんですか！　いらっしゃい……マルフォイ。あなたのことでスネイプ先生にお目にかかからねば！」

それからあとは、塔のてっぺんにつながる急な螺旋階段さえ世界一楽な道のりに思えた。夜の冷たい外気の中に一歩踏み出し、二人はやっと透明マントを脱いだ。普通に息ができるのがうれしかった。

ハーマイオニーは小躍りしてははしゃいだ。

「マルフォイが罰則を受けた！　歌でも歌いたい気分よ！」

「歌わないでね」

ハリーが忠告した。

二人はマルフォイのことでクスクス笑いながらそこで待っていた。ノーバートは箱の中でドタバタ暴れていた。十分も経ったろうか、四本の箒が闇の中から舞い降りてきた。

チャーリーの友人たちは陽気な仲間だった。四人でドラゴンを牽引できるよう工夫した道具を見せてくれた。六人がかりでノーバートをしっかりとつなぎ止め、ハリーとハーマイオニーは四人と握手し、礼を言った。

ついにノーバートは出発した……だんだん遠くなる……遠くなる……遠くなる……見えなくなってしまった。ノーバートが手を離れ、荷も軽く、心も軽く、二人は螺旋階段をすべり下りた。ドラゴンはもういない——マルフォイは罰則を受ける——こんな幸せに水を差すものがあるだろうか？

その答えは階段の下で待っていた。廊下に足を踏み入れたとたん、フィルチの顔が暗闇の中からヌッと現れた。

「さて、さて、さて」

フィルチがささやくように言った。

第14章　ノルウェー・ドラゴンのノーバート

285

「これは困ったことになりましたねぇ」

二人は透明マントを塔のてっぺんに忘れてきてしまっていた。

第15章　禁じられた森

最悪の事態になった。

フィルチは二人を、二階のマクゴナガル先生の研究室へ連れていった。二人とも一言も話しをせず、そこに座って先生を待った。ハーマイオニーは震えていた。ハリーの頭の中では、言い訳、アリバイ、とんでもないごまかしの作り話が、次から次へと浮かんでは消えた。考えれば考えるほど説得力がないように思えてくる。今度ばかりはどう切り抜けていいかまったくわからなかった。絶体絶命だ。透明マントを忘れるなんて、なんというドジなんだ。真夜中にベッドを抜け出してうろうろするなんて、まして授業以外では立ち入り禁止の一番高い天文台の塔に登るなんて、たとえどんな理由があってもマクゴナガル先生が許すわけがない。その上ノーバートと透明マントだ。もう荷物をまとめて家に帰る支度をしたほうがよさそうだ。

最悪の事態なら、これ以上悪くはならない？　とんでもない。なんと、マクゴナガル先生はネビルを引き連れて現れたのだ。

「ハリー！」

ネビルは二人を見たとたん、はじかれたようにしゃべった。

「探してたんだよ。注意しろって教えてあげようと思って。マルフォイが君を捕まえるって言ってたんだ。あいつ言ってたんだ、君がドラゴ——」

ハリーは激しく頭を振ってネビルをだまらせたが、マクゴナガル先生に見られてしまった。三人を見

下ろす先生の鼻から、ノーバートより激しく火が噴き出しそうだ。

「まさか、みなさんがこんなことをするとは、まったく信じられません。ミスター・フィルチは、あなたたちが天文台の塔にいたと言っています。明け方の一時にですよ。**どういうことなんですか？**」

ハーマイオニーが先生から聞かれた質問に答えられなかったのは、これが初めてだった。まるで銅像のように身動きひとつせず、スリッパのつま先を見つめている。

「何があったか私にはよくわかっています」

マクゴナガル先生が言った。

「別に天才でなくとも察しはつきます。ドラゴンなんてうそっぱちでマルフォイにいっぱい食わせてベッドから誘き出し、問題を起こさせようとしたんでしょう。マルフォイはもう捕まえました。たぶんあなた方は、ここにいるネビル・ロングボトムが、こんな作り話を本気にしたのが滑稽だと思っているのでしょう？」

ハリーはネビルの視線をとらえ、先生の言ってることとは事情がちがうんだよと目で教えようとした。

ネビルはショックを受けてしょげていた。かわいそうなネビル。ヘマばかりして……危険を知らせようと、この暗い中で二人を探したなんて、ネビルにしてみればどんなに大変なことだったか、ハリーにはわかっていた。

「あきれはてたことです」

マクゴナガル先生が話し続けている。

「ひと晩に四人もベッドを抜け出すなんて！　こんなことは前代未聞です！　ミス・グレンジャー、あなたはもう少し賢いと思っていました。ミスター・ポッター、グリフィンドールはあなたにとって、もっと価値のあるものではないのですか。三人とも処罰です……ええ、あなたもですよ、ミスター・ロ

ングボトム。どんな事情があっても、夜に学校を歩き回る権利はいっさいありません。とくにこのごろ危険なのですから……五〇点。グリフィンドールから減点です」

「五〇点?」

ハリーは息をのんだ――寮対抗のリードを失ってしまう。せっかくこの前のクィディッチでハリーが獲得したリードを。

「一人五〇点です」マクゴナガル先生はとがった高い鼻から荒々しく息を吐いた。

「先生……、どうかそんなことは……」

「そんな、ひどい……」

「ポッター、ひどいかひどくないかは私が決めます。さあ、みんなベッドに戻りなさい。グリフィンドールの寮生をこんなに恥ずかしく思ったことはありません」

一五〇点を失ってしまった。グリフィンドールは最下位に落ちた。たったひと晩で、グリフィンドールが寮杯を取るチャンスをつぶしてしまった。ハリーは鉛を飲み込んだような気分だった。いったいどうやったら挽回(ばんかい)できるんだ?

ハリーはひと晩中眠れなかった。ネビルが枕に顔をうずめて、長い間泣いているのが聞こえた。なぐさめの言葉もなかった。自分と同じように、ネビルも夜が明けるのが恐ろしいにちがいない。グリフィンドールのみんなが僕たちのしたことを知ったらどうなるだろう?

翌日、寮の得点を記録している大きな砂時計のそばを通ったグリフィンドール寮生は、真っ先に、これは掲示のまちがいだと思った。なんで急にきのうより一五〇点も減っているんだ? そしてうわさが広がりはじめた。

――ハリー・ポッターが、あの有名なハリー・ポッターが、クィディッチの試合で二回も続けてヒー

第15章 禁じられた森

289

ローになったハリーが、寮の点をこんなに減らしてしまったらしい。何人かのバカな一年生と一緒に。

学校で最も人気があり、称賛の的だったハリーは、一夜にして突然、一番の嫌われ者になっていた。レイブンクローやハッフルパフでさえ敵に回った。みんなスリザリンから寮杯が奪われるのを楽しみにしていたからだ。どこへ行っても、みんながハリーを指さし、声を低めることもせず、おおっぴらに悪口を言った。一方スリザリン寮生は、ハリーが通るたびに拍手をし、口笛を吹き、「ポッター、ありがとうよ。借りができたぜ！」とはやしたてた。

ロンだけが味方だった。

「数週間もすれば、みんな忘れるよ。フレッドやジョージなんか、ここに入寮してからズーッと点を引かれっぱなしさ。それでもみんなに好かれてるよ」

「だけど一回で一五〇点も引かれたりはしなかっただろう？」ハリーはみじめだった。

「ウン……それはそうだけど」ロンも認めざるを得ない。

ダメージを挽回するにはもう遅すぎたが、ハリーは、もう二度と関係のないことに首を突っ込むのはやめようと心に誓った。コソコソ余計なことをかぎまわるなんてもうたくさんだ。自分のいままでの行動に責任を感じ、ウッドにクィディッチ・チームを辞めさせてほしいと申し出た。

「辞める？」ウッドの雷が落ちた。

「それがなんになる？　クィディッチで勝たなければ、どうやって寮の点を取り戻せるんだ？」

しかし、もうクィディッチでさえ楽しくはなかった。練習中、ほかの選手はハリーに話しかけようともしなかったし、どうしてもハリーと話をしなければならないときでも「シーカー」としか呼ばなかった。

ハーマイオニーとネビルも苦しんでいた。ただ、二人は有名ではなかったおかげでハリーほどつらい

目にはあわなかった。それでも誰も二人に話しかけようとはしなかった。ハーマイオニーは教室でみんなの注目を引くのをやめ、うつむいたまま黙々と勉強していた。

ハリーには試験の日が近づいていることがかえってうれしかった。試験勉強に没頭することで、少しはみじめさを忘れることができた。ハリー、ロン、ハーマイオニーは三人とも、ほかの寮生と離れて、夜遅くまで勉強した。複雑な薬の調合を覚えたり、妖精の魔法や呪いの呪文を暗記したり、魔法界の発見や小鬼の反乱の年号を覚えたり……。

試験を一週間後に控えたある日、関係のないことにはもう絶対首を突っ込まない、というハリーの決心が試される事件が突然持ち上がった。その日の午後、図書館から帰る途中、教室から誰かのめそめそ声が聞こえてきた。近寄ってみるとクィレルの声だった。

「だめです……だめ……もうどうぞお許しを……」

誰かに脅されているようだった。ハリーはさらに近づいてみた。

「わかりました……わかりましたよ……」

クィレルのすすり泣くような声が聞こえる。

次の瞬間、クィレルが曲がったターバンを直しながら、教室から急ぎ足で出てきた。蒼白な顔をして、いまにも泣きだしそうだ。足早に行ってしまったので、ハリーにはまるで気づかなかったようだ。ハリーは、クィレルの足音が聞こえなくなるのを待って、教室をのぞいた。誰もいない。だが、反対側のドアが少し開いたままになっていた。ドアに向かって半分ほど進んだところで、ハリーは、関わり合いにならないという決心を思い出した。

わざわざ追わなくともわかっている。たったいまこのドアから出ていったのはスネイプにちがいない。

第15章　禁じられた森

291

「賢者の石」を一ダース賭けたっていい。いま聞いたことを考えると、きっとスネイプはうきうきした足取りで歩いていることだろう……クィレルをとうとう降参させたのだから。

ハリーは図書館に戻った。ハーマイオニーがロンに天文学のテストをしていた。ハリーはいま見聞きした出来事をすべて二人に話した。

「それじゃ、スネイプはついにやったんだ！ クィレルが『闇の魔術に対する防衛術』を破る方法を教えたとすれば……」

「でもまだフラッフィーがいるわ」

「もしかしたら、スネイプはハグリッドに聞かなくてもフラッフィーを突破する方法を見つけたかもしれないな」

周りにある何千冊という本を見上げながら、ロンが言った。

「これだけありゃ、どっかに三頭犬を突破する方法だって書いてあるよ。どうする？ ハリー」

ロンの目には冒険心が再び燃え上がっていた。しかし、ハリーよりもすばやく、ハーマイオニーが答えた。

「ダンブルドアの所へ行くのよ。私たち、ズーッと前からそうしなくちゃいけなかったんだわ。自分たちだけでなんとかしようとしたら、今度こそ退学になるわよ」

「だけど、僕たちには**証拠はなんにもないんだ！**」ハリーが言った。「クィレルは怖気づいて、僕たちを助けてはくれない。スネイプは、ハロウィーンのときトロールがどうやって入ってきたのか知らないって言い張るだろうし、あの時四階になんて行かなかったってスネイプが言えば、それでおしまいさ――みんなどっちの言うことを信じると思う？ 僕たちがスネイプを嫌ってるってことは誰だって知っているし、ダンブルドアだって、僕たちがスネイプをクビにするために作り話をしてると思うだろう。

フィルチはどんなことがあっても、僕たちを助けたりしないよ。スネイプとべったりの仲だし、生徒が追い出されて少なくなればなるほどいいって思っているんだから。もう一つおまけに、僕たちは石のこともフラッフィーのことも知らないはずなんだ。これは説明しようがないだろう」

ハーマイオニーは納得した様子だったが、ロンはねばった。

「ちょっとだけ探りを入れてみたらどうかな……」

「だめだ。僕たち、もう充分、探りを入れすぎてる」

ハリーはきっぱりとそう言いきると、木星の星図を引き寄せ、木星の月の名前を覚えはじめた。

翌朝、朝食のテーブルに、ハリー、ハーマイオニー、ネビル宛の三通の手紙が届いた。全員同じことが書いてあった。

　処罰は今夜十一時に行います。

　玄関ホールでミスター・フィルチが待っています。

マクゴナガル教授

減点のことで大騒ぎだったので、そのほかにも処罰があることをハリーはすっかり忘れていた。ハーマイオニーがひと晩分の勉強を損するとブツブツ言うのではないかと思ったが、彼女は文句一つ言わなかった。ハリーと同じようにハーマイオニーも、自分たちは処罰を受けても当然のことをしたと思っていた。

夜十一時、二人は談話室でロンに別れを告げ、ネビルと一緒に玄関ホールへ向かった。フィルチはも

第15章　禁じられた森

293

う来ていた──そしてマルフォイも。マルフォイも処罰を受けることを、ハリーはすっかり忘れていた。

「ついて来い」

フィルチはランプを灯し、先に外に出た。

「規則を破る前に、よーく考えるようになったろうねぇ。どうかね?」

フィルチは意地の悪い目つきでみんなを見た。

「ああ、そうだとも……私に言わせりゃ、しごいて、痛い目を見せるのが一番の薬だよ──昔のような体罰がなくなって、まったく残念だ……手首をくくって天井から数日吊るしたもんだ。いまでも私の事務所に鎖は取ってあるがね……万一必要になったときに備えてピカピカに磨いてあるよ──よし、出かけるとす) るか。逃げようなんて考えるんじゃないぞ。そんなことしたらもっとひどいことになるからねぇ」

真っ暗な校庭を横切って一行は歩いた。ネビルはずっとめそめそしていた。罰っていったいなんだろう、とハリーは思いをめぐらせた。きっと、ひどく恐ろしいものにちがいない。でなけりゃフィルチがあんなにうれしそうにしているはずがない。

月は晃々と明るかったが、時折サッと雲がかかり、あたりを闇にした。行く手に、ハリーはハグリッドの小屋の窓の明かりを見た。遠くから大声が聞こえた。

「フィルチか? 急いでくれ。俺はもう出発したい」

ハリーの心は踊った。ハグリッドと一緒なら、そんなに悪くはないだろう。ホッとした気持ちが顔に出たにちがいない。フィルチがたちまちそれを読んだ。

「あの木偶の坊と一緒に楽しもうと思っているんだろうねぇ? 坊や、もう一度よく考えたほうがいいねぇ……おまえたちがこれから行くのは、森の中だ。もし全員無傷で戻ってきたら私の見込みちがいだ

ハリー・ポッターと賢者の石
294

がね」

とたんにネビルは低いうめき声を上げ、マルフォイもその場でぴたっと動かなくなった。

「森だって？　そんな所に夜行けないよ……それこそいろんなのがいるんだろう……狼男だとか、そ（おおかみおとこ）う聞いてるけど」マルフォイの声はいつもの冷静さを失っていた。

ネビルはハリーのローブのそでをしっかり握り、ヒィーッと息を詰まらせた。

「そんなことはいまさら言っても仕方がないねぇ」

フィルチの声がうれしさのあまり上ずっている。

「狼男のことは、問題を起こす前に考えとくべきだったねぇ？」

ハグリッドがファングをすぐ後ろに従えて暗闇の中から大股で現れた。大きな石弓を持ち、肩に矢筒を背負っている。

「遅いな。俺はもう三十分くらいも待ったぞ。ハリー、ハーマイオニー、大丈夫か？」

「こいつらは罰を受けに来たんだ。あんまり仲良くするわけにはいきませんよねぇ、ハグリッド」フィルチが冷たく言った。

「それで遅くなったと、そう言うのか？」ハグリッドはフィルチをにらみつけた。「説教をたれてたんだろう。え？　説教するのはおまえの役目じゃなかろうが。おまえの役目はもう終わりだ。ここからは俺が引き受ける」

「夜明けには戻ってくるよ。こいつらの体の残ってる部分だけ引き取りにくるさ」フィルチはいやみたっぷりにそう言うと、城に帰っていった。ランプが暗闇にゆらゆらと消えていった。今度はマルフォイがハグリッドに向かって言った。

「僕は森には行かない」

第15章　禁じられた森

295

声が恐怖におののいているのがわかるので、ハリーはいい気味だと思った。

「ホグワーツに残りたいなら行かねばならん」ハグリッドが厳しく言い返した。「悪いことをしたんだから、そのつぐないをせにゃならん」

「でも、森に行くのは召使いがすることだよ。生徒にさせることじゃない。同じ文章を何百回も書き取りするとか、そういう罰だと思っていた。もし僕がこんなことをするって父上が知ったら、きっと

——」

「きっと、これがホグワーツの流儀だって、そう言いきかせるだろうよ」

ハグリッドが唸るように言った。

「書き取りだって？　へっ！　それがなんの役に立つ？　役に立つことをしろ、さもなきゃ退学しろ。おまえの父さんが、おまえが追い出されたほうがましだって言うんなら、さっさと城に戻って荷物をまとめろ！　さあ行け！」

マルフォイは動かなかった。ハグリッドをにらみつけていたが、やがて視線を落とした。

「よーし、それじゃ、よーく聞いてくれ。なんせ、俺たちが今夜やろうとしていることは危険なんだ。みんな軽はずみなことはしちゃいかん。しばらくは俺について来てくれ」

ハグリッドが先頭に立って、森のはずれまでやってきた。ランプを高く掲げ、ハグリッドは、暗く生い茂った木々の奥へと消えていく、細い曲がりくねった獣道を指さした。森の中をのぞき込むと一陣の風がみんなの髪を逆立てた。

「あそこを見ろ。地面に光ったものが見えるか？　銀色のものが見えるか？　ユニコーンの血だ。何ものかにひどく傷つけられたユニコーンが一頭、この森の中にいる。今週になって二回目だ。水曜日に最初の死骸を見つけた。みんなでかわいそうなやつを見つけだすんだ。助からないんなら、苦しまんよう

ハリー・ポッターと賢者の石
296

「ユニコーンを襲ったやつが、先に僕たちを見つけたらどうするんだい?」

マルフォイは恐怖を隠しきれない声で聞いた。

「俺やファングと一緒におれば、この森に棲むものは誰もおまえたちを傷つけはせん。道をそれるなよ。よーし、では二組に分かれて別々の道を行こう。そこら中血だらけだ。ユニコーンは少なくともきのうの夜からのたうちまわってるんだろうて」

「僕はファングと一緒がいい」ファングの長い牙を見て、マルフォイが急いで言った。

「よかろう。断っとくが、そいつは臆病だぞ。そんじゃ、ハリーとハーマイオニーは俺と一緒に行こう。ドラコとネビルはファングと一緒に別の道だ。もしユニコーンを見つけたら緑の光を打ち上げる、ええか? 杖を出して練習しよう——それでよし——もし困ったことが起きたら、赤い光を打ち上げろ。みんなで助けに行く——そんじゃ、気をつけろよ——出発だ」

森は真っ暗でシーンとしていた。少し歩くと道が二手に分かれていた。ハグリッドたちは左の道を、ファングの組は右の道を取った。

三人は無言で足元だけを見ながら歩いた。ときどき枝のすきまからもれる月明かりが、落葉の上に点々と滴ったシルバーブルーの血痕を照らし出した。

ハリーはハグリッドの深刻な顔に気づいた。

「狼男がユニコーンを殺すなんてこと、**ありうるの?**」とハリーは聞いてみた。

「あいつらはそんなにすばやくねえ。ユニコーンを捕まえるのはたやすいこっちゃねえ。強い魔力を持った生き物だからな。ユニコーンがけがをしたなんて聞いてこたぁ、俺はいままで聞いたことがねえな」

苔むした切株を通り過ぎるとき、ハリーは水の音を聞いた。どこか近くに川があるらしい。曲がりく

ねった小道には、まだあちこちにユニコーンの血が落ちていた。

「そっちは大丈夫か？　ハーマイオニー」ハグリッドがささやいた。

「心配するな。このひどいけがじゃそんなに遠くまでは行けねえはずだ。もうすぐ——その木の陰に

隠れろ！」

ハグリッドはハリーとハーマイオニーをひっつかみ、樫の巨木の陰に放り込んだ。矢を引き出して弓
につがえ、持ち上げてかまえ、いつでも矢を放てるようにした。三人は耳を澄ました。何かが、すぐそ
ばの枯葉の上をするするすべっていく。マントが地面を引きずるような音だった。ハグリッドが目を細
めて暗い道をじっと見ていたが、数秒後に音は徐々に消えていった。

「思ったとおりだ」ハグリッドがつぶやいた。「ここにいるべきでない何かだ」

「狼男？」

「いーや、狼男じゃねえしユニコーンでもねえ」ハグリッドは険しい顔をした。

「よーし、俺について来い。気をつけてな」

三人は前よりもさらにゆっくりと、どんな小さな音も聞き逃すまいと聞き耳を立てて進んだ。突然、
前方の開けた場所で、確かに何かが動いた。

「そこにいるのは誰だ？　姿を現せ——こっちには武器があるぞ！」

ハグリッドが声を張り上げた。　開けた空き地に現れたのは——人間、いや、それとも馬？　腰から上
は赤い髪に赤いひげの人の姿。そして腰から下はつやつやとした栗毛に赤味がかった長い尾をつけた馬。
ハリーとハーマイオニーは口をポカンと開けたままだった。

「ああ、おまえさんか、ロナン」

ハグリッドがホッとしたように言った。

ハリー・ポッターと賢者の石
298

「元気かね？」

ハグリッドはケンタウルスに近づき握手した。

「こんばんは、ハグリッド」

ロナンの声は深く、悲しげだった。

「私を撃とうとしたんですか？」

「ロナン、用心にこしたことはない」

石弓を軽くたたきながらハグリッドが言った。

「何か悪いもんがこの森をうろついとるんでな。ところで、ここの二人はハリー・ポッターとハーマイ

オニー・グレンジャーだ。学校の生徒でな。お二人さん、こちらはロナンだよ。ケンタウルスだ」

「気がついていたわ」ハーマイオニーが消え入るような声で言った。

「こんばんは。生徒さんだね？　学校ではたくさん勉強してるかね？」

「えーと……」

「少しは」ハーマイオニーがおずおずと答えた。

「少し。そう。それはよかった」

ロナンはフーッとため息をつき、首をブルッと振って空を見上げた。

「今夜は火星がとても明るい」

「ああ」

ハグリッドもちらりと空を見上げた。

「なあ、ロナンよ。おまえさんに会えてよかった。ユニコーンが、しかもけがをしたやつがおるんだ

……何か見かけんかったか？」

第15章　禁じられた森

299

ロナンはすぐには返事をしなかった。瞬きもせず空を見つめ、ロナンは再びため息をついた。

「いつでも罪もない者が真っ先に犠牲になる。大昔からずっとそうだった。そしていまもなお……」

「ああ。だがロナン、何か見んかったか？　いつもとちがう何かを？」ハグリッドがもう一度聞いた。

「今夜は火星が明るい」

もどかしそうなハグリッドに、ロナンは同じことをくり返した。

「いつもとちがう明るさだ」

「ああ、だが俺が聞きたいのは火星より、もうちょいと自分に近いほうのことなんだが。そうか、おまえさんは奇妙なものは何も気づかなかったんだな？」

またしてもロナンはしばらく答えなかったが、ついにこう言った。

「森は多くの秘密を覆い隠す」

ロナンの後ろの木立の中で何かが動いた。ハグリッドはまた弓をかまえた。だがそれは別のケンタウルスだった。真っ黒な髪と胴体でロナンより荒々しい感じがした。

「やあ、ベイン。元気かね？」とハグリッドが声をかけた。

「こんばんは。ハグリッド、あなたも元気ですか？」

「ああ、元気だ。なあ、ロナンにもいま聞いたんだが、最近この辺で何かおかしなものを見んかったか？　実はユニコーンが傷つけられてな……おまえさん何か知らんかい？」

ベインはロナンのそばまで歩いていき、隣に立って空を見上げた。

「今夜は火星が明るい」ベインはそれだけ言った。

「もうそれは聞いた」ハグリッドは不機嫌だった。

「さーて、もしお二人さんのどっちかでも何か気がついたら俺に知らせてくれ、頼む。さあ、俺たちは

ハリー・ポッターと賢者の石

300

行こうか」

ハリーとハーマイオニーはハグリッドのあとについてそこから離れた。二人は肩越しに何度も振り返り、木立が邪魔して見えなくなるまで、ロナンとベインをしげしげと見つめていた。

「ただの一度も——」ハグリッドはいらいらして言った。「ケンタウルスからはっきりした答えをもらったためしがねえ。いまいましい夢想家よ。星ばっかり眺めて、月より近くのものにはなんの興味も持っとらん」

「森には**あの人たち**みたいなケンタウルスがたくさんいるの?」とハーマイオニーが尋ねた。

「ああ、まあまあだな……たいていやっさんたちはあんまりほかのやつとは接することがない。だが俺が話したいときは、ちゃんと現れるという親切さはある。言っとくが、連中は深い。ケンタウルスはな……いろんなことを知っとるが……あまり教えちゃくれん」

「さっき聞いた音、ケンタウルスだったのかな?」ハリーが聞いた。

「あれがひづめの音に聞こえたか? いーや、俺にはわかる。ユニコーンたちを殺したやつの物音だ……あんな音はいままで聞いたことがねえ」

三人は深く真っ暗な茂みの中を進んだ。ハリーは神経質に何度も後ろを振り返った。なんとなく見張られているようないやな感じがするのだ。ハグリッドが一緒だし、おまけに石弓もあるから大丈夫、とハリーは思った。ちょうど角を曲がったとき、ハーマイオニーがハグリッドの腕をつかんだ。

「ハグリッド! 見て! 赤い火花よ。ネビルたちに何かあったんだわ!」

「二人ともここで待ってろ。この小道からそれるなよ。すぐ戻ってくるからな」

ハグリッドが下草をバッサバッサとなぎ倒し、ガサゴソと遠のいていく音を聞きながら、二人は顔を見合わせていた。怖かった。とうとう、二人の周りの木の葉がカサコソと擦れ合う音しか聞こえなく

第15章 禁じられた森
301

なった。

「あの人たち、けがしたりしてないわよね？」ハーマイオニーがささやく。

「マルフォイがどうなったってかまわないけど、ネビルに何かあったら……もともとネビルは僕たちの
せいでここに来ることになってしまったんだから」

何分経（た）ったろう。時間が長く感じられる。聴覚がいつもより研ぎ澄まされているようだ。何があったんだろう？ ハリーには
向こうの組はどこにいるんだろう？ やがてバキバキという大きな音を先触れにして、ハグリッドが
戻ってきた。マルフォイ、ネビル、ファングを引き連れている。ハグリッドはカンカンに怒っている。ネ
どうやらマルフォイが、こっそりネビルの後ろに回ってつかみかかるという悪ふざけをしたらしい。ネ
ビルがパニックに陥って火花を打ち上げたのだ。

「おまえたち二人がばか騒ぎしてくれたおかげで、もう捕まるものも捕まらんかもしれん。よーし、組
分けを変えよう……ネビル、俺と来るんだ。ハーマイオニーも。ハリーはファングとこの愚かもんと一
緒だ」

ハグリッドはハリーだけにこっそり耳打ちした。

「すまんな。おまえさんならこやつもそう簡単には脅せまい。とにかく仕事をやりおおせてしまわんと
な」

ハリーはマルフォイ、ファングと一緒にさらに森の奥へと向かった。三十分も歩いただろうか、奥に
進むにつれて木立がびっしりと生い茂り、もはや道をたどるのは無理になった。ハリーには血の滴りも
濃くなっているように思えた。木の根元に大量の血が飛び散っている。傷ついた哀れな生き物がこの辺
りで苦しみ、のた打ちまわったのだろう。

樹齢何千年の樫の古木の枝がからみ合うそのむこうに、開け

ハリー・ポッターと賢者の石

302

た平地が見えた。

「見て——」ハリーは腕を伸ばしてマルフォイを制止しながらつぶやいた。

地面に純白に光り輝くものがあった。二人はさらに近づいた。

まさにユニコーンだった。死んでいた。ハリーはこんなに美しく、こんなに悲しいものを見たことがなかった。

その長くしなやかな脚は、倒れたその場でバラリと投げ出され、その真珠色に輝くたてがみは暗い落葉の上に広がっている。

ハリーが一歩踏み出したその時、ずるずるすべるような音がした。ハリーの足はその場で凍りついた。平地の端が揺れた……そして、暗がりの中から、頭をフードにすっぽり包んだ何かが、まるで獲物をあさる獣のように地面を這ってきた。ハリー、マルフォイ、ファングは金縛りにあったように立ちすくんだ。マントを着たその影はユニコーンに近づき、かたわらに身をかがめて傷口からその血を飲みはじめたのだ。

「ぎゃあああああアァァ！」

マルフォイが絶叫して逃げ出した——ファングも——。フードに包まれた影が頭を上げ、ハリーを真正面から見た——ユニコーンの血がフードに隠れた顔から滴り落ちた。その影は立ち上がり、ハリーに向かってするすると近寄ってくる——ハリーは恐ろしさのあまり動けなかった。

その瞬間、いままで感じたことのないほどの激痛がハリーの頭を貫いた。額の傷痕が燃えるようだった——目がくらみ、ハリーはよろよろと倒れかかった。背後からひづめの音が聞こえてきた。早足で駆けてくる。ハリーの真上を何かがひらりと飛び越え、影に向かって突進した。

激痛のあまりハリーはひざをついた。一分、いや二分も経っただろうか。ハリーが顔を上げると、も

第15章　禁じられた森

303

う影は消えていた。ケンタウルスだけがハリーを覆うように立っていた。ロナンともベインともちがう。

もっと若く、明るい金髪に胴はプラチナブロンド、淡い金茶色のパロミノのケンタウルスだった。

「けがはないかい?」ハリーを引っ張り上げて立たせながらケンタウルスが声をかけた。

「ええ……、ありがとう……。あれは**なんだった**のですか?」

ケンタウルスは答えない。信じられないほど青い目、まるで淡いサファイアのようだ。その目がハリーを観察している。そして額の傷にじっと注がれた。傷痕は額にきわだって青く刻まれていた。

「君があのポッターなんだね。早くハグリッドの所に戻ったほうがいい。いま、森は安全じゃない……とくに君にはね。私に乗れるかな? そのほうが早いから」

「私の名はフィレンツェだ」

前脚を曲げ身体を低くしてハリーが乗りやすいようにしながらケンタウルスが名のった。

その時突然、平地の反対側から疾走するひづめの音が聞こえてきた。木の茂みを破るように、ロナンとベインが現れた。脇腹がフウフウと波打ち、汗で光っている。

「フィレンツェ!」ベインがどなった。

「なんということを……人間を背中に乗せるなど恥ずかしくないのか? 君はただのロバなのか?」

「この子が誰だかわかっているのですか? あのポッターなのですよ。この子は一刻も早くこの森を離れるほうがいい」とフィレンツェが言った。

「君はこの子に何を話していたのだ? フィレンツェ、忘れてはいけない。我々は天に逆らわないと誓った。惑星の動きから、何が起こるかを読み取ったはずではないかね」ベインが唸るように言った。

「私はフィレンツェが最善と思うことをしているんだと信じています」

ロナンは落ち着かない様子で、ひづめで地面をかきながら、例のくぐもった声で言った。

「最善！　それが我々となんの関わりがあると言うのかね？　ケンタウルスは予言されたことにだけ関心を持てばそれでよい！　森の中でさまよう人間を追いかけてロバのように走り回るのが我々のすることだろうか！」

ベインは怒って後脚を蹴り上げた。

フィレンツェも怒り、急に後脚で立ちあがったので、ハリーは振り落とされないように必死に彼の肩につかまった。

「あのユニコーンを見なかったのですか？」フィレンツェはベインに向かって声を荒らげた。

「なぜ殺されたのか、あなたにはわからないのですか？　惑星がその秘密を教えてはいないのですか？　ベイン、私はこの森に忍び寄るものに立ち向かう。そう、必要とあらば人間とも手を組みます」

フィレンツェがサッと向きを変え、ハリーは必死でその背にしがみついた。二人はロナンとベインをあとに残し、木立の中に飛び込んだ。

何が起こっているのかハリーにはまったく見当がつかなかった。

「どうしてベインはあんなに怒っていたの？　あなたはいったい何から僕を救ってくれたですか？」

フィレンツェはスピードを落とし、並足になった。低い枝にぶつからないよう頭を低くしているようにと注意はしてくれたが、ハリーの質問には答えなかった。二人はだまったまま木立の中を進んだ。長いこと沈黙が続いたので、フィレンツェはもう口をききたくないのだろうとハリーは考えた。ところが、ひときわ木の生い茂った場所を通る途中、フィレンツェが突然立ち止まった。

「ハリー・ポッター、ユニコーンの血が何に使われるか知っていますか？」

「ううん」ハリーは突然の質問に驚いた。「角とか尾の毛とかを『魔法薬』の時間に使ったきりです」

「それはね、ユニコーンを殺すなんて非情極まりないことだからなのです。失うものは何もなく、しか

第15章　禁じられた森

305

も殺すことで自分の利益になる者だけが、そのような罪を犯す。ユニコーンの血は、たとえ死の淵にい

るときでも命を長らえさせてくれる。でも恐ろしい代償を払わなければならない。自らの命を救うため

に、純粋で無防備な生き物を殺害するのだから、得られる代償は完全な命ではない。その血に唇が触れた

瞬間から、その者は呪われた命を生きる、生きながらの死の命なのです」

フィレンツェの髪は月明かりで銀色の濃淡をつくり出していた。ハリーはその髪を後ろから見つめた。

「いったい誰がそんなに必死に？」ハリーは考えながら話した。「永遠に呪われるんだったら、死んだ

ほうがましだと思うけど。ちがいますか？」

「そのとおり。しかし、ほかの何かを飲むまでの間だけ生き長らえればよいとしたら——完全な力と強

さを取り戻してくれる何か——けっして死ぬことがなくなる何か。ポッター君、いまこの瞬間に、学校

に何が隠されているか知っていますか？」

『賢者の石』——そうか——命の水だ！　だけどいったい誰が……」

「力を取り戻すために長い間待っていたのが誰なのか、思い浮かばないですか？　命にしがみついて、

チャンスをうかがってきたのは誰なのか？」

ハリーは鉄の手で突然心臓をわしづかみにされたような気がした。木々のざわめきの中から、ハグ

リッドに初めて会ったあの夜に聞いた言葉がよみがえってきた。

——あやつが死んだという者もいる。俺に言わせりゃ、くそくらえだ。やつに人間らしさのかけらで

も残っていれば死ぬこともあろうさ。

「それじゃ……」ハリーの声がしわがれた。「僕が、いま見たのは**ヴォル**……」

「ハリー！　**ハリー、**あなた大丈夫？」

ハーマイオニーが道のむこうから駆けてきた。ハグリッドもハアハア言いながらその後ろを走ってく

る。

「僕は大丈夫だよ」

ハリーは自分が何を言っているのかほとんどわからなかった。

「ハグリッド、ユニコーンが死んでる。森の奥の開けた所にいたよ」

「ここで別れましょう。君はもう安全だ」

ハグリッドがユニコーンを確かめに急いで戻っていくのを見ながら、フィレンツェがつぶやいた。

ハリーはフィレンツェの背中からすべり降りた。

「幸運を祈りますよ、ハリー・ポッター。ケンタウルスでさえも惑星の読みをまちがえたことがある。

今回もそうなりますように」

フィレンツェは森の奥深くへゆるやかに走り去った。ブルブル震えているハリーを残して……。

みなの帰りを待っているうちに、ロンは真っ暗になった談話室で眠り込んでしまった。ハリーが乱暴

に揺り動かして起こそうとしたとき、クィディッチだのファウルだのと寝言を叫んだ。しかし、ハリー

がハーマイオニーとロンに、森での出来事を話すうちに、ロンはすっかり目を覚ますことになった。

ハリーは座っていられなかった。まだ震えが止まらず、暖炉の前を往ったり来たりした。

「スネイプはヴォルデモートのためにあの石が欲しかったんだ。……ヴォルデモートは森の中で待ってい

るんだ……僕たち、いままでずっと、スネイプはお金のためにあの石が欲しいんだと思っていた……」

「その名前を言うのはやめてくれ!」

ロンはヴォルデモートに聞かれるのを恐れるかのように、こわごわささやいた。

ハリーの耳には入らない。

「フィレンツェは僕を助けてくれた。だけどそれはいけないことだったんだ……ベインがものすごく怒っていた……惑星が起こるべきことを予言しているのに、それに干渉するなって言ってた……惑星はヴォルデモートが戻ってくると予言しているんだ……ヴォルデモートが僕を殺すなら、それをフィレンツェが止めるのはいけないって、ベインはそう思ったんだ……僕が殺されることも星が予言してたんだ」

「頼むからその名前を言わないで！」ロンがシーッという口調で頼んだ。

「だから、僕はスネイプが石を盗むのをただ待ってればいいんだ」

ハリーは熱に浮かされたように話し続けた。

「そしたらヴォルデモートがやってきて僕の息の根を止める……そう、それでベインは満足するだろう」

ハーマイオニーも怖がっていたが、ハリーをなぐさめる言葉をかけた。

「ハリー、ダンブルドアは『あの人』が唯一恐れている人だって、みんなが言ってるじゃない。ダンブルドアがそばにいるかぎり、『あの人』はあなたに指一本触れることはできないわ。それに、ケンタウルスが正しいなんて誰が言った？　私には占いみたいなものに思えるわ。マクゴナガル先生がおっしゃったでしょう。占いは魔法の中でも、とっても不正確な分野だって」

話し込んでいるうちに、空が白みはじめていた。ベッドに入ったときには三人ともくたくたで、話しすぎてのどがヒリヒリした。だがその夜の驚きはまだ終わってはいなかった。

ハリーがシーツをめくると、そこにはきちんとたたまれた透明マントが置いてあった。小さなメモがピンでとめてある。

「必要な時のために」

ハリー・ポッターと賢者の石

308

第16章　仕掛けられた罠

ヴォルデモートがいまにもドアを破って襲ってくるかもしれない、そんな恐怖の中で、いったいどうやって試験を終えることができたのだろう。これから先何年かが過ぎてもハリーはこの時期のことを正確には思い出せないにちがいない。いつのまにかじわじわと数日が過ぎていた。フラッフィーはまちがいなくまだ生きていて、鍵のかかったドアのむこうで踏んばっていた。

うだるような暑さの中、筆記試験の大教室はことさら暑かった。試験用に、カンニング防止の魔法がかけられた特別な羽根ペンが配られた。

実技試験もあった。フリットウィック先生は、生徒を一人ずつ教室に呼び入れ、パイナップルを机の端から端までタップダンスさせられるかどうかを試験した。マクゴナガル先生の試験は、ネズミを「かぎたばこ入れ」に変えることだった。美しい箱は点数が高く、ひげのはえた箱は減点された。スネイプは、「忘れ薬」の作り方を思い出そうとみんな必死になっている時に、生徒のすぐ後ろに回ってまじじと監視するので、みんなどぎまぎした。

森の事件以来、ハリーは額にずきずきと刺すような痛みを感じていたが、忘れようと努めた。ハリーが眠れないのを見て、ネビルはハリーが重症の試験恐怖症だろうと思ったようだが、本当は、例の悪夢のせいで何度も目を覚ましたのだった。しかも、これまでより怖い悪夢になり、フードをかぶった影が血を滴らせて現れるのだ。

ロンやハーマイオニーは、ハリーほど「石」を心配していないようだった。ハリーが森で見たあの光

景を二人は見ていなかったし、額の傷が燃えるように痛むこともないからかもしれない。二人とも確か

にヴォルデモートを恐れてはいたが、ハリーのように夢でうなされることはなかった。その上、復習で

忙しくて、スネイプであれ誰であれ、何を企んでいようが、気にしている余裕がなかったのだ。

最後の試験は「魔法史」だった。一時間の試験で、「鍋が勝手に中身をかき混ぜる大鍋」を発明した

風変わりな老魔法使いたちについての答案を書き終えると、すべて終了だ。一週間後に試験の結果が発

表されるまでは、すばらしい自由な時間が待っている。幽霊のビンズ先生が、羽根ペンを置いて答案羊

皮紙を巻きなさい、と言った時には、ハリーもほかの生徒たちと一緒に思わず歓声を上げた。

「思ってたよりずーっとやさしかったわ。一六三七年の狼人間の行動綱領とか、熱血漢エルフリック

の反乱なんか勉強する必要なかったんだわ」

さんさんと陽の射す校庭に、ワッとくり出した生徒の群れに加わって、ハーマイオニーが言った。

ハーマイオニーはいつものように、試験の答え合わせをしたがったが、ロンがそんなことをすると気

分が悪くなると言ったので、三人は湖までぶらぶら下りて行き、木陰に寝ころんだ。ウィーズリーの双

子とリー・ジョーダンが、暖かな浅瀬で日向ぼっこをしている大イカの足をくすぐっていた。

「もう復習しなくてもいいんだ」

ロンが草の上に大の字になりながらうれしそうにホーッと息をついた。

「ハリー、もっとうれしそうな顔をしろよ。試験でどんなにしくじったって、結果が出るまでにまだ一

週間もあるんだ。いまからあれこれ考えたってしょうがないだろ」

「いったいこれは**どう**いうことなのか知りたいよ」

ハリーは額をこすりながら、怒りを吐き出すように言った。

「ずーっと傷がうずくんだ……いままでもときどきこういうことはあったけど、こんなに続くのは初め

ハリー・ポッターと賢者の石

310

「マダム・ポンフリーの所に行ったほうがいいわ」

ハーマイオニーが言った。

「僕は病気じゃない。きっと警告なんだ……何か危険が迫っている証拠なんだ」

ロンはそれでも反応しない。何しろ暑すぎるのだ。

「ハリー、リラックスしろよ。ハーマイオニーの言うとおりだ。ダンブルドアがいるかぎり、『石』は無事だよ。スネイプがフラッフィーを突破する方法を見つけたっていう証拠もないし。いっぺん足をかみ切られそうになったんだから、スネイプがすぐにまた同じことをやるわけないよ。それに、ハグリッドが口を割ってダンブルドアを裏切るなんてありえない。そんなことが起こるくらいなら、ネビルはとっくにクィディッチ世界選手権のイングランド代表選手になってるよ」

ハリーはうなずいた。しかし、何か忘れているような感じがしてならない。何か大変なことを。ハリーがそれを説明すると、ハーマイオニーが言った。

「それって、試験のせいよ。私もきのう、夜中に目を覚まして、『変身術』のノートのおさらいを始めたのよ。半分ぐらいすんだとき、この試験はもう終わってたってことを思い出したの」

この落ち着かない気分は試験とはまったく関係ないと、ハリーには、はっきりわかっていた。まぶしいほどの青空に、ふくろうが手紙をくわえて学校のほうに飛んでいくのが見えた。ハリーに手紙をくれたのはハグリッドだけだ。ハグリッドはけっしてダンブルドアを裏切ることはない。ハグリッドがどうやってフラッフィーを手なずけるかを、誰かに教えるはずがない……絶対に……しかし──。

ハリーは突然立ち上がった。

「どこに行くんだい?」

第16章　仕掛けられた罠

311

ロンが眠たそうに聞いた。

「いま気づいたことがあるんだ」

ハリーの顔は真っ青だった。

「すぐ、ハグリッドに会いに行かなくちゃ」

「どうして?」

ハリーに追いつこうと、息を切らしながらハーマイオニーが聞いた。

「おかしいと思わないか?」

草の茂った斜面をよじ登りながらハリーが言った。

「ハグリッドはドラゴンが欲しくてたまらなかった。でも、いきなり見ず知らずの人間が、たまたまドラゴンの卵をポケットに入れて現れるかい? 魔法界の法律で禁止されているのに、ドラゴンの卵を持ってうろついている人がざらにいるかい? ハグリッドにたまたま出会ったなんて、話がうますぎると思わないか? どうしていままで気づかなかったんだろう」

「何が言いたいんだい?」とロンが聞いたが、ハリーは答えもせずに、校庭を横切って森へと全力疾走した。

ハグリッドは家の外にいた。ひじかけ椅子に腰かけて、ズボンもそでもたくし上げ、大きなボウルを前において、豆のさやをむいていた。

「よう。試験は終わったかい? お茶でも飲むか?」

ハグリッドはニッコリした。

「うん。ありがとう」

とロンが言いかけるのをハリーがさえぎった。

「うん。僕たち急いでるんだ。ハグリッド、聞きたいことがあるんだけど。ノーバートを賭けで手に入れた夜のことを覚えているかい。トランプをした相手って、どんな人だった?」

「わからんよ。マントを着たままだったしな」

ハグリッドはこともなげに答えた。

「そんなにめずらしいこっちゃない。『ホッグズ・ヘッド』なんてとこにゃ……村にあるパブだがな、おかしなやつがうようよしちょる。もしかしたらドラゴン売人だったかもしれん。そうじゃろ? 顔も見んかったよ。フードをすっぽりかぶったまんまだったし」

ハリーは豆のボウルのそばにへたりこんでしまった。

「ハグリッド。その人とどんな話をしたの? ホグワーツのこと、何か話した?」

「話したかもしれん」

ハグリッドは思い出そうとして顔をしかめた。

「うん……俺が何をしているのかって聞いたんで、森番をしているって言ったな……そしたらどんな動物を飼ってるかって聞いてきたんで……それに答えて……それで、ほんとはずーっとドラゴンが欲しかったって言ったな……それから……あんまり覚えとらん。なにせ次々酒をおごってくれるんで……そうさなぁ……うん、それからドラゴンの卵を持ってるけどトランプで卵を賭けてもいいってな……でもちゃんと飼えなきゃだめだって、どこにでもくれてやるわけにゃいかんって……だから言ってやったよ。でもフラッフィーに比べりゃ、ドラゴンなんか楽なもんだって……」

「それで、そ、その人はフラッフィーに興味あるみたいだった?」

ハリーはなるべく落ち着いた声で聞いた。

第16章　仕掛けられた罠

313

「そりゃそうだ……三頭犬なんて、たとえホグワーツだって、そんなに何匹もいねえだろう？　だから俺は言ってやったよ。フラッフィーなんか、なだめ方さえ知ってれば、お茶の子さいさいだって。ちょいと音楽を聞かせればすぐねんねしちまうって……」

ハグリッドは突然、しまった大変だという顔をした。

「おまえたちに話しちゃいけなかったんだ！」

ハグリッドはあわてて言った。

「忘れてくれ！　おーい、みんなどこに行くんだ？」

玄関ホールに着くまで、互いに一言も口をきかなかった。校庭の明るさに比べると、ホールは冷たく、陰気に感じられた。

「ダンブルドアの所に行かなくちゃ」とハリーが言った。

「ハグリッドが怪しいやつに、フラッフィーをどうやって手なずけるか教えてしまった。マントの人物はスネイプかヴォルデモートだったんだ……ハグリッドを酔っ払わせてしまえば、あとは簡単だったにちがいない。ダンブルドアが僕たちの言うことを信じてくれればいいけど。ベインさえ止めなければ、フィレンツェが証言してくれるかもしれない。校長室はどこだろう？」

三人はあたりを見回した。どこかに矢印で校長室と書いてないだろうか。そう言えば、ダンブルドアがどこに住んでいるのか聞いたことがないし、誰かが校長室に呼ばれたという話も聞いたことがない。

「こうなったら僕たちとしては──」

とハリーが言いかけたとき、突然ホールのむこうから声が響いてきた。

「その三人、こんな所で何をしているのですか？」

山のような本を抱えたマクゴナガル先生だった。

「ダンブルドア先生にお目にかかりたいんです」

ハーマイオニーが勇敢にも(と、ハリーもロンもそう思った)そう言った。

「ダンブルドア先生にお目にかかる?」

マクゴナガル先生は、そんなことを望むのはどうも怪しいとでも言うように、おうむ返しに聞いた。

「理由は?」

ハリーはグッとつばを飲みこんだ――さあどうしよう?

「ちょっと秘密なんです」

ハリーはそう言うなり、言わなきゃよかったと思った。マクゴナガル先生の鼻の穴がふくらむのを見たからだ。

「ダンブルドア先生は十分前にお出かけになりました」

マクゴナガル先生が冷たく言った。

「魔法省から緊急のふくろう便が来て、すぐにロンドンに飛び発たれました」

「先生が**いらっしゃらない? この肝心な時に?**」

ハリーはあわてた。

「ポッター。ダンブルドア先生は偉大な魔法使いですから、大変ご多忙でいらっしゃる――」

「でも、重大なことなんです」

「ポッター。魔法省の件よりあなたの用件のほうが重要だと言うんですか?」

「実は……」ハリーは慎重さをかなぐり捨てて言った。「先生……『賢者の石』の件なのです……」

この答えだけはさすがのマクゴナガル先生にも予想外だった。先生の手からバラバラと本が落ちたが、先生は拾おうともしない。

第16章 仕掛けられた罠

315

「どうしてそれを……？」

先生はしどろもどろだ。

「先生、僕の考えでは、いいえ、僕は**知ってる**んです。スネイ……いや、誰かが『石』を盗もうとしています。どうしてもダンブルドア先生にお話ししなくてはならないのです」

マクゴナガル先生は驚きと疑いの入りまじった目をハリーに向けていたが、しばらくして、やっと口を開いた。

「ダンブルドア先生は、明日お帰りになります。あなたたちがどうしてあの『石』のことを知ったのかわかりませんが、安心なさい。磐石の守りですから、誰も盗むことはできません」

「でも先生……」

「ポッター、二度同じことは言いません」

先生はきっぱりと言った。

「三人とも外に行きなさい。せっかくのよい天気ですよ」

先生はかがんで本を拾いはじめた。

三人とも外には出なかった。

「今夜だ」

マクゴナガル先生が声の届かない所まで行ってしまうのを待って、ハリーが言った。

「スネイプが仕掛け扉を破るなら今夜だ。必要なことは全部わかったし、ダンブルドアも追い払った。スネイプが手紙を送ったんだ。ダンブルドア先生が顔を出したら、きっと魔法省じゃキョトンとするにちがいない」

ハリー・ポッターと賢者の石

316

「でも私たちに何ができるって……」

突然ハーマイオニーが息をのんだ。ハリーとロンが急いで振り返ると、そこにスネイプが立っていた。

「やあ、諸君」

スネイプがいやに愛想よく挨拶をした。

三人はスネイプをじっと見つめた。

「こんな日には屋内にいるものではない」

スネイプはとってつけたようなゆがんだほほえみを浮かべた。

「僕たちは——」

ハリーは、そのあと何を言ったらよいのか考えつかなかった。

「もっと慎重に願いたいものですな。こんなふうにうろうろしているところを人が見たら、何か企んでいるように見えますぞ。グリフィンドールとしては、これ以上減点される余裕はないはずだろう？」

ハリーは顔に血がのぼるのを感じた。三人が外に出ようとすると、スネイプが呼び止めた。

「ポッター、警告しておく。これ以上夜中にうろついているのを見かけたら、我輩が自ら君を退校処分にするぞ。さあもう行きたまえ」

スネイプは大股に職員室のほうに歩いていった。

入口の石段の所で、ハリーは二人に向かって緊迫した口調でささやいた。

「よし。こうしよう。誰か一人がスネイプを見張るんだ……職員室の外で待ち伏せして、スネイプが出てきたらあとをつける。ハーマイオニー、君がやってくれ」

「なんで私なの？」

「あたりまえだろう」ロンが言った。

第16章　仕掛けられた罠

317

「フリットウィック先生を待ってるふりをすればいいじゃないか」

ロンはハーマイオニーの声色を使った。

「ああ、フリットウィック先生。私、14ｂの答えをまちがえてしまったみたいで、とっても心配なんですけど……」

「まあ失礼ね。だまんなさい！」

それでも結局ハーマイオニーがスネイプを見張ることになった。

「僕たちは四階の例の廊下の外にいよう。さあ行こう」とハリーはロンをうながした。

だがこっちの計画は失敗だった。今度こそ堪忍袋の緒が切れたようだ。

ナガル先生が現れたのだ。フラッフィーを隔離しているドアの前に着いたとたん、またマクゴ

「何度言ったらわかるんです！　あなたたちのほうが、何重もの魔法陣の守りより強いとでも思っているのですか！」とすごい剣幕だ。

「こんな愚かしいことはもう許しません！　もしあなたたちがまたこのあたりに近づいたと私の耳に入ったら、グリフィンドールは五〇点減点です！　ええ、そうですとも、ウィーズリー、私自身の寮でも減点します！」

ハリーとロンは寮の談話室に戻った。

「でも、まだハーマイオニーがスネイプを見張ってる」とハリーが言ったとたん、太った婦人の肖像画がパッと開いてハーマイオニーが入ってきた。

「ハリー、ごめん！」

おろおろ声だ。

「スネイプが出てきて、何してるって聞かれたの。フリットウィック先生を待ってるって言ったのよ。

そしたらスネイプがフリットウィック先生を呼びに行ったの。だから私、ずっと捕まっちゃってて、い

まやっと戻ってこられたの。スネイプがどこに行ったかわからないわ」

「じゃあ、もう僕が行くしかない。そうだろう？」とハリーが言った。

ロンとハーマイオニーはハリーを見つめた。青ざめたハリーの顔に緑の目が燃えていた。

「僕は今夜ここを抜け出す。『石』をなんとか先に手に入れる」

「気は確かか！」とロンが言った。

「だめよ！ マクゴナガル先生にもスネイプにも言われたでしょ。退校になっちゃうわ！」

「だからなんだっていうんだ？」

ハリーが叫んだ。

「わからないのかい？ もしスネイプが『石』を手に入れたら、ヴォルデモートが戻ってくるんだ！

あいつがすべてを征服しようとしていたとき、どんなありさまだったか、聞いてるだろう？ 退校にさ

れようにも、ホグワーツそのものがなくなってしまうんだ！ ペシャンコにされてしまう。退校なんて

闇の魔術の学校にされてしまうんだ！ 減点なんてもう問題じゃない。それがわからないのかい？ グ

リフィンドールが寮対抗杯を獲得しさえしたら、君たちや家族には手出しをしないとでも思ってるのか

い？ もし僕が『石』にたどり着く前に見つかってしまったら、そう、退校になった僕はダーズリー家

に戻り、そこでヴォルデモートがやってくるのをじっと待つしかない。死ぬのが少しだけ遅くなるだけ

だ。だって僕は絶対に闇の陣営には屈服しないから！ 今晩、僕は仕掛け扉を開ける。君たちがなんと

言おうと僕は行く。いいかい、僕の両親はヴォルデモートに殺されたんだ」

「そのとおりだわ、ハリー」

ハリーは二人をにらみつけた。

第16章　仕掛けられた罠

319

ハーマイオニーが消え入るような声で言った。

「僕は透明マントを使うよ。マントが戻ってきたのはラッキーだった」

「でも三人全員入れるかな?」とロンが言った。

「全員って……君たちも行くつもりかい?」

「バカ言うなよ。君だけを行かせると思うのかい?」

「もちろん、そんなことできないわ」

とハーマイオニーが威勢よく言った。

「私たち二人なしで、どうやって『石』までたどり着くつもりなの? こうしちゃいられないわ。私、本を調べてくる。何か役にたつことがあるかも……」

「でも、もし捕まったら、君たちも退校になるよ」

「それはどうかしら」

ハーマイオニーが決然と言った。

「フリットウィック先生がそっと教えてくれたんだけど、彼の試験で私は一〇〇点満点中一一二点だったんですって。これじゃ私を退校にはできないわ」

夕食のあと、談話室で三人は落ち着かない様子でみんなから離れて座った。もう誰も三人のことを気にとめなかったし、グリフィンドール寮生はハリーに口をきかなくなっていた。今夜ばかりは、三人は無視されても気にならなかった。ハーマイオニーはこれから突破しなければならない呪いを一つでも見つけようとノートをめくっていた。ハリーとロンはだまりがちで、二人ともこれからやろうとしていることに考えをめぐらせていた。

ハリー・ポッターと賢者の石

320

寮生が少しずつ寝室に去っていき、談話室は人気がなくなってきた。最後にリー・ジョーダンが伸び
をしてあくびをしながら出ていった。

「マントを取ってきたら」とロンがささやいた。

ハリーは階段を駆け上がり暗い寝室に向かった。透明マントを引っ張り出すと、ハグリッドがクリス
マスプレゼントにくれた横笛がふと目に留まった。フラッフィーの前で吹こうと、笛をポケットに入れ
た——とても歌う気持ちにはなれそうにもなかったからだ。

ハリーは談話室に駆け戻った。

「ここでマントを着てみたほうがいいな。三人全員隠れるかどうか確かめよう——もしも足が一本だけ
はみ出たまま歩き回っているのをフィルチにでも見つかったら——」

「君たち、何してるの?」

部屋の隅から声が聞こえた。

ネビルがひじかけ椅子の陰から現れた。自由を求めてまたしても逃亡したような顔のヒキガエルのト
レバーをしっかりとつかんでいる。

「なんでもないよ、ネビル。なんでもない」

ハリーは急いでマントを後ろに隠した。

「また外に出るんだろ」

ネビルは三人の後ろめたそうな顔を見つめた。

「ううん。ちがう。ちがうわよ。出てなんかいかないわ。ネビル、もう寝たら?」

とハーマイオニーが言った。

ハリーは扉の脇の大きな柱時計を見た。もう時間がない。スネイプがこの瞬間にもフラッフィーに音

第16章　仕掛けられた罠

321

楽を聞かせて眠らせているかもしれない。

「外に出てはいけないよ。また見つかったら、グリフィンドールはもっと大変なことになる」

とネビルが言った。

「君にはわからないことだけど、これは、とっても重要なことなんだ」

とハリーが言っても、ネビルは必死にがんばり、譲ろうとしなかった。

「行かせるもんか」

ネビルは出口の肖像画の前に急いで立ちはだかった。

「僕、僕、君たちと戦う！」

「ネビル」

ロンのかんしゃく玉が破裂した。

「そこをどけよ。バカはよせ——」

「バカ呼ばわりするな！　もうこれ以上規則を破ってはいけない！　恐れずに立ち向かえと言ったのは君じゃないか」

「ああ、そうだ。でも立ち向かう相手は**僕たちじゃない**」

ロンがいきりたった。

「ネビル、君は自分が何をしようとしてるのかわかってないんだ」

ロンが一歩前に出ると、ネビルがヒキガエルのトレバーをポロリと落とした。トレバーはピョンと飛んで、行方をくらました。

「やるならやってみろ。殴れよ！　いつでもかかってこい！」

ネビルが拳を振り上げて言った。

ハリーはハーマイオニーを振り返り、弱りはてて頼んだ。

「なんとかしてくれ」

ハーマイオニーが一歩進み出た。

「ネビル、ほんとに、ほんとにごめんなさい」

ハーマイオニーは杖を振り上げ、ネビルに杖の先を向けた。

「ペトリフィカス　トタルス、石になれ！」

ネビルの両腕が体の脇にピチッとはりつき、両足がパチッと閉じた。体が固くなり、その場でゆらゆらと揺れ、まるで一枚板のようにうつ伏せにばったり倒れた。

ハーマイオニーが駆け寄り、ネビルをひっくり返した。ネビルはあごをくいしばり、話すこともできなかった。目だけが動いて、恐怖の色を浮かべ三人を見ていた。

「ネビルに何をしたんだい？」とハリーが小声でたずねた。

『全身金縛り』をかけたの。ネビル、ごめんなさい」

ハーマイオニーはつらそうだ。

「あとできっとわかるよ、ネビル」とロンが言った。

「ネビル、こうしなくちゃならなかったんだ。わけを話してるひまがないけど」とハリーが言った。

三人はネビルをまたぎ、透明マントをかぶった。

動けなくなったネビルを床に転がしたまま出ていくのは、幸先のよいことだとは思えなかった。三人とも神経がピリピリしていたので、銅像の影を見るたびに、フィルチかと思ったり、遠くの風の音までが、ピーブズの襲いかかってくる音に聞こえたりした。

最初の階段の下まで来ると、ミセス・ノリスが階段の上を忍び歩きしているのが見えた。

第16章　仕掛けられた罠

323

「ねえ、蹴っ飛ばしてやろうよ。一回だけ」とロンがハリーの耳元でささやいたが、ハリーは首を横に振った。気づかれないように慎重に彼女をよけて上がっていくと、ミセス・ノリスはランプのような目で三人のほうを見たが、何もしなかった。

四階に続く階段の下にたどり着くまで、あとは誰にも出会わなかった。四階への階段の途中で、ピーブズがひょこひょこ上下に揺れながら、誰かをつまずかせようとじゅうたんをたるませていた。

「そこにいるのはだーれだ？」

三人が階段を上っていくと、突然ピーブズが意地悪そうな黒い目を細めた。

「見えなくたって、そこにいるのはわかってるんだ。だーれだ。幽霊っ子、亡霊っ子、それとも生徒のいたずらっ子か？」

ピーブズは空中に飛び上がり、プカプカしながら目を細めて三人のほうを見た。

「見えないものが忍び歩きしてる。フィルチをよーぼう。呼ばなくちゃ」

突然ハリーはひらめいた。

「ピーブズ」ハリーは低いしわがれ声を出した。

「血みどろ男爵様が、わけあって身を隠しているのがわからんか」

ピーブズは肝をつぶして空中から転落しそうになったが、あわや階段にぶつかる寸前に、やっとのことで空中に踏みとどまった。

「も、申し訳ありません。血みどろ閣下、男爵様」

ピーブズはとたんにへりくだった。

「手前の失態でございます。まちがえました……お姿が見えなかったものですから……そうですとも、透明で見えなかったのでございます。老いぼれピーブズめの茶番劇を、どうかお許しください……そうですとも、

ハリー・ポッターと賢者の石

324

「わしはここに用がある。ピーブズ、今夜はここに近寄るでない」

ハリーがしわがれ声で言った。

「はい、閣下。仰せのとおりにいたします」

ピーブズは再び空中に舞い上がった。

「首尾よくお仕事が進みますように。男爵様、お邪魔はいたしません」

ピーブズはサッと消えた。

「すごいぞ、ハリー！」ロンが小声で言った。

まもなく三人は四階の廊下にたどり着いた。扉はすでに少し開いていた。

「ほら、やっぱりだ」ハリーは声を殺した。

「スネイプはもうフラッフィーを突破したんだ」

開いたままの扉を見ると、三人は自分たちのしようとしていることがなんなのかを改めて思い知らされた。マントの中でハリーは二人を振り返った。

「君たち、戻りたかったら、恨んだりしないから戻ってくれ。マントも持っていっていい。僕にはもう必要がないから」

「バカ言うな」

「一緒に行くわ」ロンとハーマイオニーが言った。

ハリーは扉を押し開けた。

扉はきしみながら開き、低い、グルルルという唸り声が聞こえた。三つの鼻が、姿の見えない三人のいる方向をさかんにかぎ回った。

「犬の足元にあるのは何かしら」とハーマイオニーがささやいた。

第16章　仕掛けられた罠

「ハープみたいだ。スネイプが置いていったにちがいない」とロンが言った。

「きっと音楽が止んだとたんに起きてしまうんだ」とハリーが言った。

「さあ、はじめよう……」

ハリーはハグリッドにもらった横笛を唇にあてて吹きはじめた。メロディーとも言えないものだったが、最初の音を聞いた瞬間から、三頭犬はとろんとしはじめた。ハリーは息も継がずに吹いた。だんだんと犬の唸り声が消え、よろよろっとしたかと思うと、ひざをついて座り込み、ごろんと床に横たわった。ぐっすりと眠り込んでいる。

「吹き続けてくれ」

三人がマントを抜け出すとき、ロンが念を押した。三人はそっと仕掛け扉のほうに移動し、犬の巨大な頭に近づいた。熱くて臭い鼻息がかかった。

犬の背中越しにむこう側をのぞきこんで、ロンが言った。

「扉は引っ張れば開くと思うよ。ハーマイオニー、先に行くかい?」

「いやよ!」

「ようし」

ロンがギュッと歯を食いしばって、慎重に犬の足をまたいだ。かがんで仕掛け扉の引き手を引っ張ると、扉が跳ね上がった。

「何が見える?」ハーマイオニーがこわごわ尋ねた。

「何にも……真っ暗だ……下りていく階段もない。落ちていくしかない」

ハリーはまだ横笛を吹いていたが、ロンに手で合図をし、自分自身を指さした。

「君が先に行きたいのかい? 本当に?」とロンが言った。

ハリー・ポッターと賢者の石

「どのくらい深いかわからないよ。ハーマイオニーに笛を渡して、犬を眠らせておいてもらおう」

ハリーは横笛をハーマイオニーに渡した。ほんのわずか音がとだえただけで、犬はグルルと唸り、ぴくぴく動いた。ハーマイオニーが吹きはじめると、またすぐ深い眠りに落ちていった。

ハリーは犬を乗り越え、仕掛け扉から下を見た。底が見えない。

ハリーは穴に入り、最後に指先だけで扉にしがみつき、ロンのほうを見上げて言った。

「もし僕の身に何か起きたら、ついてくるなよ。まっすぐふくろう小屋に行って、ダンブルドア宛にヘドウィグを送ってくれ。いいかい?」

「了解」

「じゃ、あとで会おう。できれば……」

ハリーは指を放した。冷たい湿った空気を切って、ハリーは落ちて行った。下へ……下へ……下へ

……そして――。

ドシン。奇妙な鈍い音を立てて、ハリーは何やらやわらかいものの上に着地した。ハリーは座りなおし、まだ目が暗闇に慣れていなかったので、あたりを手探りでさわった。何か植物のようなものの上に座っている感じだった。

「オーケーだよ!」

入口の穴は切手ぐらいの小ささに見えた。その明かりに向かってハリーが叫んだ。

「軟着陸だ。飛び下りても大丈夫だよ!」

ロンがすぐ飛び下りてきた。ハリーのすぐ隣に大の字になって着地した。

「これ、なんだい?」ロンの第一声だった。

「わかんない。何か植物らしい。落ちるショックを和らげるためにあるみたいだ。さあ、ハーマイオ

第16章　仕掛けられた罠

「二ー、おいでよ！」

遠くのほうで聞こえていた笛の音がやんだ。犬が大きな声で吠えている。でもハーマイオニーはもうジャンプしていた。ハリーの脇に、ロンとは反対側に着地した。

「ここって、学校の何キロも下にちがいないわ」とハーマイオニーが言った。

「この植物のおかげで、ほんとにラッキーだった」ロンが言った。

「**ラッキーですって！**」

ハーマイオニーが悲鳴を上げた。

「二人とも自分を見てごらんなさいよ！」

ハーマイオニーははじけるように立ち上がり、じとっと湿った壁のほうに行こうともがいた。ハーマイオニーが着地したとたん、植物のツルが蛇のように足首にからみついてきたのだ。知らないうちにハリーとロンの足は長いツルで固く固くしめつけられていた。

ハーマイオニーは、植物が固く巻きつく前だったのでなんとか振りほどき、ハリーとロンがツルと奮闘するのを、引きつった顔で見ていた。振りほどこうとすればするほど、ツルはますますきつく、すばやく二人に巻きついた。

「動かないで！」ハーマイオニーが叫んだ。

「私、知ってる……これ、『悪魔の罠』だわ！」

「ああ。なんて名前か知ってるなんて、大いに助かるよ」ロンが首に巻きつこうとするツルから逃れようと、のけぞりながら唸った。

「だまってて！　どうやってやっつけるか思い出そうとしてるんだから！」とハーマイオニーが言った。

「早くして！　もう息ができないよ」

ハリーは胸に巻きついたツルと格闘しながらあえいだ。

『悪魔の罠』、『悪魔の罠』っと……スプラウト先生はなんて言ったっけ？　暗闇と湿気を好み……」

「だったら火をつけて！」

ハリーは息も絶え絶えだ。

「そうだわ——それよ——でも薪がないわ！」

ハーマイオニーがいらいらと両手をよじりながら叫んだ。

「**気が変になったのか！　君はそれでも魔女か！**」ロンが大声を出した。

「あっ、そうだった！」

ハーマイオニーはサッと杖を取り出し、何かつぶやきながら振った。すると、スネイプに仕掛けたのと同じリンドウ色の炎が植物めがけて噴き出した。光と温もりで草がすくみ上がり、二人の体をしめつけていたツルが、見る見るほどけていった。草は身をよじり、へなへなとほぐれ、二人はツルを振り払って自由になった。

「ハーマイオニー、君が『薬草学』をちゃんと勉強してくれていてよかったよ」額の汗をぬぐいながら、ハリーもハーマイオニーのいる壁の所に行った。

「ほんとだ。それにこんな危険な状態で、ハリーが冷静でよかったよ……それにしても、『薪がないわ』なんて、**まったく**……」とロンが言った。

「こっちだ」

ハリーは奥へ続く石の一本道を指さした。

足音以外に聞こえるのは、壁を伝い落ちる水滴のかすかな音だけだった。通路は下り坂で、ハリーは

グリンゴッツを思い出していた。そういえば、あの魔法銀行ではドラゴンが金庫を守っているとか……ハリーの心臓にいやな震えが走った。もしここでドラゴンに出くわしたら、それも大人のドラゴンだったら。赤ん坊のノーバートだって手に負えなかったのに……。

「何か聞こえないか?」とロンが小声で言った。

ハリーも耳を澄ました。前のほうから、やわらかく擦れ合う音やチリンチリンという音が聞こえてきた。

「ゴーストかな?」

「わからない……羽の音みたいに聞こえるけど」

「前のほうに光が見える——何か動いている」

三人は通路の出口に出た。目の前にまばゆく輝く部屋が広がった。天井は高くアーチ形をしている。宝石のようにキラキラとした無数の小鳥が、部屋いっぱいに飛び回っていた。部屋のむこう側には分厚い木の扉がある。

「僕たちが部屋を横切ったら鳥が襲ってくるんだろうか?」とロンが聞いた。

「たぶんね。そんなに獰猛には見えないけど、もし全部いっぺんに飛びかかってきたら……でも、ほかに手段はない……僕は走るよ」とハリーが言った。

大きく息を吸い込み、腕で顔をおおい、ハリーは部屋を駆け抜けた。いまにも鋭いくちばしや爪が襲ってくるかもしれない、と思ったが何事も起こらなかった。ハリーは無傷で扉にたどり着いた。取っ手を引いてみたが、鍵がかかっていた。

ロンとハーマイオニーが続いてやってきた。三人で押せども引けども扉はびくともしない。ハーマイオニーがアロホモラ呪文を試してみたがだめだった。

ハリー・ポッターと賢者の石

330

「どうする？」ロンが言った。

「鳥よ……鳥はただの飾りでここにいるんじゃないはずだわ」

三人は頭上高く舞っている鳥を眺めた。輝いている——**輝いている？**

「鳥じゃないんだ！」

ハリーが突然言った。

「**鍵なんだよ！** 羽のついた鍵だ。よく見てごらん。ということは……」

ハリーは部屋を見渡した。ほかの二人は目を細めて鍵の群れを見つめていた。

「……よし。ほら！ **箒**がある！ ドアを開ける鍵を捕まえなくちゃいけないんだ！」

「でも、**何百羽もいるよ！**」

ロンは扉の錠を調べた。

「大きくて昔風の鍵を探すんだ——たぶん取っ手と同じ銀製だ」

三人はそれぞれ箒を取り、地面を蹴って、鍵のまっただ中へと舞い上がった。三人ともつかもうとしたり、引っかけようとしたりしたが、魔法にかけられた鍵たちはスイスイとすばやく飛び去り、急降下し、とても捕まえることができなかった。

しかし、ハリーはだてに今世紀最年少のシーカーをやっているわけではない。ほかの人には見えないものを見つける能力がある。一分ほど虹色の羽の渦の中を飛びまわっているうちに、大きな銀色の鍵を見つけた。一度捕まって無理やり鍵穴に押し込まれたかのように、片方の羽が折れている。

「あれだ！」ハリーは二人に向かって叫んだ。

「あの大きいやつだ——そこ、ちがうよ、そこだよ——明るいブルーの羽だ——羽が片方、ひん曲がっている」

第16章　仕掛けられた罠

331

ロンはハリーの指さす方向に猛スピードで向かい、天井にぶつかってあやうく箒から落ちそうになっ
た。

「三人で追いこまなくちゃ！」

曲がった羽の鍵から目を離さずに、ハリーが呼びかけた。

「ロン、君は上のほうから来て——ハーマイオニー、君は下にいて降下できないようにしておいてくれ。
僕が捕まえてみる。それ、**いまだ！**」

ロンが急降下し、ハーマイオニーが急上昇した。鍵は二人をかわしたが、ハリーが一直線に鍵を追っ
た。鍵は壁に向かってスピードを上げた。ハリーが前かがみになった。バリバリッといういやな音がし
たかと思うと、ハリーは片手で鍵を石壁に押さえつけていた。ロンとハーマイオニーの歓声が部屋中に
響きわたった。

三人は大急ぎで着地し、ハリーは手の中でバタバタもがいている鍵をしっかりつかんで扉に向かって
走った。鍵穴に突っ込んで回す——うまくいった。扉がカチャリと開いた。その瞬間、鍵はまた飛び
去った。二度も捕まったので、鍵はひどく痛めつけられた飛び方をした。

「いいかい？」ハリーが取っ手に手をかけながら二人に声をかけた。二人がうなずいた。ハリーが引っ
張ると扉が開いた。

次の部屋は真っ暗で何も見えなかった。が、一歩中に入ると、突然光が部屋中にあふれ、驚くべき光
景が目の前に広がった。

大きなチェス盤がある。三人は黒い駒よりも背が高く、黒い石
のような物でできていた。部屋のずっとむこう側に、こちらを向いて白い駒が立っていた。三人は少し
身震いした——見上げるような白い駒はみんなのっぺらぼうだった。

ハリー・ポッターと賢者の石
332

「さあ、どうしたらいいんだろう?」ハリーがささやいた。

「見ればわかるよ。だろう?　むこうに行くにはチェスをしなくちゃ」とロンが言った。

白い駒の後ろに、もう一つの扉が見えた。

「どうやるの?」ハーマイオニーは不安そうだった。

「たぶん、僕たちがチェスの駒にならなくちゃいけないんだ」とロン。

ロンは黒のナイトに近づき、手を伸ばして馬に触れた。すると石に命が吹き込まれた。馬はひづめで地面をかき、兜をかぶったナイトがロンを見下ろした。

「僕たち……あの……むこうに行くにはチェスに参加しなくちゃいけませんか?」

黒のナイトがうなずいた。ロンは二人を振り返った。

「ちょっと考えさせて……」とロンが言った。

「僕たち三人がひとつずつ黒い駒の役目をしなくちゃいけないんだ……」

ハリーとハーマイオニーはロンが考えをめぐらせているのをおとなしく見ていた。しばらくしてロンが言った。

「気を悪くしないでくれよ。でも二人ともチェスはあまり上手じゃないから――」

「気を悪くなんかするもんか。何をしたらいいのか言ってくれ」ハリーが即座に答えた。

「じゃ、ハリー。君はビショップとかわって。ハーマイオニーはその隣でルークのかわりをするんだ」

「ロンは?」

「僕はナイトになるよ」

チェスの駒はロンの言葉を聞いていたようだ。黒のナイトとビショップとルークがくるりと白に背を向け、チェス盤を下りて、ハリーとロンとハーマイオニーに持ち場をゆずった。

第16章　仕掛けられた罠

333

「白駒が先手なんだ」とロンがチェス盤のむこう側をのぞきながら言った。

「ほら……見て……」

白のポーンが二つ前に進んだ。

ロンが黒駒に動きを指示しはじめた。駒はロンの言うとおり黙々と動いた。ハリーはひざが震えた。

「ハリー、斜め右に四つ進んで」

ロンと対になっている黒のナイトが取られてしまったときが最初のショックだった。白のクイーンが黒のナイトを床にたたきつけ、チェス盤の外に引きずり出したのだ。ナイトは身動きもせず盤外にうつ伏せに横たわった。

「こうしなくちゃならなかったんだ」

ロンが震えながら言った。

「ハーマイオニー、君があのビショップを取るために、道をあけとかなきゃならなかったんだ。さあ、進んで」

白は、黒駒を取ったときになんの情けもかけなかった。しばらくすると負傷した黒駒が壁際に累々と積み上がった。ハリーとハーマイオニーが取られそうになっているのに、ロンが危機一髪のところで気づいたことも二回あった。ロンもチェス盤上を走り回って、取られたと同じくらいの白駒を取った。

「詰めが近い」ロンが急につぶやいた。

「ちょっと待ってよ——うーん……」

白のクイーンがのっぺらぼうの顔をロンに向けた。

「やっぱり……」ロンが静かに言った。

「これしか手はない……僕が取られるしか」

「だめ！」

ハリーとハーマイオニーが同時に叫んだ。

「これがチェスなんだ！」ロンはきっぱりと言った。

「犠牲を払わなくちゃ！　僕がひと駒前進する。そうするとクイーンが僕を取る。ハリー、それで君が動けるようになるから、キングにチェックメイトをかけるんだ！」

「でも—」

「スネイプを食い止めたいんだろう。ちがうのかい？」

「ロン—」

「急がないと、スネイプがもう『石』を手に入れてしまったかもしれないぞ！」

そうするしかない。

「いいかい？」

ロンが青ざめた顔で、しかしきっぱりと言った。

「じゃあ、僕は行くよ……いいかい、勝ったらここでぐずぐずしてたらダメだぞ」

ロンが前に出た。白のクイーンが飛びかかった。ロンの頭を石の腕で殴りつけ、ロンは床に倒れた——ハーマイオニーは悲鳴を上げたが、自分の持ち場に踏みとどまった——白のクイーンがロンを片隅に引きずっていった。ロンは気絶しているようだった。

震えながら、ハリーは三つ左に進んだ。

そして、白のキングは王冠を脱ぎ、ハリーの足元に投げ出した——勝った。チェスの駒は左右に分かれ、前方の扉への道をあけておじぎをした。もう一度だけロンを振り返ってから、ハリーとハーマイオ

ニーは扉に突進し、次の通路を進んだ。

「もしロンが——？」

「大丈夫だよ」

ハリーが自分に言い聞かせるように言った。

「次はなんだと思う？」

「スプラウトはすんだわ。悪魔の罠だった——鍵に魔法をかけたのはフリットウィックにちがいない——チェスの駒を変身させて命を吹き込んだのはマクゴナガルだし——とすると、残るはクィレルの呪文とスネイプの……」

二人は次の扉にたどり着いた。

「いいかい？」

とハリーがささやいた。

「開けてちょうだい」

ハリーが扉を押し開けた。

むかつくようなにおいが鼻をつき、二人はローブを引っぱり上げて鼻をおおった。目をしょぼつかせながら見ると、前にやっつけたのよりもさらに大きなトロールだった。頭のこぶは血だらけで、気絶して横たわっていた。

「こんなトロールと戦わなくてよかった」

小山のような足をそっとまたぎながら、ハリーがつぶやいた。

「さあ行こう、息が詰まりそうだ」

ハリーは次の扉を開けた。何が出てくるか、二人ともまともに見られないような気持ちだった。が、

ハリー・ポッターと賢者の石

336

何も恐ろしいものはなかった。ただテーブルがあって、その上に形のちがう七つの瓶が一列に並んでいた。

「スネイプだ」

ハリーが言った。

「何をすればいいんだろう」

扉の敷居をまたぐと、二人がいま通ってきたばかりの入口でたちまち炎が燃え上がった。紫の炎だ。同時に前方のドアの入口にも黒い炎が上がった。閉じ込められた。ただの炎ではない。

「見て！」

ハーマイオニーが瓶の横に置かれていた巻紙を取り上げた。ハリーはハーマイオニーの肩越しにその紙を読んだ。

前には危険　後ろは安全
君が見つけさえすれば　二つが君を救うだろう
七つのうちの一つだけ　君を前進させるだろう
別の一つで退却の　道が開ける　その人に
二つの瓶は　イラクサ酒
残る三つは殺人者　列にまぎれて隠れてる
長々居たくないならば　どれかを選んでみるがいい
君が選ぶのに役に立つ　四つのヒントを差し上げよう
まず第一のヒントだが　どんなにずるく隠れても

第16章　仕掛けられた罠

毒入り瓶のある場所は　いつもイラクサ酒の左

第二のヒントは両端の　二つの瓶は種類がちがう

君が前進したいなら　二つのどちらも友ではない

第三のヒントは見たとおり　七つの瓶は大きさがちがう

小人も巨人もどちらにも　死の毒薬は入ってない

第四のヒントは双子の薬　ちょっと見た目はちがっても

左端から二番目と　右の端から二番目の　瓶の中身は同じ味

ハーマイオニーはホーッと大きなため息をついた。なんと、ほほえんでいる。こんな時に笑えるなん

て、とハリーは驚いた。

「すごいわ！」

ハーマイオニーが言った。

「これは魔法じゃなくて論理よ。パズルだわ。大魔法使いと言われるような人って、論理のかけらもな

い人がたくさんいるの。そういう人はここで永久に行き止まりだわ」

「でも僕たちもそうなってしまうんだろう？　ちがう？」

「もちろん、そうはならないわ」とハーマイオニーが言った。

「必要なことは全部この紙に書いてある。七つの瓶があって、三つは毒薬、二つはお酒、一つは安全に

黒い炎の中を通してくれる、一つは紫の炎を通り抜けて戻れるようにしてくれる」

「でも、どれを飲んだらいいか、どうやったらわかるの？」

「ちょっとだけ待って」

ハリー・ポッターと賢者の石

338

ハーマイオニーは紙を何回か読み直した。それから、ブツブツひとり言をつぶやいたり、瓶を指さしたりしながら、瓶の列に沿って往ったり来たりした。そしてついにパチンと手を打った。

「わかったわ。一番小さな瓶が、黒い炎を通り抜けて『石』のほうへ行かせてくれる」

ハーリーはその小さな瓶を見つめた。

「一人分しかないね。ほんのひと口しかないよ」

二人は顔を見合わせた。

「紫の炎をくぐって戻れるようにする薬はどれ?」

ハーマイオニーが一番右端にある丸い瓶を指さした。

「君がそれを飲んでくれ」とハリーが言った。

「いいからだまって聞いてほしい。戻ってロンと合流してくれ。それから鍵が飛び回っている部屋に行って箒に乗る。そうすれば仕掛け扉もフラッフィーも飛び越えられる。まっすぐふくろう小屋に行って、ヘドウィグをダンブルドアに送ってくれ。彼が必要なんだ。しばらくならスネイプを食い止められるかもしれないけど、やっぱり僕じゃかなわないはずだ」

「でもハリー、もし『例のあの人』がスネイプと一緒にいたらどうするの?」

「そうだな。僕、一度は幸運だった。そうだろう?」

ハリーは額の傷を指さした。

「だから二度目も幸運かもしれない」

ハーマイオニーは唇を震わせ、突然ハリーに駆け寄り、両手で抱きついた。

「ハーマイオニー!」

「ハリー、あなたって、偉大な魔法使いよ」

「僕、君にかなわないよ」

ハーマイオニーが手を放すと、ハリーはどぎまぎしながら言った。

「私なんて！　本が何よ！　頭がいいなんて何よ！　もっと大切なものがあるのよ——友情とか勇気と

か——ああ、ハリー、お願い、**気をつけてね！**」

「まず君から飲んで。どの瓶がなんの薬か、自信があるんだね？」

「絶対よ」

ハーマイオニーは列の端にある大きな丸い瓶を飲み干し、身震いした。

「毒じゃないんだろうね？」

ハリーが心配そうに聞いた。

「大丈夫……でも氷みたいなの」

「さあ、急いで。効き目が切れないうちに」

「幸運を祈ってるわ——気をつけてね——」

「**早く！**」

ハーマイオニーはきびすを返して、紫の炎の中をまっすぐに進んでいった。

ハリーは深呼吸し、小さな瓶を取り上げ、黒い炎に顔を向けた。

「行くぞ」そう言うと、ハリーは小さな瓶を一気に飲み干した。

まさに冷たい氷が体中を流れていくようだった。ハリーは瓶を置き、歩きはじめた。気を引きしめ、黒い炎の中を進んだ。炎がメラメラとハリーの体をなめたが、熱くはなかった。しばらくの間、黒い炎しか見えなかった——が、とうとう炎のむこう側に出た。そこは最後の部屋だった。

すでに誰かがそこにいた。しかし——それはスネイプではなかった。ヴォルデモートでさえもなかった。

ハリー・ポッターと賢者の石

340

第17章 二つの顔をもつ男

そこにいたのはクィレルだった。

「**あなたが！**」ハリーは息をのんだ。

クィレルは笑いを浮かべた。その顔はいつもとちがい、けいれんなどしていなかった。

「私だ」落ち着き払った声だ。「ポッター、君にここで会えるかもしれないと思っていたよ」

「でも、僕は……スネイプだとばかり……」

「セブルスか？」

クィレルは笑った。いつものかん高い震え声ではなく、冷たく鋭い笑いだった。

「確かに、セブルスはまさにそんなタイプに見える。彼が育ちすぎたコウモリみたいに飛び回ってくれたのがとても役に立った。スネイプのそばにいれば、誰だって、か、かわいそうな、お、臆病者の、ク、クィレル先生を疑いやしないだろう？」

ハリーは信じられなかった。そんなはずはない。何かのまちがいだ。

「でもスネイプは僕を殺そうとした！」

「いや、いや、いや。殺そうとしたのは私だ。あのクィディッチの試合で、君の友人のミス・グレンジャーがスネイプに火をつけようとして急いでいたとき、たまたま私にぶつかって、私は倒れてしまった。それで君から目を離してしまったんだ。もう少しで箒から落としてやれたんだが。君を救おうとしてスネイプが私のかけた呪文を解く反対呪文を唱えてさえいなければ、もっと早くたたき落とせたん

だ」

「スネイプが僕を**救おう**としていた？」

「そのとおり」

クィレルは冷たく言い放った。

「彼がなぜ次の試合で審判を買って出たと思うかね？　私が二度と同じことをしないようにだよ。まっ
たく、おかしなことだ……そんな心配をする必要はなかったのだ。ダンブルドアが見ている前では、私
だって何もできなかったのだから。ほかの先生方は全員、スネイプがグリフィンドールの勝利を阻止す
るために審判を申し出たと思った。どうせ今夜、私がおまえを殺すというのに」

にしたものよ。どうせ今夜、私がおまえを殺すというのに」

クィレルが指をパチッと鳴らした。縄がどこからともなく現れ、ハリーの体に固く巻きついた。

「ポッター、君はいろんな所に首を突っ込みすぎる。生かしてはおけない。ハロウィーンのときもあん
なふうに学校中をチョロチョロしおって。『賢者の石』を守っているのがなんなのかを見に、私が戻っ
てきたときも、君は私を見てしまったようだ」

「**あなたが**トロールを入れたのですか？」

「さよう。私はトロールについては特別な才能がある――ここに来る前の部屋で、私が倒したトロール
を見たね。残念なことに、あの時、みながトロールを探して走り回っていたのに、私を疑っていたスネ
イプだけが、まっすぐに四階に来て私の前に立ちはだかった――私のトロールが君を殺しそこねたばか
りか、三頭犬はスネイプの足をかみ切りそこねた。

さあポッター、おとなしく待っておれ。このなかなかおもしろい鏡を調べなくてはならないからな」

その時初めてハリーはクィレルの後ろにあるものに気がついた。あの「みぞの鏡」だった。

「この鏡が『石』を見つける鍵なのだ」

クィレルは鏡の枠をコツコツたたきながらつぶやいた。

「ダンブルドアなら、こういうものを考えつくだろうと思った……しかし、彼はいまロンドンだ……帰ってくるころには、私はとっくに遠くに去っている……」

ハリーにできることは、とにかくクィレルに話し続けさせ、鏡に集中できないようにすることだ。そ_れ_しか思いつかない。

「僕、あなたが森の中でスネイプと一緒にいるところを見た……」

ハリーが出し抜けに言った。

「ああ」

クィレルは鏡の裏側に回り込みながら生返事をした。

「スネイプは私に目をつけていて、私がどこまで知っているかを確かめようとしていた。初めからずっと私のことを疑っていた。私を脅そうとしたんだ。私にはヴォルデモート卿がついているというのに……それでも脅せると思っていたのだろうかね」

クィレルは鏡の裏を調べ、また前に回って、食い入るように鏡に見入った。

「『石』が見える……ご主人様にそれを差し出しているのが見える……でもいったい石はどこだ？」

ハリーは縄をほどこうともがいたが、結び目は固かった。**なんとかしてクィレルの注意を鏡からそら**さなくては。

「でもスネイプは僕のことをずっと憎んでいた」

「ああ、そうだ」

クィレルがこともなげに言った。

第17章　二つの顔をもつ男
343

「まったくそのとおりだ。おまえの父親と彼はホグワーツの同窓だった。知らなかったのか？　互いに毛嫌いしていた。だがけっしておまえを殺そうとは思わなかった」

「でも二、三日前、あなたが泣いている声を聞きました——スネイプが脅しているんだと思った——」

クィレルの顔に初めて恐怖がよぎった。

「時には、ご主人様の命令に従うのが難しいこともある……あの方は偉大な魔法使いだし、私は弱い」

「……」

「それじゃ、あの教室で、あなたは『あの人』と一緒にいたんですか？」

ハリーは息をのんだ。

「私の行く所、どこにでもあの方がいらっしゃる」

クィレルが静かに言った。

「世界旅行をしていたとき、あの方に初めて出会った。当時私は愚かな若輩だったし、善悪についてばかげた考えしかもっていなかった。ヴォルデモート卿は、私がいかに誤っているかを教えてくださった。善と悪が存在するのではなく、力と、力を求めるには弱すぎる者とが存在するだけなのだと……それ以来、私はあの方の忠実な下僕になった。だがあの方を何度も失望させてしまった。だから、あの方は私にとても厳しくしなければならなかった」

突然クィレルは震えだした。

「過ちは簡単に許してはいただけない。グリンゴッツから『石』を盗みだすのにしくじったときは、とてもご立腹だった。私を罰した……そして、私をもっと間近で見張らなければならないと決心なさった

「……」

クィレルの声がしだいに小さくなっていった。ハリーはダイアゴン横丁に行ったときのことを思い出

していた——なんでいままで気がつかなかったんだろう？　ちょうどあの日にクィレルに会っている。

「漏れ鍋」で握手までしたのじゃないか。

クィレルは低い声でのした。

「いったいどうなってるんだ……『石』は鏡の**中に**うまっているのか？　鏡を割ってみるか？」

ハリーは目まぐるしくいろいろなことを考えていた。

——いま、僕が一番望んでいるのは、クィレルより先に「賢者の石」を見つけることだ。だからもしいま鏡を見れば、「石」を見つけた自分の姿が映るはずだ。クィレルに悟られないように鏡を見るにはどうしたらいいんだろう？　つまり、「石」がどこに隠されているかが見えるはずだ！　クィレルに気づかれないように鏡の前に行こうと、左のほうににじり寄ったが、縄がくるぶしをきつく縛っているので、つまずいて倒れてしまった。クィレルはハリーを無視してブツブツひとり言を言い続けていた。

「この鏡はどういう仕掛けなんだ？　どういう使い方をするんだろう？　ご主人様、助けてください！」

別の声が答えた。しかも声は、クィレル自身から出てくるようだった。ハリーはぞっとした。

「その子を使うんだ……その子を使え……」

クィレルが突然ハリーを振り向いた。

「わかりました——ポッター、ここへ来い」

ハリーはのろのろと立ち上がった。

「ここへ来るんだ」

手を一回パンと打つと、ハリーを縛っていた縄が落ちた。

第17章　二つの顔をもつ男

345

クィレルが言った。

「鏡を見て何が見えるかを言え」

ハリーはクィレルのほうに歩いていった。

——うそをつかなくては——ハリーは必死に考えた。——鏡に何が見えても、うそを言えばいい——。

クィレルがハリーのすぐ後ろに回った。変なにおいがした。クィレルのターバンから出るにおいらしい。ハリーは目を閉じて鏡の前に立ち、そこで目を開けた。

青白くおびえた自分の姿が目に入った。次の瞬間、鏡の中のハリーがポケットに手を突っ込み、血のように赤い石を取り出した。そしてウィンクをするとまたその石をポケットに入れた。すると、そのとたん、ハリーは自分のポケットの中に何か重い物が落ちるのを感じた。

なぜか——信じられないことに——ハリーは「石」を手に入れてしまった。

「どうだ？」クィレルが待ちきれずに聞いた。「何が見える？」

ハリーは勇気を奮い起こした。

「僕がダンブルドアと握手をしているのが見える」

作り話だ。

「そこをどけ」クィレルがまたののしった。

脇によけるときに、ハリーは「賢者の石」が自分の脚に触れるのを感じた。思いきって逃げ出そうか？ しかし、ほんの五歩も歩かないうちに、クィレルが唇を動かしていないのに高い声が響いた。

「こいつはうそをついている……うそをついているぞ……」

「ポッター、ここに戻れ！ 本当のことを言うんだ。いま、何が見えたんだ？」

クィレルが叫んだ。再び高い声がした。

「俺様が話す……直に話す……」

「ご主人様、あなた様はまだ充分に力がついていません!」

「このためなら……使う力がある……」

「悪魔の罠」がハリーをその場に釘づけにしてしまったような感じだった。ハリーは指一本動かせなくなってしまった。クィレルがターバンをほどくのを、ハリーはかぶらないクィレルの頭は、石のように硬くなったままで見ていた。

何をしているんだろう? ターバンが落ちた。ターバンをかぶらないクィレルの頭は、奇妙なくらい小さかった。クィレルはその場でゆっくりと体を後ろ向きにした。

ハリーは悲鳴を上げるところだった。が、声が出なかった。クィレルの頭の後ろに、もう一つの顔があった。ハリーがこれまで見たこともないほどの恐ろしい顔が。ろうのように白い顔、ギラギラと血走った目、鼻孔は蛇のように裂け目になっていた。

「ハリー・ポッター……」

顔がささやいた。ハリーはあとずさりしようとしたが、足が動かなかった。

「このありさまを見ろ」

顔が言った。

「ただの影と霞にすぎない……誰かの体を借りて初めて形になることができる……しかし、常に誰かが、喜んで俺様をその心に入り込ませてくれる……この数週間は、ユニコーンの血が俺様を強くしてくれた……忠実なクィレルが、森の中で俺様のために血を飲んでいるところを見ただろう……命の水さえあれば、俺様は自身の体を創造することができるのだ……さて……ポケットにある『石』をいただこうか」

彼は知っていたんだ。突然足の感覚が戻った。ハリーはよろめきながらあとずさりした。

「バカなまねはよせ」

顔が低く唸った。

「命を粗末にするな。俺様の側につけ……さもないとおまえもおまえの両親と同じ目にあうぞ……二人とも命乞いをしながら死んでいった……」

顔がニヤリとした。

「うそだ！」ハリーが突然叫んだ。

ヴォルデモートがハリーを見たままでいられるように、クィレルは後ろ向きで近づいてきた。邪悪な顔が押し殺したような声を出した。

「俺様はいつも勇気を称える……そうだ、小僧、おまえの両親は勇敢だった……俺様はまず父親を殺した。勇敢に戦ったがね……しかしおまえの母親は死ぬ必要はなかった……母親はおまえを守ろうとしたのだ……母親の死をむだにしたくなかったら、さあ『石』をよこせ」

「やるもんか！」ハリーは炎の燃えさかる扉に向かって駆けだした。

「捕まえろ！」

ヴォルデモートが叫んだ。

「捕まえろ！」

次の瞬間、ハリーはクィレルの手が自分の手首をつかむのを感じた。そのとたん、針で刺すような鋭い痛みが額の傷痕を貫いた。頭が二つに割れるかと思うほどだった。ハリーは悲鳴を上げ、力を振り絞ってもがいた。驚いたことに、クィレルはハリーの手を放した。額の痛みがやわらいだ……クィレルがどこに行ったのか、驚いたハリーはいそいで周りを見回した。クィレルは苦痛に体を丸め、自分の指を見ていた……見る見るうちに指に火ぶくれができていた。

「捕まえろ！捕まえるのだ！」

ハリー・ポッターと賢者の石

348

ヴォルデモートがまたかん高く叫んだ。クィレルが飛びかかり、ハリーの足をすくって引き倒し、ハリーの上にのしかかって両手をハリーの首にかけた……額の傷の痛みでハリーは目がくらんだが、それでも、クィレルが激しい苦痛で唸り声を上げるのが見えた。

「ご主人様、こやつを押さえていられません……手が……私の手が！」

クィレルはひざでハリーを地面に押さえつけてはいたが、ハリーの首から手を放し、いぶかしげに自分の手のひらを見つめていた……ハリーの目に、真っ赤に焼けただれ、皮がベロリとむけた手が見えた。

「それなら殺せ、愚か者め、始末してしまえ！」

ヴォルデモートが鋭く叫んだ。クィレルは手を上げて死の呪いをかけはじめた。ハリーはとっさに手を伸ばし、クィレルの顔をつかんだ。

「ああアアア！」

クィレルが転がるようにハリーから離れた。顔も焼けただれていた。

ハリーにはわかった。クィレルはハリーの皮膚に触れることができないのだ。触れればひどい痛みに責めさいなまれる……クィレルにしがみつき、痛みのあまり呪いをかけることができないようにする——それしか道はない。

ハリーは飛び起きて、クィレルの腕をつかまえ、力のかぎり強くしがみついた。クィレルは悲鳴を上げ、ハリーを振りほどこうとした……ハリーの額の痛みはますますひどくなった……何も見えない……クィレルの恐ろしい悲鳴とヴォルデモートの叫びが聞こえるだけだ。

「殺せ！　殺せ！」

もう一つ別の声が聞こえてきた。ハリーの頭の中で聞こえたのかもしれない。叫んでいる。

「ハリー！　ハリー！」

ハリーは固く握っていたクィレルの腕がもぎ取られていくのを感じた。すべてを失ってしまったのが

わかった。

ハリーの意識は闇の中へと落ちていった。下へ……下へ……下へ……。

ハリーのすぐ上で何か金色のものが光っていた。スニッチではなかった。めがねだった。おかしいなあ。

もういっぺん瞬きをした。ハリーの上にアルバス・ダンブルドアのにこやかな顔がすうっと現れるの

が見えた。

「ハリー、こんにちは」

ダンブルドアの声だ。ハリーはダンブルドアを見つめた。記憶がよみがえった。

「先生！『石』！ クィレルだったんです！ クィレルが『石』を持っています！ 先生、早く……」

「落ち着いて、ハリー。君は少ぅし時間がずれておるよ。クィレルは『石』を持ってはおらん」

「じゃあ誰が？ 先生、僕……」

「ハリー、いいから落ち着きなさい。でないと、わしがマダム・ポンフリーに追い出されてしまう」

ハリーはゴクッとつばをのみ込み、周りを見まわした。医務室にいるらしい。白いシーツのベッドに

横たわり、脇のテーブルには、まるで菓子屋が半分そっくりそこに引っ越してきたかのように、甘い物

が山のように積み上げられていた。

「君の友人や崇拝者からの贈り物だよ」

ダンブルドアがニッコリした。

ハリー・ポッターと賢者の石

350

「地下で君とクィレル先生との間に起きたことは『秘密』でな。秘密ということはつまり、学校中が知っているというわけじゃ。君の友達のミスター・フレッド、ミスター・ジョージ・ウィーズリーは、確か君にトイレの便座を送ってきたのう。君がおもしろがると思ったんじゃろう。だが、マダム・ポンフリーがあんまり衛生的ではないと言って、没収してしまった」

「僕はどのくらいここにいたんですか？」

「三日間じゃよ。ミスター・ロナルド・ウィーズリーとミス・グレンジャーは、君が気がついたと知ったらホッとするじゃろう。二人ともそれはそれは心配しておった」

「でも先生、『石』は……」

「君の気持ちをそらすことはできないようじゃな。よかろう。『石』だが、クィレル先生は君から石を取り上げることができなかった。わしがちょうど間に合って、食い止めた。しかし、君は一人で本当によくやった」

「先生があそこに？　ハーマイオニーのふくろう便を受け取ったんですね？」

「いや、空中ですれちがってしまったらしい。ロンドンに着いたとたん、わしがおるべき場所は出発してきた所だったとはっきり気がついたのじゃ。それで、クィレルを君から引き離すのにやっと間に合った……」

「あの声は、**先生**だったんですか」

「遅すぎたかと心配したが」

「もう少しで手遅れのところでした。あれ以上長くは『石』を守ることはできなかったと思います……」

「いや、『石』ではなくて、ハリー、大切なのは君じゃよ——君があそこまでがんばったことで、危う

く死ぬところじゃった。一瞬、もうだめかと、わしは肝を冷やしたよ。『石』じゃがの、あれはもう壊してしもうた」

「壊した?」

ハリーはぼうぜんとした。

「でも、先生のお友達……ニコラス・フラメルは……」

「おお、ニコラスを知っているのかい?」

ダンブルドアがうれしそうに言った。

「君はずいぶんきちんと調べて、あのことに取り組んだんじゃの。わしはニコラスとちょっと話しおうてな、こうするのが一番いいということになったんじゃ」

「でも、それじゃニコラスご夫妻は死んでしまうんじゃありませんか?」

「あの二人は、身辺をきちんと整理するのに充分な命の水を蓄えておる。それから、そうじゃ、二人は死ぬじゃろう」

ハリーの驚いた顔を見て、ダンブルドアがほほえんだ。

「君のように若い者にはわからんじゃろうが、ニコラスとペレネレにとって、死とはとても長い一日の終わりに眠りにつくようなものなのじゃ。結局、きちんと整理された心をもつ者にとっては、死は次の大いなる冒険にすぎないのじゃ。よいか、『石』はそんなにすばらしいものではない。欲しいだけのお金と命なんぞ! 大方の人間が何よりもまずこの二つを選んでしまうじゃろう――困ったことに、どういうわけか人間は、自らにとって最悪のものを欲しがるくせがあるようじゃ」

ハリーはだまって横たわっていた。ダンブルドアは鼻歌を歌いながら天井のほうを見てほほえんだ。

「先生、ずっと考えていたことなんですが……先生、『石』がなくなってしまっても、ヴォル……あの、

『例のあの人』が……」

「ハリー、ヴォルデモートと呼びなさい。ものには必ず適切な名前を使うことじゃ。名前を恐れている
と、そのもの自身に対する恐れも大きくなる」

「はい、先生。ヴォルデモートはほかの手段でまた戻ってくるんじゃありませんか。つまりいなくなっ
てしまったわけではないですよね?」

「ハリー、いなくなったわけではない。どこかに行ってしまっただけじゃ。乗り移る別の体を探してい
ることじゃろう。本当に生きているわけではないから、殺すこともできん。クィレルをも見殺しにした
やつじゃ。自分の家来を、敵と同じように情け容赦なく扱う。とは言え、ハリー、君がやったことは、
ヴォルデモートが再び権力を手にするのを遅らせただけかもしれんし、次にまた誰かが、一見勝ち目の
ない戦いをしなくてはならないかもしれん。しかし、そうやって彼のねらいが何度も何度もくじかれ、
遅れれば……そう、彼は二度と権力を取り戻すことができなくなるかもしれんのじゃ」

ハリーはうなずいた。でも頭が痛くなるので、すぐにうなずくのをやめた。

「先生か」

「先生、僕、ほかにも、もし先生に教えていただけるなら、知りたいことがあるんですけど……真実を
知りたいんです……」

「真実か」

ダンブルドアはため息をついた。

「それはとても美しくも恐ろしいものじゃ。だからこそ注意深く扱わなければなるまい。しかし、答え
ないほうがいいというはっきりした理由がないかぎり、答えてあげよう。答えられない理由があるとき
には許してほしい。もちろん、わしはうそはつかん」

「ヴォルデモートが母を殺したのは、母が僕を彼の魔手から守ろうとしたからだと言っていました。で

第17章　二つの顔をもつ男

353

も、そもそもなぜ僕を殺したかったんでしょう？」

ダンブルドアが今度は深いため息をついた。

「おお、なんと、最初の質問なのに、わしは答えてやることができん。今日は答えられん。いまはだめじゃ。時が来ればわかるじゃろう……ハリー、いまは忘れるがよい。もう少し大きくなれば……こんなことは聞きたくないじゃろうが……その時が来たらわかるじゃろう」

ハリーには、ここで食い下がってもどうにもならないということがわかった。

「でも、どうしてクィレルは僕にさわれなかったんですか」

「君の母上は、君を守るために死んだ。ヴォルデモートに理解できないことがあるとすれば、それは愛じゃ。君の母上の愛情が、その愛の印を君に残していくほど強いものだったことに、彼は気づかなかった。傷痕のことではない。目に見える印ではない……それほどまでに深く愛を注いだということが、たとえ愛したその人がいなくなっても、永久に愛されたものを守る力になるのじゃ。それが君の肌に残っておる。クィレルのように憎しみ、欲望、野望に満ちた者、ヴォルデモートと魂を分け合うような者は、それがために君に触れることができなかったのじゃ。かくもすばらしいものによって刻印された君のような者に触れるのは、苦痛でしかなかったのじゃ」

ダンブルドアはその時、窓辺に止まった小鳥になぜかとても興味を持って、ハリーから目をそらした……そのすきにハリーはこっそりシーツで涙をぬぐうことができた。そしてやっと声が出るようになった。

「あの『透明マント』は……誰が僕に送ってくれたか、ご存じですか？」

「ああ……君の父上が、たまたま、わしに預けていかれた。君の気に入るじゃろうと思うてな」

ダンブルドアの目がいたずらっぽくキラキラッとした。

ハリーはまた質問した。

ハリー・ポッターと賢者の石

354

「便利なものじゃ。君の父上がホグワーツに在学中は、もっぱらこれを使って厨房に忍び込み、食べ物を失敬したものじゃ」

「そのほかにもお聞きしたいことが……」

「どんどん聞くがよい」

「クィレルが言うには、スネイプが」

「ハリー、スネイプ**先生**じゃろう」

「はい。その人です……クィレルが言ったんですが、彼が僕のことを憎むのは、僕の父を憎んでいたからだと。それは本当ですか？」

「そうじゃな、お互いに嫌っておった。君とミスター・マルフォイのようなものじゃ。そして、君の父上が行ったあることをスネイプはけっして許せなかった」

「なんですか？」

「スネイプの命を救ったんじゃよ」

「**なんですって？**」

「さよう……」ダンブルドアは遠くを見るような目で話した。

「人の心とはおかしなものよ。のう？ スネイプ先生は君の父上に借りがあるのが、がまんならなかった……この一年間、スネイプは君を守るために全力を尽くした。これで父上と五分五分になると考えたのじゃ。そうすれば、心安らかに再び君の父上の思い出を憎むことができる、とな……」

ハリーは懸命に理解しようとしたが、また頭がずきずきしてきたので考えるのをやめた。

「先生もう一つあるんですが？」

「もう一つだけかな？」

第17章 二つの顔をもつ男

355

「僕はどうやって鏡の中から『石』を取り出したんでしょう?」

「おぉ、これは聞いてくれてうれしいのう。例の鏡を使うのはわしのアイデアの中でも一段とすばらしいものでな、ここだけの話じゃが、これは実にすごいことなのじゃよ。つまり『石』を見つけたい者だけが——よいか、**見つけたい者**であって、使いたい者ではないぞ——それを手に入れることができる。さもなければ、鏡に映るのは、黄金を作ったり、命の水を飲む姿だけじゃ。それ以来あまり好まんようになってしまったのじゃ……でもこのおいしそう自分でも驚くことを考えつくものじゃよ……さあ、もう質問は終わり。そろそろこのお菓子に取りかかってはどうかね。あっ! バーティー・ボッツの百味ビーンズがある! わしは若いとき、不幸にもゲロの味に当たってのう。それ以来あまり好まんようになってしまったのじゃ……でもこのおいしそうなタフィーなら大丈夫だと思わんか?」

ダンブルドアはニコッとして、こんがり茶色のビーンズをひと粒口に放り込んだ。とたんにむせかえってしまった。

「なんと、耳くそ味だ!」

校医のマダム・ポンフリーはいい人だったが、とても厳しかった。

「たったの五分でいいから」とハリーが懇願した。

「いいえ。絶対にいけません」

「ダンブルドア先生は入れてくださったのに……」

「そりゃ、校長先生ですから、ほかとはちがいます。あなたには**休息が必要**なんです」

「僕、休息してます。ほら、横になってるし。ねえ、マダム・ポンフリーお願い……」

「仕方ないわね。でも、五分だけですよ」

ハリー・ポッターと賢者の石

356

そして、ロンとハーマイオニーは医務室に入れてもらえた。

「ハリー！」

ハーマイオニーはいまにもまた両手でハリーを抱きしめそうだった。でも、思いとどまってくれたので、頭がまだひどく痛むハリーはホッとした。

「あぁ、ハリー。私たち、あなたがもうダメかと……ダンブルドア先生がとても心配してらっしゃったのよ……」

「学校中がこの話でもちきりだよ。**本当は何があったの？**」とロンが聞いた。

事実が、とっぴなうわさ話よりもっと不思議でドキドキするなんて、めったにない。しかし、この事実こそまさにそれだった。ハリーは二人に一部始終を話して聞かせた。クィレル、鏡、賢者の石、そしてヴォルデモート。ロンとハーマイオニーは聞き上手だった。ここぞという時に、ハッと息をのみ、クィレルのターバンの下に何があったかを話したときは、ハーマイオニーが大きな悲鳴を上げた。

「それじゃ『石』はなくなってしまったの？　フラメルは……**死んじゃうの？**」

最後にロンが尋ねた。

「僕もそう聞いたんだ。でも、ダンブルドア先生は……えぇと、なんて言ったっけかな……『整理された心をもつ者にとっては、死は次の大いなる冒険にすぎない』って」

「だからいつも言ってるだろう。ダンブルドアの調子っぱずれぶりにひどく感心したようだった。ロンは自分の尊敬するヒーローの調子っぱずれがひどく感心したようだった。

「それで、君たち二人のほうはどうしたんだい？」ハリーが聞いた。

「ええ、私、ちゃんと戻れたわ。私、ロンの意識を回復させて……ちょっと手間がかかったけど……そしてダンブルドアに連絡するために、二人でふくろう小屋に行ったら、玄関ホールで本人と出会ったの

第17章　二つの顔をもつ男

357

……。ダンブルドアはもう知っていたわ……『ハリーはもう追いかけて行ってしまったんだね』とそれだけ言うと、矢のように四階に駆けていったわ」

「ダンブルドアは君がこんなことをするように仕向けたんだろうか？　だって君のお父さんのマントを送ったりして」

とロンが言った。

「もしも……」

ハーマイオニーがカッとなって言った。

「もしも、そんなことをしたんだったら……言わせてもらうわ……ひどいじゃない。ハリーは殺されていたかもしれないのよ」

「うん、そうじゃないさ」

ハリーが考えをまとめながら答えた。

「ダンブルドアって、おかしな人なんだ。たぶん、僕にチャンスを与えたいって気持ちがあったんだと思う。あの人はここで何が起きているか、ほとんどすべて知っているんだと思う。僕たちがやろうとしていたことを、相当知っていたんじゃないのかな。僕たちを止めないで、むしろ僕たちの役に立つよう、必要なことだけを教えてくれたんだ。鏡の仕組みがわかるように仕向けてくれたのも偶然じゃなかったんだ。僕にそのつもりがあるのなら、ヴォルデモートと対決する権利があるって、あの人はそう考えていたような気がする……」

「ああ、ダンブルドアってまったく変わっているよな」

ロンが誇らしげに言った。

「ねえ、あしたは学年末のパーティがあるんだから元気になって起きてこなくちゃ。得点は全部計算が

すんで、もちろんスリザリン寮が勝ったんだ。君が最後のクィディッチ試合に出られなかったから、レイブンクローにこてんぱんにやられてしまったよ。でもどちそうはあるよ」

その時マダム・ポンフリーが勢いよく入ってきて、きっぱりと言った。

「もう十五分も経ちましたよ。さあ、**出なさい**」

その夜はぐっすり眠ったので、ハリーはほとんど回復したように感じた。

「パーティに出たいんですけど。行ってもいいでしょうか」

山のような菓子の箱を片づけているマダム・ポンフリーにハリーは頼んだ。

「ダンブルドア先生が行かせてあげるようにとおっしゃいました」

マダム・ポンフリーは鼻をフンと鳴らした。ダンブルドア先生はパーティの危険性をご存じないとでも言いたげだった。

「ああそれから、また面会の人が来てますよ」

「うれしいなぁ。誰?」

ハリーの言葉が終わらないうちに、ハグリッドがドアから体を斜めにして入ってきた。部屋の中では、ハグリッドはいつも場ちがいなほど大きく見える。ハリーの隣に座ってちらっと顔を見るなり、ハグリッドはオンオンと泣き出してしまった。

「みんな……俺の……ばかな……しくじりのせいだ!」

手で顔をおおい、しゃくり上げた。

「悪いやつに、フラッフィーを出し抜く方法をしゃべくってしもうた。俺がヤツに話したんだ! ヤツはこれだけは知らんかったのに、しゃべくってしもうた! おまえさんは死ぬとこだった! たかがド

第17章　二つの顔をもつ男

359

ラゴンの卵のせいで。もう酒はやらん！　俺なんか、つまみ出されて、マグルとして生きろと言われて

もしょうがねえ！」

悲しみと後悔に体を震わせ、ハグリッドのあごひげに大粒の涙がポロポロと流れ落ちている。

「ハグリッド！」

ハリーは泣きじゃくる姿に驚いて呼びかけた。

「ハグリッド、あいつはどうせ見つけだしていたよ。相手はヴォルデモートだもの。ハグリッドが何も

言わなくたって、どうせ見つけていたさ」

「おまえさんは死ぬとこだったんだ」

とハグリッドがしゃくり上げた。

「それに、その名前を言わんでくれ！」

「**ヴォルデモート！**」

ハリーは大声でどなった。ハグリッドは驚いて泣きやんだ。

「僕はあいつに会ったし、あいつを名前で呼ぶんだ。さあ、ハグリッド。元気を出して。僕たち、『石』

は守ったんだ。もうなくなってしまったから、あいつは『石』を使うことはできないよ。さあ、蛙チョ

コレートを食べて。山ほどあるから……」

ハグリッドは手の甲でぐいっと鼻をぬぐった。

「おぉ、それで思い出した。俺もプレゼントがあるんだ」

「イタチ・サンドイッチじゃないだろうね」

ハリーが心配そうに言うと、やっとハグリッドがクスッと笑った。

「いんや。これを作るんで、きのうダンブルドア先生が俺に休みをくれた。あの方にクビにされて当然

なのに……とにかく、ほい、これ」

しゃれた革表紙の本のようだった。いったいなんだろうとハリーが開けてみると、そこには魔法使いの写真がぎっしりと貼ってあった。どのページでもハリーに笑いかけ、手を振っている。父さん、母さんだ。

「あんたのご両親の学友たちにふくろうを送って、写真を集めたんだ。だっておまえさんは一枚も持っとらんし……気に入ったか?」

ハリーは言葉が出なかった。でもハグリッドにはよくわかった。

その夜ハリーは一人で学年度末パーティに行った。マダム・ポンフリーがもう一度最終診察をするとうるさかったので、大広間に着いたときにはもう広間はいっぱいだった。スリザリンが七年連続で寮対抗杯を獲得したお祝いに、広間はグリーンとシルバーのスリザリン・カラーで飾られていた。スリザリンの蛇を描いた巨大な横断幕が、上座のテーブルの後ろの壁を覆っていた。

ハリーが入っていくと突然シーンとなり、その後全員がいっせいに大声で話しはじめた。ハリーはグリフィンドールのテーブルで、ロンとハーマイオニーの間に座り、みんながハリーを見ようと立ち上がっているのを無視しようとした。

運良くダンブルドアがすぐに現れ、ガヤガヤ声が静かになった。

「また一年が過ぎた!」

ダンブルドアがほがらかに言った。

「さて、どちそうにかぶりつく前に、老いぼれのたわごとをお聞き願おう。なんという一年だったろう! 君たちの頭も以前に比べて少し何かが詰まっていればいいのじゃが……新学年を迎える前に、君

たちの頭がきれいさっぱりからっぽになる夏休みがやってくる。

それではここで、寮対抗杯の表彰を行うことになっておる。点数は次のとおりじゃ。四位、グリフィンドール、三一二点。三位、ハッフルパフ、三五二点。レイブンクローは四二六点。そしてスリザリン、

四七二点」

スリザリンのテーブルから嵐のような歓声と足を踏み鳴らす音が上がった。ドラコ・マルフォイがゴブレットでテーブルをたたいているのが見えた。胸の悪くなるような光景だった。

「よし、よし、スリザリン。よくやった。しかし、つい最近の出来事も勘定に入れなくてはなるまいて」とダンブルドアが言った。

部屋全体がシーンとなった。スリザリン寮生の笑いが少し消えた。

「エヘン」

ダンブルドアが咳払い（せき）をした。

「駆け込みの点数をいくつか与えよう。えーと、そうそう……まず最初は、ロナルド・ウィーズリー君」

ロンの顔が赤くなった。まるでひどく日焼けした赤カブみたいだった。

「この何年間か、ホグワーツで見ることができなかったような、最高のチェス・ゲームを見せてくれたことを称え、グリフィンドールに五〇点を与える」

グリフィンドールの歓声は、魔法をかけられた天井を吹き飛ばしかねないくらいだった。頭上の星がグラグラ揺れたようだ。

「僕の兄弟さ！　一番下の弟だよ！　マクゴナガルの巨大チェスを破ったんだ！」

ハリー・ポッターと賢者の石

362

パーシーがほかの監督生にこう言うのが聞こえてきた。広間はやっと静かになった。

「次に……ハーマイオニー・グレンジャー嬢に……火に囲まれながら、冷静な論理を用いて対処したことを称え、グリフィンドールに五〇点を与える」

ハーマイオニーは腕に顔をうずめた。きっとうれし泣きしているにちがいないとハリーは思った。グリフィンドールの寮生が、テーブルのあちこちで我を忘れて狂喜している……一〇〇点も増えた。

「三番目はハリー・ポッター君……」

大広間が水を打ったようにしんとなった。

「……その完璧な精神力と、並はずれた勇気を称え、グリフィンドールに六〇点を与える」

耳をつんざく大騒音だった。声がかすれるほど叫びながら足し算ができた人がいたなら、グリフィンドールが四七二点になったことがわかったろう……スリザリンとまったく同点だ。寮杯は引き分けだ……ダンブルドアがハリーにもう一点多く与えてくれたらよかったのに。

ダンブルドアが手を挙げた。広間の中が少しずつ静かになった。

「勇気にもいろいろある」

ダンブルドアはほほえんだ。

「敵に立ち向かっていくのには大いなる勇気がいる。しかし、味方の友人に立ち向かっていくのにも同じくらい勇気が必要じゃ。そこで、わしはネビル・ロングボトム君に一〇点を与えたい」

大広間の外に誰かいたら、爆発が起きたと思ったかもしれない。それほど大きな歓声がグリフィンドールのテーブルから湧き上がった。

ハリー、ロン、ハーマイオニーは立ち上がって叫び、歓声を上げた。ネビルは、これまでグリフィンドールのためみんなに抱きつかれ、人にうもれて姿が見えなくなった。ネビルは、驚いて青白くなったが、

第17章 二つの顔をもつ男

363

に一点も稼いだことはなかった。

ハリーは歓声を上げながらロンの脇腹をつついてマルフォイを指さした。マルフォイは、「金縛りの術」をかけられたよりももっと驚き、恐れおののいた顔をしていた。

レイブンクローもハッフルパフも、スリザリンがトップからすべり落ちたことを祝って、喝采に加わっていた。嵐のような喝采の中で、ダンブルドアが声を張り上げた。

「したがって、飾りつけをちょいと変えねばならんのう」

ダンブルドアが手をたたいた。次の瞬間グリーンの垂れ幕が真紅に、銀色が金色に変わった。巨大なスリザリンの蛇が消えてグリフィンドールのそびえ立つようなライオンが現れた。スネイプが苦々しげな作り笑いでマクゴナガル教授と握手をしていた。スネイプの目がハリーをとらえた。スネイプの自分に対する感情が、まったく変わっていないのがハリーにはすぐわかったが、気にならなかった。来学期はまたこれまでと変わらないまともな日常が戻ってくるだけの話だ。──ホグワーツにとっての「まともな」日常が。

その夜はハリーにとって、いままでで一番すばらしい夜だった。クィディッチに勝ったときよりも、クリスマスよりも、野生のトロールをやっつけたときよりもすてきだった……。今夜のことはずっと忘れないだろう。

試験の結果がまだ出ていないことを、ハリーはほとんど忘れていたが、それが発表された。驚いたことに、ハリーもロンもよい成績だった。もちろんハーマイオニーは学年でトップだった。ネビルはすれすれだったが、「薬草学」の成績がよくて「魔法薬学」のどん底の成績をおぎなっていた。意地悪なばかりかバカなゴイルが退校になればいいのにと、みんなが期待していたが、彼もパスした。

ハリー・ポッターと賢者の石
364

残念だったが、ロンに言わせれば、人生ってそういいことばかりではない。

そして、あっという間に洋服だんすはからになり、旅行鞄はいっぱいになった。ネビルのヒキガエルはトイレの隅に隠れているところを見つかってしまった。「休暇中、魔法を使わないように」という注意書きが全生徒に配られた（「こんな注意書き、配るのを忘れりゃいいのにって、いつも思うんだ」とフレッド・ウィーズリーが悲しそうに言った）。

ハグリッドが湖を渡る船に生徒たちを乗せ、そして全員ホグワーツ特急に乗り込んだ。しゃべったり笑ったりしているうちに、車窓の田園の緑が濃くなり、こぎれいになっていった。バーティー・ボッツの百味ビーンズを食べているうちに、汽車はマグルの町々を通り過ぎた。みんなは魔法使いのマントを脱ぎ、上着やコートに着替えた。そしてキングズ・クロス駅の九と四分の三番線ホームに到着した。年寄りのしわくちゃな駅員が改札口に立っていて、プラットフォームを出るのにしばらくかかった。堅い壁の中から、いっぺんにたくさんの生徒が飛び出すと、マグルがびっくりするからだ。

「夏休みに二人とも家に泊まりにきてよ。ふくろう便を送るよ」とロンが言った。

「ありがとう。僕も楽しみに待っていられるようなものが何かなくちゃ……」とハリーが言った。

人の波に押されながら三人はゲートへ、マグルの世界へと進んでいった。何人かが声をかけていく。

「ハリー、バイバイ！」

「またね。ポッター！」

「いまだに有名人だね」とロンがハリーに向かってニヤッとした。

「これから帰る所ではちがうよ」とハリー。

ハリーとロンとハーマイオニーは一緒に改札口を出た。

第17章　二つの顔をもつ男

365

「まあ、彼だわ。ねえ、ママ、見て」

ロンの妹のジニー・ウィーズリーだった。が、指さしているのはロンではなかった。

「ハリー・ポッターよ。ママ、見て！　私、見えるわ──」

とジニーは金切り声をあげた。

「ジニー、おだまり。指さすなんて失礼ですよ」

ウィーズリーおばさんが三人に笑いかけた。

「忙しい一年だった？」

「ええ、とても。お菓子とセーター、ありがとうございました。ウィーズリーおばさん」

「まあ、どういたしまして」

「準備はいいか」

バーノンおじさんだった。相変わらず赤ら顔で、相変わらず口ひげをはやし、相変わらずハリーのことを普通でないと腹を立てているようだった。そもそも普通の人であふれている駅で、ふくろうの鳥かごをぶら下げているなんて、どんな神経をしてるんだと怒っている。その後ろにはペチュニアおばさんとダドリーが、ハリーの姿を見るのさえも恐ろしいという様子で立っていた。

「ハリーのご家族ですね！」

とウィーズリーおばさんが言った。

「まあ、そうとも言えるでしょう」

とバーノンおじさんはそう言うなり、

「小僧、さっさとしろ。おまえのために一日をつぶすわけにはいかん」

と、とっとと歩いていってしまった。

ハリーは少しの間、ロンやハーマイオニーと最後の挨拶を交わした。

「じゃあ夏休みに会おう」

「楽しい夏休み……あの……そうなればいいけど」

ハーマイオニーは、あんないやな人間がいるなんて、とショックを受けて、バーノンおじさんの後ろ姿を不安げに見送りながら言った。

「もちろんさ」

ハリーが、うれしそうに顔中ほころばせているので、二人は驚いた。

「僕たちが家で魔法を使っちゃいけないことを、あの連中は知らないんだ。この夏休みは、ダドリーと大いに楽しくやれるさ……」

第17章　二つの顔をもつ男

367

J.K. ローリング

J.K. ローリングは、不朽の人気を誇る「ハリー・ポッター」シリーズの著者。1990年、旅の途中の遅延した列車の中で「ハリー・ポッター」のアイデアを思いつくと、全7冊のシリーズを構想して執筆を開始。1997年に第1巻『ハリー・ポッターと賢者の石』が出版、その後、完結までにはさらに10年を費やし、2007年に第7巻となる『ハリー・ポッターと死の秘宝』が出版された。シリーズは現在85の言語に翻訳され、発行部数は6億部を突破、オーディオブックの累計再生時間は10億時間以上、制作された8本の映画も大ヒットとなった。また、シリーズに付随して、チャリティのための短編『クィディッチ今昔』と『幻の動物とその生息地』(ともに慈善団体〈コミック・リリーフ〉と〈ルーモス〉を支援)、『吟遊詩人ビードルの物語』(〈ルーモス〉を支援)も執筆。『幻の動物とその生息地』は魔法動物学者ニュート・スキャマンダーを主人公とした映画「ファンタスティック・ビースト」シリーズが生まれるきっかけとなった。大人になったハリーの物語は舞台劇『ハリー・ポッターと呪いの子』へと続き、ジョン・ティファニー、ジャック・ソーンとともに執筆した脚本も、書籍化された。その他の児童書に『イッカボッグ』(2020年)『クリスマス・ピッグ』(2021年)があるほか、ロバート・ガルブレイスのペンネームで発表し、ベストセラーとなった大人向け犯罪小説「コーモラン・ストライク」シリーズも含め、その執筆活動に対し多くの賞や勲章を授与されている。J.K. ローリングは、慈善信託〈ボラント〉を通じて多くの人道的活動を支援するほか、性的暴力を受けた女性の支援センター〈ベイラズ・プレイス〉、子供向け慈善団体〈ルーモス〉の創設者でもある。J.K. ローリングに関するさらに詳しい情報はjkrowlingstories.comで。

松岡佑子 訳

翻訳家。国際基督教大学卒、モントレー国際大学院大学国際政治学修士。日本ペンクラブ会員。スイス在住。訳書に「ハリー・ポター」シリーズ全7巻のほか、「少年冒険家トム」シリーズ、映画オリジナル脚本版「ファンタスティック・ビースト」シリーズ、『ブーツをはいたキティのはなし』『とても良い人生のために』『イッカボッグ』『クリスマス・ピッグ』(以上静山社)がある。

ハリー・ポッターと賢者の石〈25周年記念特装版〉

2024年12月1日　第1刷発行

著者	J.K. ローリング	装丁	城所潤+大谷浩介(ジュン・キドコロ・デザイン)
訳者	松岡佑子	装画	カワグチタクヤ
発行者	松岡佑子	組版	アジュール
発行所	株式会社静山社	印刷	中央精版印刷株式会社
	〒102-0073 東京都千代田区九段北1-15-15	製本	株式会社ブックアート
	電話・営業 03-5210-7221　https://www.sayzansha.com		

本書の無断複写複製は著作権法により例外を除き禁じられています。また、私的使用以外のいかなる電子的複写複製も認められておりません。落丁・乱丁の場合はお取り替えいたします。

Japanese Text ©Yuko Matsuoka 2024　Printed in Japan　ISBN978-4-86389-918-6　Not to be Sold Separately